EL MISTERIO DE NADIE

SERIE ÁNGELES LIBRO 1

Vicente Raga

addvanza books

Vicente Raga

Nacido en Valencia, España, en 1966. Actualmente residiendo en Irlanda, pero mañana ¿quién sabe? Jurista por formación, ávido lector, escritor por pasión, aprendiz de guionista, viajante impenitente y amante de su familia. Viviendo la vida intensamente. *Carpe diem*.

Autor de la saga de éxito mundial de «*Las doce puertas*», traducida a varios idiomas. Número 1 en Estados Unidos, México y España. TOP 25 en Europa, Australia y Canadá.

«*Escribir con sencillez es tan difícil como escribir bien*»
W. Somerset Maugham

SERIE ÁNGELES

Este no es un libro independiente

Es la continuación de *«El faraón perdido»*

MISTERIO EN EGIPTO

LIBRO 1 EL MISTERIO DE NADIE

LIBRO 2 EL FARAÓN PERDIDO

LIBRO 3 LAS PUERTAS DEL CIELO

MISTERIO EN FLORENCIA

LIBRO 4 PARA VIVIR HAY QUE MORIR

CONTINUARÁ...

Es recomendable leer todos los libros en su orden, aunque cada misterio suponga en sí mismo una historia independiente, con sus propios personajes y trama.

Primera edición, octubre de 2022
Segunda edición, febrero de 2023

© 2022 Vicente Raga
www.vicenteraga.com

© 2022 Addvanza Ltd.
www.addvanzabooks.com

Fotocomposición y maquetación: Addvanza Ltd.
Ilustraciones: Leyre Raga y Cristina Mosteiro

ISBN: 978-1-915336-34-7

En esta ocasión, quiero dedicar mi duodécima novela a todos los que habéis hecho posible que me pueda dedicar de forma profesional a lo que siempre me ha apasionado, que es la escritura. No sería lo poco que soy ahora mismo sin vuestra ayuda y sin vuestras palabras de ánimo. Jamás olvidaré todo el apoyo que me distéis en mis primeros alientos como escritor, como tampoco olvido los que me seguís regalando cada día que pasa. Es todo un orgullo saber que siempre estáis ahí acompañándome en esta aventura.

Va por todos vosotros, mis queridos lectores.

ÍNDICE

0 INTRODUCCIÓN. DENIA, ESPAÑA, 3 DE JULIO 11

1 ANTIGUO EGIPTO, RIBERA DEL NILO, MENFIS 19

2 PUERTO DE ALEJANDRÍA, EGIPTO, 29 DE DICIEMBRE DE 1835 25

3 ANTIGUO EGIPTO, AFUERAS DE MENFIS 36

4 EL CAIRO, EGIPTO, 3 DE ENERO DE 1836 46

5 ANTIGUO EGIPTO, PALACIO REAL DE MENFIS 53

6 EL CAIRO, EGIPTO, 4 DE ENERO DE 1836 59

7 ANTIGUO EGIPTO, RIBERA DEL NILO, MENFIS 65

8 EN LA ACTUALIDAD, 14 DE OCTUBRE 69

9 GUIZA, EGIPTO, 5 DE ENERO DE 1836 77

10 ANTIGUO EGIPTO, AFUERAS DE MENFIS 82

11 EL CAIRO, EGIPTO, 8 DE ENERO DE 1836 94

12 ANTIGUO EGIPTO, RIBERA DEL NILO, MENFIS 99

13 EN LA ACTUALIDAD, DUBLÍN, IRLANDA, 14 DE OCTUBRE 106

14 EL CAIRO, EGIPTO, 13 DE FEBRERO DE 1836 112

15 ANTIGUO EGIPTO, TEMPLO DE LA DIOSA NEITH, MENFIS 124

16 EL CAIRO, EGIPTO, 14 DE FEBRERO DE 1836 130

17 ANTIGUO EGIPTO, RIBERA DEL NILO, MENFIS 139

18 PUERTO DE ALEJANDRÍA, EGIPTO, 25 DE OCTUBRE DE 1836 143

19 ANTIGUO EGIPTO, AFUERAS DE MENFIS 148

20 PUERTO DE ALEJANDRÍA, EGIPTO, 25 DE OCTUBRE DE 1836 156

21 EN LA ACTUALIDAD, DUBLÍN, IRLANDA, 14 DE OCTUBRE 161

22 ANTIGUO EGIPTO, AFUERAS DE MENFIS 167

23 PUERTO DE ALEJANDRÍA, EGIPTO, 25 DE OCTUBRE DE 1836 ... 173

24 ANTIGUO EGIPTO, AFUERAS DE MENFIS......................................176

25 EN LA ACTUALIDAD, DUBLÍN, IRLANDA, 14 DE OCTUBRE 182

26 ANTIGUO EGIPTO, PALACIO REAL, MENFIS................................... 187

27 EL CAIRO, EGIPTO, 30 DE OCTUBRE DE 1836...............................191

28 ANTIGUO EGIPTO, RIBERA DEL NILO, MENFIS...............................197

29 EL CAIRO, EGIPTO, 10 DE NOVIEMBRE DE 1836.................................... 203

30 ANTIGUO EGIPTO, PALACIO REAL, MENFIS....................................211

31 GUIZA, EGIPTO, 11 DE NOVIEMBRE DE 1836.................................216

32 EN LA ACTUALIDAD, DUBLÍN, IRLANDA, 14 DE OCTUBRE 225

33 ANTIGUO EGIPTO, AFUERAS DE MENFIS 231

34 GUIZA, EGIPTO, 12 DE NOVIEMBRE DE 1836.................................235

35 ANTIGUO EGIPTO, MENFIS.. 243

36 EL CAIRO, EGIPTO, 12 DE NOVIEMBRE DE 1836.......................... 250

37 ANTIGUO EGIPTO, PALACIO REAL, MENFIS...................................257

38 EN LA ACTUALIDAD, DUBLÍN, IRLANDA, 15 DE OCTUBRE............. 264

39 ANTIGUO EGIPTO, PALACIO REAL, MENFIS.................................. 269

40 GUIZA, EGIPTO, 14 DE NOVIEMBRE DE 1836.................................276

41 ANTIGUO EGIPTO, PALACIO REAL, MENFIS 279

42 EN LA ACTUALIDAD, DUBLÍN, IRLANDA, 15 DE OCTUBRE 289

43 ANTIGUO EGIPTO, PALACIO REAL, MENFIS.................................. 296

44 GUIZA, EGIPTO, 14 DE NOVIEMBRE DE 1836................................ 307

45 ANTIGUO EGIPTO, MENFIS 318

46 EN LA ACTUALIDAD, DUBLÍN, IRLANDA, 15 DE OCTUBRE 325

NOTA DEL AUTOR

La parte histórica que hace referencia a Egipto se centra en la IV Dinastía del Imperio Antiguo, que reinó el país entre los años 2663 y 2160 A. C. Para mejor comprensión de mis lectores, utilizo las expresiones actuales conocidas por todos y no las que se usaban en su época. Por ejemplo, hasta la XVIII Dinastía no se empleó el término «faraón» sino «rey». Igualmente, el país era llamado «Kmt», que significa tierra negra y no por su nombre actual de Egipto, que proviene de una derivación del griego «Aegyptos». El río Nilo era llamado «Itrw», que significa simplemente «el río» sin más, ya que no conocían otro. Su capital durante la IV Dinastía del Imperio Antiguo tampoco era conocida como ahora, Menfis, sino por «Hwt-ka-Ptah» o la morada del alma del Dios Ptah. También uso las expresiones de días, horas y minutos y me he tomado alguna licencia histórica, siempre con el objeto de que la novela sea más fácil de leer y comprensible para todos. Tan solo hago una excepción y es con los nombres de los personajes. A pesar de su complejidad, todos existieron tal y como aparecen escritos y en sus verdaderos cometidos.

0 INTRODUCCIÓN. DENIA, ESPAÑA, 3 DE JULIO

—¡Vaya tarde de sorpresas! Estoy como si hubiera pasado una manada de toros por encima de mí.

—No te extrañes de esa manera. Supongo que saber que tienes una hermana gemela el mismo día que conoces a tu bisabuela no es algo que suceda todos los días. Si te sirve de consuelo, yo también estoy reventada de cansancio.

—No, no me sirve —respondió Carlota a su hermana Rebeca.

Ambas se encontraban solas en el *bungalow* de la mansión de su amiga Almu en la zona de *Les Rotes*, en Denia, con quien se habían ido a pasar dos semanas de sus vacaciones de verano junto con Carol.

Las cuatro eran inseparables. Estudiaron juntas en el mismo colegio, pero no perdieron el contacto cuando lo abandonaron para estudiar en la universidad. Establecieron un día semanal, todos los jueves a las siete de la tarde, para verse en un *pub* irlandés de Valencia junto con otros compañeros. El camarero inglés del local, Dan, los había bautizado como el *Speaker's Club* porque decía que no paraban de hablar. El rincón donde siempre se sentaban también lo había bautizado como el *Speaker's Corner*, a modo de homenaje de la esquina de los charlatanes que se encuentra en el Hyde Park de Londres. De esta manera, habían pasado cuatro años desde que dejaran el colegio y todos se veían de forma semanal, a excepción del periodo estival, en el que cada uno se iba de vacaciones con su familia o a su aire. Pero este año, las cuatro mejores amigas, Rebeca Mercader, Carlota Penella, Carolina Antón y Almudena Bremer habían decidido pasar sus primeras vacaciones juntas, aprovechando que la familia de Almu disponía de una gran mansión en Denia con varios *bungalows* independientes en su interior. Rebeca y Carlota dormían en uno de ellos, mientras Carol y Almu lo hacían en el contiguo. Su idea era «quemar» Denia, ligando todo lo que pudieran. Sin embargo, la primera noche no habían salido, ya que, aunque los locales de moda llevaran abiertos desde el mes de mayo, inauguraban la temporada de verano de forma oficial al día siguiente, es decir, hoy mismo.

Era el día esperado, sin embargo, los ánimos de Rebeca y Carlota no eran los mejores. En ellas, estar decaídas era muy extraño. Rebeca Mercader se acababa de graduar en Historia, como Almu, y recientemente se había hecho famosa por sus colaboraciones en programas de televisión y radio. No tenía tiempo ni de aburrirse. Por otra parte, Carlota vivía la vida con un optimismo y una alegría desbordante. Se le podía considerar una *influencer* en redes sociales. Su cuenta de Instagram tenía cientos de miles de seguidores y había escrito dos libros acerca de la alta costura y de moda en general. Además, las dos hermanas poseían un extraordinario coeficiente intelectual. No en vano se encontraban entre las cien personas más inteligentes de Europa. La vida les había sonreído, pero hoy no lo hacía.

En ese momento, Carol entró en su *bungalow*.

—¿Qué hacéis así? Os esperaba vestidas para matar —les dijo, al verlas tiradas en sus camas.

—Me parece que las muertas somos nosotras —le respondió Rebeca.

—¿No me digas que Taylor Swift no quiere salir de fiesta? Reventarías Denia.

—La reventada soy yo —le respondió con desgana.

Rebeca se parecía asombrosamente a la famosa cantautora estadounidense, pero con unos cuantos años menos, ya que tenía tan solo veintidós. A pesar de que podía sonar como un cumplido, no lo quería reconocer ni le gustaba que las compararan, y mucho menos que se lo dijeran.

—La hermana fea de Taylor tampoco es que tenga muchas ganas de salir —intervino ahora Carlota.

Eso sí que le sorprendió a Carol. Así como Rebeca era más comedida, Carlota no acostumbraba a perderse una fiesta ni muerta. Era la más loca de las cuatro. Y lo de la hermana fea tampoco colaba. Tenía la misma cara que Rebeca con unos preciosos ojos azules, aunque Carlota se teñía el pelo de color rojo y su hermana era rubia natural. También estaba algo más rellenita, pero eso destacaba sus espectaculares curvas. Cuando salían de fiesta, a pesar de que Rebeca era la más guapa de las cuatro, Carlota siempre era la primera que triunfaba. Por eso, a Carol le costó creer lo que estaba escuchando.

—¿Eres tú o alguien ha poseído tu cuerpo?

—Te aseguro que soy yo, pero te reconozco que es la primera vez en mi vida que me escucho decir esas palabras.

—¿No crees que ya hemos tenido demasiadas emociones hoy? —le preguntó Rebeca—. Vamos a estar dos semanas aquí y tendremos muchas oportunidades de salir de fiesta.

—¡Pero hoy es la inauguración de la temporada en Denia! —protestó Carol—. Además, he quedado con Kaia Gerber en el mejor local de la ciudad, el *Zensa*, en el puerto.

El día anterior habían comido en el famoso restaurante del chef tres estrellas Michelin, Quique Dacosta. Allí habían coincidido con un grupo de modelos internacionales, entre los que se encontraba Kaia Gerber, la hija de la supermodelo de los años ochenta y noventa del siglo pasado, Cindy Crawford.

—Dale recuerdos de nuestra parte —dijo Carlota con una más que evidente desgana.

—No te reconozco. ¡Pero si también estará Mario Armas! Ayer, si no te reprimimos, te lo hubieras comido de postre en el mismo restaurante. Esta noche será tuyo.

—Te aseguro que será de otra, porque yo no tengo el cuerpo para farolillos.

Carol se quedó mirando a ambas y, aunque le costó sus buenos segundos, comprendió que hablaban en serio.

—Pues yo no pienso quedarme aquí. No todos los días se tiene la posibilidad de conocer a una *celebrity* internacional. No me lo voy a perder por nada del mundo.

Carol Antón era considerada dentro del *Speaker's Club* como la «pija». Su madre era española, pero su padre era un diplomático francés. Había estudiado en la *Sorbona* de París y su familia siempre había sido de clase social elevada.

—¿Almu te va a acompañar?

—No. Está dormida y no la he querido despertar.

Almudena Bremer, cuyo padre era alemán también procedía de una familia muy acomodada, pero, a diferencia de

Carol, cuya fortuna familiar provenía de los negocios en la industria farmacéutica de su familia, la de Almu se fraguó por otros medios, que Almu repugnaba y la tenía desquiciada.

—También ha debido de ser un día duro para ella. Todos vimos cómo se derrumbaba cuando nos reconoció el pasado cercano a Adolf Hitler de su familia, sobre todo de su abuelo paterno. También cuando nos contó que su padre seguía involucrado en organizaciones de ideología nazi —intervino Rebeca.

—Bueno, vosotras os lo perdéis. Ya os lo contaré mañana y os pondré los dientes largos —dijo Carol mientras salía del *bungalow*.

Cuando se quedaron otra vez solas, Carlota se dirigió a su hermana.

—He llamado a Tote. Está de camino. No creo que tarde en llegar.

Tote era el diminutivo por el que todo el mundo conocía a su tía, Margarita Rivera, que era la hermana de la madre de ambas. Fue la primera mujer en España en alcanzar el grado de comisaria de la Policía Nacional. Hasta ayer, Rebeca y Carlota pensaban que era su único familiar vivo, ya que los padres de ambas fallecieron en un accidente de tráfico cuando tenían poco más de ocho años.

Rebeca se sorprendió.

—¿Por qué la haces venir?

—No te lo voy a negar. Estoy muy molesta. Creo que tú te enfadaste en una ocasión con ella por no ser completamente sincera contigo. Pues ahora es mi turno. Todo lo que ha pasado hoy debería haberlo conocido por ella, no enterarme casi por casualidad.

—Sí, tienes razón, pero no seas demasiado dura con ella.

Carlota iba a responder a su hermana cuando escucharon unos golpes en la puerta de su *bungalow*. Rebeca se levantó a abrir.

—¡Caramba, sí que has sido rápida! —dijo, mientras se abrazaba a su tía e intercambiaban unas frases de saludo.

Entró en la habitación. Carlota también se levantó a saludarla y la abrazó, pero Tote ya notó algo extraño en ella. Carlota siempre estaba alegre y era muy efusiva con sus muestras de cariño, pero ahora no lo parecía. Tan solo correcta.

—Me alegro de verte también, pero tengo que reconocer que me ha sorprendido mucho tu llamada. No recuerdo que lo hayas hecho con esta premura jamás —le dijo a Carlota, a modo de bienvenida.

—No —le respondió lacónicamente.

—Supongo que ha tenido que suceder algo para que esté aquí y ahora.

—Sí — Carlota le volvió a contestar con un monosílabo.

—¿Y piensas contármelo más allá de noes y síes?

Carlota le narró todos los hechos ocurridos durante esa misma tarde, desde el descubrimiento de que tenía otra hermana hasta *«La reina del mar»*, su bisabuela, que, aunque de avanzada edad, seguía con vida. Como tenía previsto, le reprochó que no hubiera sido ella la que se lo hubiera contado. Consideraba que eran cuestiones muy importantes como para ocultárselas durante tantos años.

—Ya sé que lo que os voy a decir os puede sonar extraño, pero hay determinadas cuestiones familiares que es mejor no remover —respondió Tote, dirigiéndose a ambas.

Rebeca permaneció en silencio, no así su hermana, que estaba claramente enojada.

—Lo siento, tía. En una ocasión fallaste a Rebeca y ahora lo has hecho conmigo. No quiero seguir esta conversación en este preciso momento, ya que quizá dijera cosas de las que me podría arrepentir, pero me has defraudado. No me esperaba esto de ti. No sé si podré volver a confiar en ti.

—Eso mismo me dijo en una ocasión Rebeca —recordó Tote—, y las cosas no terminaron demasiado bien entre nosotras.

—Pues toma nota —Carlota seguía muy enfadada.

—¿Y qué quieres que haga? —Tote estaba desconcertada, pero también su semblante reflejaba una inmensa tristeza. Por nada del mundo quería que se repitiera con Carlota lo que había sucedido con Rebeca. Aquello trajo consecuencias muy desagradables.

—Que te vayas a dormir, ya es tarde y estoy cansada. Todos los *bungalows* de esta finca están abiertos. Te sugiero que te acomodes en el de nuestra izquierda. Estarás sola, ya que en el de la derecha lo ocupan Almu y Carol. Mañana a primera hora continuaremos la conversación. No he acabado contigo —la voz de Carlota destilaba una dureza impropia de ella.

Tote tomó la pequeña bolsa que había traído y se retiró del *bungalow*, sin levantar la cabeza ni pronunciar palabra alguna.

—¡Menos mal que te había dicho que no fueras demasiado dura con ella! —le reprochó Rebeca.

—Tengo mis motivos que tú desconoces —le respondió a su hermana, con cierto misterio.

—¿Y hablas de falta de confianza? ¿Qué motivos son esos que yo no sé?

—Ya he dicho que estoy muy cansada. Me temo que tendrás que esperarte a mañana, como Tote —dijo, mientras empezaba a desvestirse para ponerse el pijama.

En apenas cinco minutos, ya se había acostado. En apenas diez más, ya estaba dormida.

Rebeca estaba intranquila y nerviosa. Parte de ello lo achacaba al intenso día que terminaban de vivir, pero lo que terminaba de suceder con Tote y Carlota le había preocupado profundamente. «Algo no está bien», pensaba. «Carlota tiene motivos para estar molesta con Tote, como también los tengo yo, pero algo no cuadra en toda esta situación. Siempre he sido yo la persona responsable y jamás he visto a Carlota tomarse tan en serio un tema como este en toda su vida. Siempre ve la parte positiva de las cosas, hasta hoy. ¿Por qué?», reflexionaba Rebeca.

Por otra parte, también le preocupaba lo que había visto en la cara de Tote, una inmensa tristeza. Era cierto que no era la primera vez que lo veía, pero no le gustaba.

Estaba igual de cansada que su hermana, pero con todos estos pensamientos se le había pasado el sueño. Decidió sentarse en una de las sillas de la terraza. «A ver si me relajo un poco contemplando esta fantástica luna llena reflejada en el Mediterráneo», pensó.

El paisaje era de una belleza indescriptible. Desde lo alto de los acantilados de *Les Rotes*, la vista en los días de luna llena era difícilmente superable. Quizá tan solo podía competir con los amaneceres. Rebeca lo estaba disfrutando e intentaba vaciar su mente.

—¡Despierta! ¿No lo oyes?

Rebeca se sobresaltó.

—¿Qué pasa? —respondió, asustada.

—Pasa que te has quedado dormida, a pesar del escándalo. Eso tan solo lo puedes hacer tú.

Cuando vio que era su hermana Carlota la que la estaba zarandeando, se despertó de golpe.

—¿Qué hora es?

—Las tres y cuarto de la madrugada.

—¿Y a qué se debe el sonido de esas sirenas? —le preguntó, incorporándose de su hamaca.

—Por eso acabo de salir a la terraza. Llevan como cinco minutos aullando y me han despertado, cosa que no han conseguido contigo.

—Ya sabes que cuando me duermo no suelo...

Carlota la interrumpió.

—Déjate de idioteces y vayamos a ver qué es lo que pasa.

Desde la terraza no se observaba nada. El sonido procedía de la parte inferior de los acantilados de *Les Rotes*. Salieron por la puerta que daba acceso al paseo marítimo y se asomaron a la playa de piedras.

—¡Caramba! Hay varios coches de policía y hasta una ambulancia —dijo Carlota—. Vamos a bajar, que desde aquí arriba no se distingue nada.

Descendieron el empinado camino que conducía hasta la base de los acantilados. Se acercaron todo lo que pudieron, pero la zona estaba sellada con una cinta de policía que no les permitía avanzar más.

Carlota se acercó al agente que vigilaba el perímetro.

—¿Qué ha sucedido? Estábamos durmiendo en la finca de los Bremer y nos hemos despertado.

—Es mejor que volváis a la cama —le respondió el policia—. Esto no es para vosotras.

Carlota se aproximó a él y le enseñó algo que Rebeca no alcanzó a ver.

—Si lo desea puede pasar, pero usted sola. Su amiga debe permanecer detrás de la cinta.

—¿Te importa? —le preguntó Carlota a su hermana.

—No, para nada. Cuando vuelvas me lo cuentas.

Carlota se aproximó a unas rocas desprendidas del acantilado, acompañado del policía.

Lo que descubrió allí hizo que no pudiera permanecer en pie. Cayó de rodillas con las manos tapándose la cara.

—¿Es su primer cadáver?

Carlota levantó la vista hacia aquel agente. A pesar de sus ojos envueltos en lágrimas, la mirada furiosa que le dirigió pareció atravesarlo. El policía debió de sentir su impacto, tanto que retrocedió un par de pasos, asustado.

—¿Cuándo? —le preguntó Carlota.

—Nos han avisado hace unos veinte minutos. El juez de guardia ya está de camino.

Carlota no era capaz de levantarse, pero debía de reunir todas sus fuerzas para acudir con su hermana. Se alzó del suelo y anduvo hasta el lugar donde la había dejado, detrás de la cinta policial.

Allí no había nadie. Rebeca había desaparecido.

Carlota lo comprendió de inmediato.

«¿La volveré a ver?», se preguntó.

Estaba muy preocupada y no le faltaban los motivos.

1 ANTIGUO EGIPTO, RIBERA DEL NILO, MENFIS

—¡Apártate de inmediato! —dijo, mientras agarraba del hombro a aquel joven, empujándolo de forma violenta hasta que acabaron ambos en el suelo.

—¿Por qué me atacas? —le preguntó, sorprendido por su inesperada reacción—. Tan solo observaba lo que hacías y no te he hecho nada.

Se levantaron.

—¡Idiota! No te estoy atacando. Mira entre los juncos —exclamó el niño, que parecía enfadado.

El joven observó hacia donde le indicaba aquel renacuajo.

—¿Qué se supone que tengo que ver?

—Ese es el problema, que no lo ves. Si no te aparto de ese lugar, ahora estarías muerto.

—¿Pretendes asustarme?

El niño se llevó el dedo índice a la boca en señal de silencio. Tomó una pequeña piedra del suelo y la arrojó con violencia contra los juncos. En ese momento, un cocodrilo apareció de la nada y se retiró hacia el río, abandonando la orilla.

—¿Cómo sabías que...? —empezó a preguntar el joven, todavía con el miedo en el cuerpo.

—No sabía, veía. En esta zona, en la ribera del río, los cocodrilos acostumbran a acechar a sus presas. No los ves si no sabes qué es lo que tienes que ver.

—No te entiendo.

—Que el cocodrilo no se muestra. No esperes verlo en su totalidad. Tan solo dejan fuera del agua sus ojos. Si no estás acostumbrado, se camuflan entre los juncos y no los adviertes, como te acaba de suceder a ti. Cuando te confías, salen de repente del agua y con su poderosa mandíbula te atrapan de un brazo o una pierna y te arrastran hacía el río. Entonces, date por muerto o mutilado, si tienes suerte. Por la forma curvada de sus dientes, una vez te han mordido es muy difícil soltarse.

—Lo cuentas cómo si lo hubieras visto con tus propios ojos —el joven parecía espantado.

Ahora, el rosto del niño reflejaba una profunda tristeza. Tardó unos segundos en responder.

—¿Y qué pescador de esta zona no lo ha hecho? Por desgracia, estamos acostumbrados a sus ataques e intentamos prevenirlos y avisarnos entre nosotros, pero no siempre lo conseguimos.

—¿Cómo un niño como tú puede ser pescador en una zona tan peligrosa como esta? Deberías estar en tu casa ayudando a tus padres.

El niño levantó la vista y se quedó mirando a aquel joven. Ahora pareció comprenderlo.

—Tú no vives por aquí, ¿verdad?

—No, pero ¿qué tiene que ver eso con mi pregunta?

—Todo. Mi padre es un humilde campesino que cultiva un pequeño huerto. En mi familia somos cinco personas y, fuera de las épocas de recolección, pasamos hambre. De vez en cuando me veo obligado a arriesgarme, precisamente para ayudar a mi familia. Mi hermana aún es muy pequeña para trabajar y mi hermano mayor está enfermo. Ya sé que esta zona de la ribera del Nilo es peligrosa, pero también es dónde más pesca hay. Por eso estoy aquí. Mi gran duda es, ¿por qué estás tú?

El niño se había dado cuenta de que la vestimenta de aquel joven no tenía nada que ver con la suya. Los campesinos y, en general, la clase trabajadora masculina solían llevar solo el *shenti*, que era una especie de faldilla corta que se enrollaba a la cintura y se ceñía con un cinturón. En su vida diaria solían ir descalzos, pero, en ocasiones especiales, llevaban unas sandalias confeccionadas con fibras extraídas de los juncos de la ribera del Nilo. Sin embargo, las mujeres llevaban una especie de túnica larga de una sola pieza, que solía ser ceñida y que era sujetada por dos tirantes. La llamaban *Kalasiris*.

—Tú vienes a pescar y yo vengo a intentar no pensar en nada. Me gustaría poder vaciar mi mente —dijo el joven.

—No te entiendo.

—Ayer murió una de las personas que más quería en esta vida. Sentía que los muros de mi casa aprisionaban mi espíritu. Necesitaba aire libre, por eso he pensado en acudir a este lugar. Jamás lo había visitado con anterioridad. A pesar de los cocodrilos, tengo que reconocer que es hermoso.

—Siento mucho la pérdida de tu ser querido —respondió el niño, que ahora se sentía cohibido y sin saber muy bien cómo continuar.

—De todas maneras, ¿por qué me preguntas eso? ¿Acaso no puedo visitar el río como cualquiera?

—Sí, claro que lo puede hacer, pero, desde luego, no es un «cualquiera».

El joven se percató que había dejado de tutearle y le miraba de una manera más extraña todavía.

—¿Acaso te parece rara mi indumentaria?

—Nadie viene a este lugar vestido así.

El joven también portaba un *shenti* como el niño, pero sus ropajes no acababan ahí. Llevaba puesta una túnica que no parecía confeccionada con las fibras vegetales del junco sino con lino. Eso ya era una primera indicación, aunque la definitiva estaba en los pies.

—¿Cómo se le ocurre venir a la ribera del Nilo con ese tipo de sandalias? Es muy peligroso ya que se pueden enganchar con los juncos. En caso de que el cocodrilo lo hubiera atacado, ya estaría muerto —dijo el niño mientras observaba su calzado, intentando averiguar su material. No era una cuestión baladí, ya que los nobles utilizaban el cuero, pero en los templos sacerdotales era habitual usar tejidos extraídos del papiro. Estaba claro que aquella persona debía de pertenecer a uno de los dos mundos.

—Pues entonces te debo la vida —respondió el joven, intentando parecer lo más amable posible, dadas las circunstancias—. Por cierto, no me has dicho tu nombre.

Aquel niño jamás había hablado con una persona de semejante posición social. Los campesinos, los trabajadores y en general los egipcios de condición humilde jamás se relacionaban con las clases medias o altas. Existía una brecha social infranqueable, como un gran muro. De hecho, incluso había normas que castigaban a quién osara dirigirse a uno de ellos.

«No solo estoy hablando con él, sino que ahora quiere que me identifique». Un escalofrío recorrió todo su cuerpo, pero era consciente que no podía permanecer en silencio.

—Nefer —terminó respondiendo.

—¡Qué nombre tan bonito! ¿Sabes lo que significa?

—Mi madre me dijo que se trata de algo relacionado con la belleza.

—Más o menos —le respondió el elegante joven—. Pero no solo la belleza desde un punto de vista físico. Tu nombre se relaciona con cosas positivas, como el bienestar y la perfección.

El niño era consciente de que aquello se parecía mucho a una encerrona. Deseaba marcharse lo antes posible de aquel lugar, pero hubiera parecido muy extraño que no le devolviera la pregunta.

—¿Y usted cómo se llama?

—¿Usted? Hace un rato me hablabas de tú y ahora lo haces con un respeto innecesario e incómodo.

—Como usted quiera, digo, como tú quieras.

El joven no pudo evitar sonreír. Era consciente de la turbación que estaba causando en aquel niño.

—Me llamo Sobek.

—Yo no soy una persona culta como ya habrás notado, por eso no tengo ni idea de lo que significa tu nombre.

—Eso no importa —dijo el joven, ahora riéndose abiertamente.

A Nefer no le hizo ninguna gracia esa actitud. A pesar de su diferencia de clases, era una persona orgullosa de lo que era. Eso le envalentonó, quizá de forma imprudente.

—¿Y se puede saber de dónde vienes vestido así? —le preguntó sin pensarlo.

A pesar del tono insolente de la cuestión, Sobek ni se inmutó. Se limitó a girarse y señalar hacia un punto en el horizonte, en dirección a la ciudad.

Menfis era enorme, no en vano era la población con más habitantes del mundo. Casi medio millón de personas la abarrotaban. Desde el exterior, su principal y llamativa característica era que estaba rodeada por una muralla de color blanco, por eso también era conocida por los egipcios por el nombre de *Ineb-hedy*, que significa precisamente «muro blanco».

Nefer dirigió la vista hacia el lugar señalado. No tenía muy claro adónde apuntaba exactamente Sobek, pero lo primero que vio sirvió para que se le helara la sangre. Si ya estaba asustado, ahora sentía verdadero terror. Sobre todas las construcciones que estaban a la vista, destacaba el Templo de la Diosa Neith. Después del Templo del Dios Ptah, que era deidad local de Menfis, Neith era el siguiente en importancia en la ciudad. Eso no se lo esperaba. Nefer consideró que Sobek era demasiado joven para ser sacerdote del templo, pero podía ser el hijo de uno de ellos. Después de los faraones y el resto de sus familias reales, los sacerdotes eran la casta más importante de Egipto. Incluso los sumos sacerdotes de algún templo podían tener más poder que los visires reales o incluso que familiares de los propios faraones.

—Me temo que se está haciendo tarde —acertó a decir Nefer, intentando ocultar su extremo congojo.

—¿Acaso me tienes miedo? —estaba claro que Sobek había advertido el azoramiento del niño.

Nefer permaneció en silencio durante un par de segundos. No se podía permitir contrariar a aquel joven y tenía que medir sus palabras con suma cautela. Ya había metido la pata una vez.

—No me malinterpretes. Pareces buena persona, pero está claro que perteneces a una clase social elevada. No olvides que yo soy el hijo de un humilde campesino. Ya sabes que no nos está permitido hablar entre nosotros. Además, mira dónde nos encontramos, en uno de los lugares más peligrosos de la ribera del Nilo. Si nos descubren, ¿qué crees que harán conmigo? ¡Pues matarme de inmediato! Pensarían que te he expuesto al peligro de los cocodrilos.

—No te matarían, tranquilo por eso —respondió Sobek con calma, pero también con firmeza, intentando infundir algo de sosiego en aquel asustado niño—. Además, no les tengo miedo a los cocodrilos.

—Pues deberías. He visto como destrozaban a más de uno.

—Egipto está infectado de criaturas amenazantes. En las riberas del Nilo abundan los cocodrilos, en el desierto hay escorpiones y entre la vegetación se esconden serpientes mortales, pero te aseguro que las personas pueden ser mucho más peligrosas que todas esas alimañas juntas.

Nefer levantó los hombros en señal de indiferencia.

—Si tú lo dices estoy seguro de que será así, pero yo todavía soy muy joven para entenderlo. Por ahora me conformo con capturar a las alimañas que son comestibles.

Sobek sonrió.

—Ya comprenderás lo que acabo de decir y no creo que tardes demasiado en hacerlo.

Nefer no entendió a qué se refería el joven, pero consiguió asustarle un poco más. No sabía cómo continuar la conversación y lo único que deseaba era largarse de allí lo antes posible

—Me temo que debo regresar a mi casa. Mis padres se podrían preocupar si no lo hago y estoy seguro de que los tuyos también.

—No lo creo —respondió Sobek, que ahora parecía melancólico.

Nefer recordó que había perdido a un ser querido, pero, a pesar de ello, estaba más nervioso todavía. Seguía sin terminar de comprender a aquella persona.

—¿Me permites que me marche? —la pregunta le resultó ridícula nada más formularla, pero fue lo que le salió en ese momento.

—Pues claro, pero con una condición —le respondió Sobek.

—¿Cuál?

—Es la primera vez que salgo de los muros de Menfis y me ha agradado hablar contigo, aunque haya sido algo breve. Me gustaría volver a verte otro día en este mismo lugar.

—¿Para qué? —Nefer intentó protestar.

—Te necesito para una cosa.

—¿A mí? —estaba pasmado.

—Nos vemos mañana a la misma hora —dijo Sobek a modo de despedida, mientras se separaba de un confundido Nefer.

«¿Qué significa todo esto?», se quedó pensativo. «¿Para qué puede necesitar una persona como él a un simple aprendiz de campesino y pescador como yo?»

Estaba muy preocupado y no le faltaban los motivos.

2 PUERTO DE ALEJANDRÍA, EGIPTO, 29 DE DICIEMBRE DE 1835

—¡Cuidado con la pasarela! —oyó decir al frente—. Le aseguro que las carga el diablo.

—No se preocupe por eso. Llevo más de treinta años bajando por ellas y ya estoy más que acostumbrado.

—Es un placer darle la bienvenida a Egipto, coronel Vyse.

—Tan solo me llaman así mis subordinados y usted no lo es. Con Vyse bastará. Usted debe ser el vicecónsul británico en Alejandría. Mr. Sloane, ¿no?

—Aquí todo el mundo suele prescindir del «míster». Como usted acaba de decir, con Sloane también será suficiente.

Cuando Richard Howard Vyse, antiguo miembro del Parlamento del Reino Unido y actual coronel de la Armada Británica, desembarcó y pisó suelo egipcio por primera vez, no pudo evitar que una amplia sonrisa iluminara su rostro. El puerto de Alejandría, entrada natural a Egipto para los viajeros procedentes de Europa, le pareció lleno de vida y color. Habían sido muchos años de preparativos para poder hacer una visita al país que más deseaba, y ahora era una realidad. Después de observar su entorno, se fijó en su interlocutor. No podían ser más diferentes. Vyse era alto y de complexión fuerte, con aires militares, mientras que Sloane era menudo y con una prominente barriga, con aires de oficinista del gobierno. A Vyse le pareció algo cómico.

—Parece de buen humor —dijo el vicecónsul, estrechando la mano a su ilustre visitante.

—¡Cómo no lo iba a estar! He viajado por medio mundo, desde que era un simple «corneta» en el regimiento de los *Royal Dragoons* con apenas dieciséis años, hasta mi actual empleo como coronel en el primer regimiento de los *West India*, sirviendo en las colonias británicas de ultramar durante más de veinte años. A pesar de ello, nada me hace más ilusión que estar en este país.

—Desconozco qué impresión le causará, pero de lo que estoy seguro es que no le dejará indiferente. Es un territorio de fuertes contrastes. O lo amas o lo odias.

—Llevo cinco minutos aquí y ya lo amo —le respondió el coronel, que parecía genuinamente impresionado.

Sloane pensó que ya tendría tiempo para formarse una opinión más fundamentada del país, pero no deseaba estropearle lo que parecía un momento mágico para Howard Vyse. «Ya hablaremos dentro de unos meses», se dijo con cierta maldad. Ahora debía de cumplir la misión que le había encomendado el cónsul general británico en Egipto, el coronel Campbell.

—¿Su equipaje? —le preguntó.

—En apenas un minuto lo desembarcarán —le respondió Vyse, mientras observaba la gran actividad del puerto de Alejandría. Estaba acostumbrado a viajar y, en consecuencia, había visitado multitud de puertos, pero aquel lugar tenía un encanto especial. El ambiente que se respiraba presagiaba una gran aventura. Al menos eso era lo que quería creer.

—Por su mirada, creo que está deseando iniciar su viaje por el Alto Egipto, tal y como estaba convenido con el cónsul.

—¿Se nota mucho? —respondió Vyse, que, a pesar de su evidente alegría, notó un extraño tono en la voz de Sloane. «Se supone que ha venido a darme la bienvenida, pero ¿por qué no tengo esa sensación?», pensó. «Supongo que serán cosas mías, ya que nadie puede estar más contento que yo ahora mismo. Acabo de llegar, todo es nuevo para mí, pero Sloane lleva aquí años. No le puedo pedir que luzca mi entusiasmo casi juvenil». A pesar de ello, no le pasó por alto el detalle. Hizo bien.

—Siento ser portador de malas noticias, Me temo que tendrá que posponer el viaje que había previsto.

—¿Qué? —ahora Vyse sí que se sorprendió de verdad—. Pero eso no puede ser. Llevamos meses preparándolo y cuento con la autorización personal del...

—Del coronel Campbell, lo sé —le interrumpió Sloane—. Precisamente ese es el motivo del retraso en su viaje.

—No le comprendo.

—Me ha ordenado que le conduzca a su presencia en El Cairo. En cuánto su equipaje sea descargado, partiremos de inmediato hacia allí. Todo está previsto.

—¿Ha sucedido algo inesperado durante mi travesía en barco? No he sido informado de nada —Vyse seguía preocupado—. ¿Los franceses, quizá?

Sloane se permitió una ligera sonrisa.

—Después de la retirada de las tropas de Napoleón de Egipto, le aseguro que los franceses tienen muy poca influencia aquí. Nada podrían hacer, aunque quisieran.

Howard Vyse, como coronel de la Armada Británica, conocía perfectamente la reciente historia militar de Egipto, sobre todo desde la invasión de las tropas francesas a finales del siglo XVIII. Cuando se inició, Vyse tenía apenas catorce años y no había participado en ella como militar, pero se la había estudiado con especial curiosidad.

Napoleón Bonaparte siempre había prestado especial atención a Egipto. En aquella época, era una simple provincia otomana gobernada o, mejor dicho, desgobernada, por las élites mamelucas. No había ningún tipo de ley. Los comerciantes franceses instalados en la zona no cejaban en enviar quejas a su gobierno acerca del trato que recibían y de sus dificultades para ejercer su actividad con libertad. Howard Vyse vio un destello de genialidad en la decisión que tomó Bonaparte. En secreto y sin confiar sus intenciones más que a un puñado de sus generales, conformó una flota que partió hacia Egipto sin que nadie le prestara la menor atención. Casi treinta navíos de guerra para escoltar a cuatrocientas naves que trasportaban a más de 40.000 soldados. Burlando a la Armada Británica en el Mediterráneo, conquistó primero el puerto de Malta sin apenas oposición para posteriormente desembarcar en Alejandría con su ejército, el día 1 de julio de 1798. Encontró, como cn Malta, una pequeña resistencia local, pero fueron aplastados por su formidable ejército. El pretexto de Napoleón para su acción militar era reinstaurar el orden en Egipto, librar a sus habitantes de la opresión otomana y mameluca y defender el Islam. No se presentó como un invasor, sino como un libertador. Su estrategia, como siempre, parecía perfecta, aunque nunca convenció a los egipcios. Además, los ingleses parecieron despertar de su letargo inicial. Se dieron cuenta de que la verdadera intención de Napoleón era cortar sus rutas comerciales con sus colonias en las Indias y, después de vencer a los otomanos en Egipto, ofrecerles una alianza para controlar toda la región. Napoleón era uno de los grandes y jamás se habría embarcado en una aventura militar de esa envergadura sin motivos muy fundados. Aquello era algo que los ingleses no se podían permitir. La Armada Británica no había sido capaz de evitar el desembarco de las tropas napoleónicas en Alejandría, pero un mes después, el almirante Horatio Nelson, con su formidable flota de combate naval, localizó a la francesa resguardada en la bahía de Abukir. Los pilló desprevenidos y, en la llamada *Batalla del Nilo*, en apenas dos días, desarboló a los franceses, hundiendo la práctica totalidad de sus buques de guerra.

Pero en tierra las cosas no marchaban igual. El poderoso ejército de Napoleón, se enfrentó al grueso de las tropas otomanas y a la temible caballería mameluca. Fue el 21 de julio de 1798, conocida como la *Batalla de las Pirámides*. Napoleón arrasó y humilló de tal manera a sus adversarios que se decía que había aniquilado a un ejército de 10.000 soldados otomanos y 3.000 miembros de élite de la caballería mameluca, sufriendo entre sus filas tan solo unas trescientas bajas entre muertos y heridos. Los mamelucos, al conocer la sangrienta derrota de la que consideraban su invencible caballería, abandonaron Egipto de inmediato para refugiarse en Siria. Es decir, Napoleón podía haber sido derrotado en el mar, pero en tierra había vencido y en ese momento controlaba todo Egipto.

—Coronel, su equipaje vuelve a estar embarcado.

Vyse salió bruscamente de sus pensamientos por las palabras de Sloane.

—¿Pero no lo estaban desembarcando? —acertó a decir.

El cónsul no pudo evitar sonreír.

—Desembarcando del gran navío que le ha traído desde Londres y vuelto a embarcar en una faluca, una embarcación más adecuada para navegar por uno de los canales del río Nilo. ¿Cómo cree que íbamos a trasladarnos a El Cairo?

—No lo había pensado, la verdad. ¿No existen caminos por tierra firme? Llevo mucho tiempo embarcado.

—Por supuesto que sí, pero los egipcios siempre han preferido la navegación fluvial, y la verdad es que nosotros también. Es más cómoda, fiable y rápida. Las carreteras egipcias no son como las de Inglaterra, ya me comprende.

Vyse se quedó mirando la pequeña embarcación que tenía enfrente.

—Sí, ya sé lo que está pensando —se anticipó Sloane—. A pesar de su menudo tamaño, es completamente segura. Piense que el Nilo, aunque muy grande, es un río y no un mar. No existen las galernas, tan solo corrientes y vientos. Si se navega hacia el norte, es decir, a favor de la corriente, se utilizan remos, pero si se remonta el rio hacia el sur, la vela y los vientos son nuestros aliados. Desde luego no tiene por qué preocuparse. En Egipto es normal utilizar el Nilo como medio de transporte; ya lo comprobará por usted mismo.

El coronel Vyse aceptó las palabras de Sloane con un gesto y se subió a la pequeña embarcación. A pesar de su reducido tamaño, en la popa contaba con unos pequeños camarotes y un puesto elevado cubierto con un toldo. Vyse supuso que su función era para poder apreciar el paisaje sin que el abrasante sol les quemara la piel.

—Su equipaje ya está en su camarote. Puede asearse en su interior, si lo desea.

—Gracias, Sloane. Así lo haré. ¿Podré utilizar la cubierta para observar el paisaje?

—Por supuesto. Es libre de moverse por toda la faluca. El viaje será muy tranquilo, aunque le advierto que no verá gran cosa de interés en la ribera del Nilo. Este trayecto es especialmente anodino en comparación con otros.

—Me conformaré —respondió Vyse, mientras se dirigía a su camarote para asearse. Egipto podía ser maravilloso, pero su clima no tenía nada que ver con el británico. Había partido de Londres a cuatro grados centígrados y ahora superarían fácilmente los treinta, a pesar de la época del año en la que se encontraban.

Howard Vyse se aseó como pudo con la ayuda de una vieja palangana y una jarra de agua marrón, como el color del Nilo. Por su empleo como miembro de la *Royal Navy* había viajado por todo el mundo y estaba acostumbrado a los medios de aseo más rudimentarios, pero aquello los sobrepasaba. «Supongo que tendré que acostumbrarme y buscarle su encanto», pensó, intentando ser optimista, a pesar de que sus planes iniciales para recorrer Egipto se habían torcido antes de empezar. Aún desconocía el motivo por el que su presencia era requerida en El Cairo, pero intentó permanecer positivo.

«Supongo que será tan solo un pequeño retraso, alguna formalidad», se intentó convencer.

En cuanto concluyó su precario aseo, salió a la cubierta de la faluca y se subió a la parte posterior elevada. Se sentó en una pequeña bancada de madera y empezó a observar el entorno. La verdad es que Sloane no le había engañado. Excepto por algunas villas construidas cerca de la ribera y dos o tres *sakias*, que eran las ruedas de agua típicas de Egipto, el resto del paisaje no tenía ningún interés. De todas maneras, decidió quedarse allí. No pensaba pasar sus primeras horas en Egipto entre las paredes de un pequeño camarote.

De repente, vio algo que le resultó familiar, aunque jamás la había observado desde tierra.

«¡Claro! ¡Es la bahía de Abukir!», se dijo. Le había costado distinguirla porque siempre la había observado desde el mar. Aquello lo sacó de su aparente aburrimiento y le volvió a recordar la gran victoria naval que el almirante Nelson había conseguido frente a la armada de Napoleón, en la *Batalla del Nilo* de 1798.

Napoleón otra vez.

A pesar de su natural aversión hacia los franceses, fruto de las interminables batallas que su país había librado contra ellos, en su interior siempre respetó a la figura de Napoleón Bonaparte. No pudo evitar volver a pensar en sus aventuras por tierras egipcias. Curiosamente, a pesar de ser militar, no le interesaba tanto esa faceta de Napoleón, aunque la considerara sobresaliente. En Egipto, se podría decir que fue derrotado tan solo a medias. Tras un año combatiendo, no solo frente a sus adversarios militares, sino también contra las plagas y las enfermedades que diezmaban sus tropas, Napoleón fue consciente que era cuestión de tiempo que fuera derrotado y hecho prisionero. El otrora poderoso ejército de 40.000 soldados ya no era tal. Su ego no podía permitir tal cosa, así que ideó un plan. Aprovechando su última gran victoria en el campo de batalla que le había permitido restañar su prestigio, decidió abandonar Egipto en secreto, tal y como había llegado menos de dos años antes. Acompañado de un puñado de fieles, militares y científicos, y con el pretexto de una expedición de reconocimiento del Delta del Nilo, se embarcó en un pequeño navío rumbo a Francia, para no regresar jamás.

Howard Vyse, aunque nunca las había expresado en público, tenía sus propias ideas al respecto. Le resultaba inconcebible que una travesía de 41 días por el Mediterráneo, controlado en ese preciso momento de forma férrea por la Armada Británica, la embarcación de Napoleón no fuera avistada y consiguiera llegar sana y salva a Francia.

«Napoleón tuvo que llegar a un acuerdo con nosotros. A cambio de dejar Egipto, le garantizaríamos la seguridad de su viaje hasta Francia», pensaba Vyse. Aunque no tenía ninguna prueba de ello, le cuadraba perfectamente con la personalidad de Bonaparte y con los intereses británicos. Las dos partes salían ganando.

Como era de esperar, cuando se supo que Napoleón ya no volvería a Egipto, el ejército que había dejado allí, al mando del general Kléber, tuvo que enfrentarse a los renacidos esfuerzos militares otomanos, esta vez apoyados por los británicos. Kléber era un buen general y aguantó más de un año, hasta que fue derrotado en la *Batalla de Alejandría* en 1801. A partir de ahí todo se torció para los franceses, firmando el final de la guerra mediante el *Tratado de París*, que devolvía el control de Egipto a los otomanos.

Pero había algo que no aparecía en los libros militares y eso era lo que verdaderamente fascinaba a Vyse de Napoleón. Era la enigmática «cara B» de Bonaparte, poco conocida pero apasionante. Su faceta militar la eclipsaba, pero había unos pocos que eran capaces de darle la importancia que merecía, entre los que se encontraba el coronel.

Howard Vyse tenía que reconocer que, con Napoleón, se inició una forma de ver Egipto completamente novedosa. Quizá fue el catalizador que dio inicio a la egiptología moderna. Es cierto que siempre había existido un interés por su antigua cultura. No hay que olvidar que los griegos se volcaron con ella, con figuras como el viajante, historiador y geógrafo Heródoto o Manetón, que, aunque fuera un sacerdote egipcio, vivió durante el periodo helenístico y escribió todas sus obras en griego. Posteriormente, también los romanos se interesaron por Egipto. Incluso durante los oscuros periodos de la Edad Media, muchos peregrinos que acudían a Tierra Santa se desviaban a Egipto para observar, sobre todo, sus enigmáticas pirámides. En Europa, el interés se despertó algo más tarde. Aunque se conservan algunos documentos datados en el siglo XIII, el primer libro ilustrado con cierta visión científica de aquella época fue *Pyramidographia* del matemático y astrónomo inglés John Greaves, que midió y dibujó con cierta precisión las pirámides en el año 1646. A partir del siglo XVIII ya se empezó a percibir entre la sociedad europea que la cultura del antiguo Egipto podría ser la verdadera cuna de la civilización occidental.

Pero Vyse no se quitaba de la cabeza a Napoleón.

Lo que era menos conocido es que su expedición para la conquista de Egipto no fue tan solo de carácter militar, como la inmensa mayoría creía. Junto con sus tropas, Bonaparte embarcó a un selecto grupo de científicos y eruditos en diversas materias del conocimiento. No se trataba de un contingente pequeño que se pudiera camuflar entre sus soldados, ya que estaba compuesto por 167 miembros. A pesar de ello, su existencia se mantuvo en un segundo plano y la mayoría desconocía su presencia en los navíos y lo que era peor, también desconocía el motivo por el que Napoleón los incluyó en su expedición militar a Egipto. Era algo sorprendente en él, ya que jamás lo había hecho anteriormente en ninguna de las campañas en las que Bonaparte había participado. Sin duda era una anomalía de lo más curiosa. Casi todos pertenecían a la recién creada *Commission des Sciences et des Arts*, que comprendía un grupo heterogéneo de ingenieros, geólogos, matemáticos, artistas, naturalistas, químicos, lingüistas y un largo etcétera.

Howard Vyse procedía de una familia británica de rancio abolengo y su educación había sido muy cuidada. Por ello, conocía perfectamente los fundamentos de la *Ilustración*, el movimiento filosófico e intelectual que había dominado Europa durante los dos últimos siglos. Vyse había supuesto en un principio que Napoleón, una vez más haciendo gala de su genialidad, tenía previsto utilizarlos para «blanquear» su operación militar en Egipto, apelando a la cultura y a la búsqueda del conocimiento mediante la investigación y la razón. Pero estaba equivocado. No solo buscaba la gloria militar, sino trascender mucho más allá. A Vyse le vino a la mente la figura del gran Alejandro Magno. No le extrañaría ni un ápice que se comparara con él.

De hecho, en cuanto Bonaparte pisó tierras egipcias fundó el *Institut d'Égypte*. En un principio, Vyse, como tantos otros, pensó que se trataría de un organismo para diseñar y construir las infraestructuras que necesitaba el país, fundamentalmente para poder abrir nuevas rutas comerciales. Sin embargo, la realidad es que se dedicó en gran parte al estudio de la egiptología con unos planteamientos científicos nunca vistos hasta la fecha. Vyse tuvo que reconocer que, pese a su juventud, le impresionó.

El instituto obtuvo grandes éxitos. El que más alcance mundial tuvo fue el descubrimiento de la Piedra de Rosetta por Pierre-François Bouchard, ingeniero que estaba destinado en *Fort Jullien*, en la ciudad Rashid también conocida como Rosetta, de ahí su nombre. Se trataba de una estela de granito que contenía una inscripción dividida en tres secciones, cada una de ellas escrita en un alfabeto diferente.

En su primera sección aparecían tallados jeroglíficos egipcios. En el centro presentaba caracteres demóticos, que eran una forma simplificada de la escritura hierática egipcia utilizada a partir del año 680 A. C. más o menos. Lo más importante venía ahora. La sección inferior estaba tallada en griego antiguo. Los franceses pronto comprendieron que, si se trataba del mismo texto escrito en tres alfabetos diferentes, quizá fuera posible descifrar los hasta ahora ininteligibles e impenetrables jeroglíficos egipcios. Quizá fuera la llave que pudiera abrir la puerta al conocimiento de la civilización egipcia. Iniciaron estudios sobre la piedra de inmediato, pero, a consecuencia de su derrota militar, tuvieron que entregársela a los británicos como botín de guerra. Cuando fue hallada, Vyse era todavía joven, pero aún recordaba visitarla en numerosas ocasiones en el Museo Británico de Londres, donde estaba expuesta. La miraba como esperando que le hablara, por supuesto sin ningún éxito. No obstante, lo que sucedió veintitrés años después del descubrimiento cambió definitivamente su forma de percibir Egipto, no solo para Vyse, sino para toda la humanidad.

¿Qué es lo que sucedió? Era cierto que los franceses se vieron obligados a entregar la piedra original a los británicos, pero mediante el uso de carboncillo y papel lograron varias copias exactas del contenido escrito. Lo primero que consiguieron traducir fue el texto de la parte inferior, en griego antiguo, e hicieron notables progresos con el texto demótico, pero no conseguían ningún avance con los jeroglíficos ni con su correspondencia con los otros dos textos, hasta que un joven muy peculiar se interesó por ello. Era un genio de la lingüística que, con apenas diecisiete años, ya dominaba nueve idiomas. Se llamaba Jean-François Champollion. Utilizando sus conocimientos de la lengua copta, la griega y otras, consiguió establecer una correspondencia entre los valores de cada signo concreto de cada sección en tan solo una de las líneas de la piedra. Con semejante éxito inicial, unos años después publicó su célebre *Lettre à Monsieur Dacier*, donde demostraba que había conseguido la transliteración de la escritura jeroglífica egipcia, completamente opaca hasta ese momento. Por fin la llave había abierto la puerta. Vyse recordaba que ese fue el detonante que marcó su decisión de hacer una expedición a Egipto lo antes que le fuera posible.

«Han pasado trece años de aquello, pero aquí estoy», pensó con orgullo.

A raíz de estos y otros descubrimientos, la fiebre por Egipto floreció aún más. Se organizaron expediciones, tanto de científicos en busca del conocimiento y la cultura egipcia, como de meros turistas que lo único que pretendían era apropiarse de pequeñas antigüedades para decorar el salón de sus palacios.

A pesar de todo, se podría decir que había nacido la egiptología moderna y científica. Por eso Vyse tenía que reconocer los méritos de Napoleón Bonaparte, aunque pensaba que tenían un problema básico de concepto. Estaban convencidos de que, entre los ladrones de tumbas, que muchas veces eran los mismos que las habían construido, los saqueos de los árabes y todo el pillaje posterior más reciente, ya nada importante faltaba por descubrir más que pequeñas estatuas y cosas así. Sí, era cierto que había expediciones arqueológicas en marcha en la actualidad, pero poco ambiciosas a los ojos de Vyse. Se centraban en cuestiones menores, pensando que lo verdaderamente importante ya había sido robado durante los miles de años que habían trascurrido desde su construcción.

«¡Qué equivocados están!», pensaba Vyse, luciendo una pequeña sonrisa en su rostro, cuando escuchó una voz a sus espaldas.

—Por su expresión, veo que está disfrutando del paisaje, aunque sea bastante vulgar —le dijo Sloane.

—Estoy en Egipto —le respondió con lo primero que se le pasó por la mente—. Aquí nada puede ser vulgar. Para mí es suficiente como para sonreír.

Sloane no le respondió de inmediato. Se quedó observando al coronel, como si no lo creyera.

—¿Sabe por qué el coronel Campbell le ha ordenado que me lleve ante su presencia en El Cairo? —le preguntó Vyse, intentando cambiar de conversación—. ¿Tiene alguna idea?

—No cuestiono las órdenes de mis superiores, pero si el coronel Campbell se ha tomado tantas molestias, debe tratarse de algo muy importante. Como comprenderá, esos asuntos no los comenta con sus subordinados.

Ahora, el que no lo creyó fue Vyse. «Bueno, supongo que me enteraré en unos días», pensó. «Por otra parte, no me puedo enojar porque Sloane me oculte información. Yo también lo estoy haciendo con él».

A pesar de ello, no pudo evitar sentirse preocupado. No le faltaban motivos.

3 ANTIGUO EGIPTO, AFUERAS DE MENFIS

—¡Ya estoy aquí! —dijo, nada más entrar en casa.

—¿De dónde vienes a estas horas?

—¿De dónde va a ser? ¿No ves lo que lleva entre sus manos?

Nefer dejó el pescado encima de una piedra y se giró hacia sus padres.

—Creo que lo podréis adivinar —les respondió.

—Sabes que no me gusta que vayas a ese lugar —continuó la madre—. Es peligroso. Hay niños que no han regresado jamás.

—Tengo trece años. Ya no soy un niño —protestó Nefer.

—Tu madre tiene razón —sentenció su padre—. Las riberas del Nilo están infestadas de cocodrilos y otras alimañas. Aunque ya tengas trece años eso no cambia nada. Siguen siendo lugares peligrosos.

—Quizá lo sean, pero yo jamás he visto a ningún cocodrilo ni he pasado por situaciones peligrosas —mintió Nefer—. Tan solo me limito a pescar, como hacen otras personas. Además, creo que lo necesitamos.

Nefer había tocado un tema muy delicado. Su familia era de clase muy humilde, campesinos que vivían de lo que recolectaban en su huerto. De momento eran cinco miembros, su padre, su madre, que estaba embarazada y dos hermanos más. Hasta aquí todo podría parecer normal, pero no era así. El hermano mayor de Nefer sufría la enfermedad llamada «mal de piernas». Apenas podía mantenerse en pie y era incapaz de andar sin ayuda, por lo que no era útil como mano de obra en el campo. Todos le adoraban por su afable carácter, pero no podían obviar que era una carga para ellos. Por otra parte, la hermana menor acababa de cumplir cuatro años y todavía no tenía la fuerza necesaria para ayudarles en su trabajo. Su madre, a medida que avanzaba su embarazo, era menos útil en el campo. Es decir, cinco bocas que alimentar más una en camino, con el trabajo de dos personas y media. Eso no era nada bueno para una familia que no disponía de otros recursos.

Los padres eran plenamente conscientes de que su hijo se marchaba a pescar al Nilo de forma ocasional. Cada vez que volvía con alguna captura se producía la misma discusión, pero, en el fondo, tenían que reconocer que Nefer tenía razón. En determinadas épocas del año, la pesca les había salvado de pasar hambre.

Nefer se sentó en el suelo, junto a su padre, aprovechando el silencio que se había producido.

—¿Es cierto que, cuando eras joven, trabajaste en el Palacio Real de Menfis? —le preguntó.

—¡Pues claro! Es una historia que ya he contado muchas veces. ¿Para qué iba a mentir?

—¿Y qué pasó? Eso nunca nos lo has explicado.

—¿Qué quieres decir?

—Padre, mira a tu alrededor. Estoy orgulloso de ti y de madre, pero a pesar de que estamos todos muy unidos, somos una familia humilde que trabaja para sobrevivir y poder comer todos los días. Supongo que en tus días de sirviente en el Palacio Real no sería así.

El padre se quedó mirando a Nefer, como buscando las palabras adecuadas para continuar la conversación.

—Lo que pasó fue el tiempo —dijo, al fin.

Nefer se le quedó mirando con cara de incomprensión. El padre continuó con la explicación.

—Trabajaba en las cocinas de uno de los palacios del faraón Khafre. Pero la edad no perdona. Cuando cumplí los veintidós años de edad, les pareció que ya era demasiado mayor para desempeñar ese trabajo. Tan solo querían sirvientes jóvenes y yo ya no era un impúber ni mucho menos. Tu hermano mayor tenía tres años y tú estabas en camino. Se me vino el mundo encima. Afortunadamente, en pago por mis servicios durante tantos años, me asignaron un pequeño huerto para que pudiera cultivarlo y mantener a mi familia de una manera honrosa.

A Nefer le llamó la atención un detalle.

—Cuándo dices «tantos años de servicio», ¿de cuántos estamos hablando?

Su padre no le contestó de inmediato. Ahora parecía más triste que al inicio de la conversación.

—No lo sé con exactitud. Recuerdo que por un breve periodo de tiempo acompañé al ejército hasta Nubia. Era muy joven para ser militar, pero ahí estaba. Es lo único que recuerdo con claridad. Desde luego podría decir que crecí en el palacio.

—¿No conociste a tus padres? —Nefer estaba sorprendido. Nunca habían hablado de este tema.

—Supongo que sí —respondió el padre, cuya tristeza parecía ir en aumento—, pero empecé a trabajar tan joven que no guardo ningún recuerdo de ellos.

—Lo siento, padre, no pretendía...

—No lo sientas, hijo. En el palacio se trabajaba a todas horas; apenas tenías algún rato de descanso al día, pero jamás me quejé. Me gustaba verme como un privilegiado. Es verdad que, en mi infancia, jamás tuve una vida en familia como tú, pero también es cierto que me enseñaron cosas que la gente de nuestra condición social desconoce. En el trabajo, no nos estaba permitido hablar con las personas a las que servíamos, a no ser que ellas se dirigieran a nosotros primero. Imagínate, ni siquiera podíamos mirarlos a los ojos. Pero, en ocasiones, nos hablaban. Teníamos que estar preparados para mantener una conversación, aunque fuera básica. Por ello todos los días recibíamos clases de cultura e historia por parte de uno de los preceptores reales. Para mí, esos ratos compensaban todo el duro trabajo del día. Ya sé que del conocimiento no se puede comer, pero, una vez lo adquieres, te das cuenta de su importancia.

Ahora, la natural curiosidad de Nefer aumentó.

—¿Qué es eso tan importante que aprendiste?

—¿Qué sabes de la historia de nuestro país?

—¿De nuestra historia? —repitió Nefer, intrigado—. ¿Para qué sirve eso?

«Menuda pregunta», pensó el padre, mientras ganaba tiempo para buscar una explicación que Nefer pudiera entender.

—Para que me comprendas, a diferencia del pescado que has dejado en la piedra hace un momento, que alimentará nuestro cuerpo, el conocimiento es la comida del espíritu. Tu cuerpo puede estar saciado, pero sin conocimiento jamás alcanzarás la plenitud como persona.

Nefer nunca había escuchado a su padre hablar de esa manera, pero le gustaba lo que escuchaba.

—Quiero que me hables de esos conocimientos ahora.

—Nunca te has interesado por esas cuestiones –dijo el padre. ¿Por qué precisamente ahora? ¿No estarás intentando cambiar de tema para escaparte de la merecida regañina de tu madre por ir a pescar?

—¡Padre! Esa riña ya la he escuchado decenas de veces.

No era eso y Nefer lo sabía, pero no quería hablarle del verdadero motivo que había espoleado su natural curiosidad, que era su encuentro en la ribera del Nilo con aquella extraña persona. Si se lo decía, estaba seguro de que recibiría otra riña y su padre no continuaría con la conversación.

—¿Entonces? –el padre seguía sorprendido por el súbito interés de Nefer.

—No sé. Hoy, mientras pescaba en el Nilo, he tenido tiempo de pensar. Ya tengo trece años, pero desconozco todo lo que me rodea. Voy del huerto a casa. Como, duermo y al día siguiente me levanto pronto para pescar. Luego otra vez al huerto y a casa. En mis ratos libres juego con mis amigos, que llevan la misma vida que yo. Pero no todos somos iguales en Egipto y no sé por qué. Comprendo la importante función que tiene nuestro faraón para asegurar las crecidas del Nilo y las abundantes cosechas. También sé que los sacerdotes se ocupan del culto a nuestros Dioses para que cuiden de nosotros, pero poco más.

El padre se quedó mirando a su hijo, un tanto desconcertado.

—¿De verdad te interesa nuestra historia? —aún no terminaba de creérselo.

—Aunque me sigáis viendo como un niño, te repito que ya tengo trece años y mucha curiosidad por lo que me rodea.

El padre se permitió una tímida sonrisa. En el fondo, sabía que este día acabaría llegando. Al menos lo deseaba. Detrás de esos ojos de Nefer, su padre estaba convencido que había una mente brillante, aunque nunca se hubiera manifestado.

—¿Por dónde quieres que empiece? Como comprenderás, no te puedo trasmitir el conocimiento aprendido en años en apenas un par de horas.

—Para empezar, ¿quiénes somos?

La pregunta le pareció muy curiosa al padre. No era propia de un joven de trece años.

—Se podría decir que somos la voluntad de los Dioses expresada en el agua —quiso empezar con una frase que cautivara a su hijo—. El Nilo configura nuestra geografía, nuestro calendario y nuestro sustento, al tiempo que forja nuestro carácter. Fluye desde los elevados terrenos del sur hasta su desembocadura en el delta del Gran Verde, el mar. Geográficamente, nuestro país se divide en el Alto Egipto, que comprende desde la capital Menfis, donde vivimos nosotros, hacia la zona meridional. Nuestro icono floral es el lirio azul del Nilo y nuestro animal simbólico es la cobra. No hace falta que te explique el porqué. La zona desde Menfis hasta su desembocadura se conoce como el Bajo Egipto. Su icono floral es el papiro y su animal es el alimoche, que planea sobre sus acantilados.

—Todo eso ya lo sabía.

—Pero no viene mal recordarlo. Los Dioses y el Nilo son lo más importante que tenemos. A consecuencia de las fuertes lluvias que los Dioses envían a las zonas montañosas del sur, el río se desborda desde el mes de junio hasta mitad de septiembre e incluso hasta octubre. Eso marca nuestra primera estación, llamada *ajet,* que significa inundación. La segunda estación se llama *peret,* que significa crecimiento. Eso quiere decir que las tierras ya han emergido de las aguas y se pueden cultivar. Trascurre desde octubre hasta febrero. La tercera estación se llama *shemu,* que significa sequía. En ese momento es cuando las cosechas han madurado y se pueden recolectar, que dura desde febrero hasta junio. Ya sabes que celebramos el año nuevo cuando llega la crecida del Nilo y aparece en el cielo la estrella Sotis.

—¿Me vas a contar de una vez algo que no sepa? —Nefer estaba empezando a enfadarse.

—Te estoy contando todo esto para que comprendas quiénes somos. El Nilo no solo es una fuente de riqueza por el limo que deposita en sus orillas, un fertilizante natural que, en los años de abundancia, nos consigue magníficas cosechas. También se utiliza como medio de transporte para el comercio, nos proporciona pesca, como tú bien sabes y en sus riberas crecen abundantes juncos y cañas que sirven para construir embarcaciones o casas, por ejemplo, como la nuestra, además de papiro para los escribas y otras muchas plantas que aprovechamos. Todo ello no sería posible sin la figura del faraón y de los sacerdotes de los diferentes templos. El faraón se ocupa de que las crecidas del Nilo sean abundantes todos los años y los sacerdotes oran a nuestros Dioses y les hacen ofrendas en nuestro nombre.

—Ahora llegamos a la parte que me interesa —dijo Nefer—. ¿Por qué hay tantas diferencias entre nosotros? ¿Cómo se llega a ser sacerdote, por ejemplo?

El padre se quedó mirando fijamente a su hijo.

—¿A qué vienen esas preguntas? En nuestra sociedad, cada uno desempeña su función. Nosotros cultivamos la tierra, otros pescan o crían ganado. Somos los más humildes, pero nuestra labor es muy importante.

—¿Qué me quieres decir? ¿Qué para ser sacerdote se tiene que nacer sacerdote? La figura del faraón y la familia real la comprendo, pero ¿y los demás?

— ¿A qué viene esa repentina obsesión tuya por los sacerdotes?

Nefer se dio cuenta de que debía ser más discreto con sus preguntas o su padre podría sospechar algo extraño.

—No me refiero solo a los sacerdotes, es solo un ejemplo que te he puesto. ¿Qué ocurre con el resto de la sociedad civil?

—Es cierto que está muy jerarquizada, quizá demasiado, pero eso es algo que los Dioses han querido. Sus motivos tendrán.

«Qué manía con los Dioses», pensó Nefer, sin atreverse a expresar su opinión. Nefer creía en ellos, pero no en las tremendas desigualdades sociales que observaba.

Su padre pareció leerle sus pensamientos.

—No hace falta ser un miembro de la familia real o un hijo de un sacerdote para prosperar en la sociedad. Hay otros oficios de gran prestigio y que otorgan riquezas a los que se puede llegar siendo humilde. Por ejemplo, se me ocurren importantes figuras como la de los directores de embalsamadores de la Gran Casa, inspectores de los escribas del Granero Real, pastores del Toro Blanco, camareros del Gran Consejo, supervisores de las obras reales, secretarios de la Casa de Aseos o portaestandartes del faraón. La mayoría tienen relación con la familia real, pero no todos. Algunos han llegado ahí desde nuestra clase humilde. Hay otras figuras, como los escribas reales o los propios visires del Alto y Bajo Egipto, que están reservadas a personas muy cercanas al propio faraón. Ahora mismo, no te podría nombrar a ningún alto cargo de notable relevancia que no sea familia de nuestro faraón, desde hijos, hermanos, sobrinos y hasta nietos. Se podría decir que la casta dominante es algo endogámica.

Nefer desconocía el significado de esa última palabra», pero se moría de ganas por preguntar qué ocurría con los sacerdotes y no quería desviarse de la conversación.

Su padre sonrió. Lo conocía bien y sabía cuál iba a ser su próxima pregunta.

—No, la gente de clase humilde no puede acceder al sacerdocio. ¿Sabías que al propio faraón se le considera un sumo sacerdote también? Entre los sacerdotes y las sacerdotisas, que no lo olvides que muchas son mujeres, también existe su jerarquía propia. Sus cargos importantes, el alto clero, suelen ser hereditarios y son personas muy cultas. De hecho, se forman en los llamados colegios sacerdotales, donde aprenden desde teología hasta astronomía. También es importante que sepas que hay dos clases de templos, los funerarios y los dedicados al culto. Sus sacerdotes también son diferentes. En ambos tipos de templos, en función del Dios al que vayan a servir, requieren otro tipo de conocimientos más específicos. Por ejemplo, los sacerdotes de Anubis, que es el Dios de los difuntos y juez de los muertos, se encargan de las momificaciones y de oficiar las ceremonias funerarias, siempre ocultando su rostro detrás de una máscara de chacal. Sin embargo, los sacerdotes de Ra, Dios del sol, tienen profundos conocimientos de astronomía. Y, por último, por debajo de los sacerdotes del bajo clero, aún existen figuras como los profetas, los ayudantes, los carniceros, los escribas, los cantores y un largo etcétera de cargos de menor relevancia. El estrato más bajo dentro de los templos es el llamado «puro», que es rotatorio entre las clases modestas con una duración no superior a tres meses. Además, ¿sabías que existen decenas de Dioses?

—¿Tantos? –preguntó sorprendido Nefer. Él no conocía más que una docena.

—Supongo que tú conocerás a los Dioses más importantes, como Ra, nuestro principal Dios, como creador del mundo y garante de su continuidad. Es el Dios del sol y se ocupa de que haga su recorrido diario por el cielo para que sigamos vivos. Hablando de cielo, también conocerás a Amón, precisamente el Dios del cielo, también relacionado con la creación como Ra e incluso a la Diosa Isis, que resucitó a su esposo asesinado Osiris. Ambos engendraron a Horus, que era el esposo de la Diosa Hathor, que simboliza la feminidad en el mundo y a veces es representada por una mujer con cabeza de vaca. También podríamos hablar de Anubis, dios de la muerte, que se le representa por un chacal o la Diosa Neith, cuyo templo es el más próximo a nuestra casa. Es una de las más antiguas de Egipto, simboliza la guerra y se le suele representar con forma humana.

Al escuchar el nombre de la Diosa Neith, Nefer no pudo evitar un respingo al recordar a Sobek, que fue advertido por su padre, aunque no lo comprendió.

—No te sorprendas por las representaciones de los Dioses. Recuerda que personifican fenómenos naturales, como la luz, la lluvia, el cielo, la muerte y un largo etcétera. Además, los Dioses en los templos son tratados como seres vivos que residen allí. Sí, no pongas esa cara —le dijo el padre. Nefer pensaba que los Dioses vivían en su propio mundo—. Para que te hagas una idea, todos los días son despertados con incienso y el faraón les debe bañar, alimentar y adorar tres veces al día en todos los templos que existen en Egipto.

—¿Cómo va a hacer eso? Es imposible.

—Ahí quería llegar. Como el faraón tan solo puede estar en un templo, son los sacerdotes los que hacen esa función, ¿lo entiendes? Sustituyen al faraón. Por eso son tan importantes y deben estar muy preparados para conectar con los Dioses. Nosotros, los campesinos, pastores y resto del pueblo llano, no alcanzamos a comprender esos conceptos tan elevados. Además, los ritos diarios que deben hacer son demasiado complicados para nosotros.

—Antes has dicho que el faraón y los sacerdotes alimentan a los Dioses ¿Acaso comen?

—Se les ofrecen alimentos que son consumidos de forma mágica, pero, salvo las ofrendas que son quemadas, ese alimento es utilizado por los propios sacerdotes. Incluso en alguna ocasión lo venden para la conservación del templo. Lo he visto con mis propios ojos. Lo importante es la ofrenda en sí misma en el plano espiritual, no en el material. Deben asegurarse el mantenimiento del *Maat*, que es lo fundamental.

—Jamás había escuchado esa palabra.

—Es un concepto muy difícil de explicar y más a un niño como tú, aunque seas inteligente —dijo el padre, anticipándose a la protesta de Nefer.

—Inténtalo —le replicó con su natural curiosidad.

—A ver cómo te lo explico para que lo comprendas. Imagínate que el faraón y sus sacerdotes han firmado un contrato con todos los Dioses para que su pueblo pueda vivir en paz y prosperidad. Los Dioses, a cambio, les exigen que ellos y todo el pueblo egipcio lleven una vida en orden, equilibrio y rectitud. Eso se podría decir que es el *Maat*.

—Tampoco es tan complicado. Lo he entendido.

—La cosa no termina aquí. Antes te he dicho que cada Dios tiene su función. Comprenderás que cada sacerdote de cada templo haga ofrendas y ore a su Dios para que influya en los eventos naturales y sean benévolos con nosotros. Esa es su importante función, como lo es la del faraón. Cuidan de nosotros en la vida y en la muerte. Además, aparte de los Dioses comunes a todo el Alto y Bajo Egipto, cada ciudad tiene su deidad particular. Sabes que la nuestra, la de Menfis, es el Dios Ptah, el gran maestro constructor. Para nosotros es el más poderoso, pero en otras poblaciones como Dendera, por ejemplo, su Diosa principal es Hathor, que ya te la he nombrado. Es muy importante porque es la madre simbólica de todos los faraones.

—Ahora sí que se complica la cosa —dijo Nefer—, pero, después de escucharte, me ha quedado bastante claro que me pasaré toda mi vida deslomándome para tratar de ser un buen campesino. A nada más puedo aspirar.

El padre le dedicó una mirada cariñosa.

—Eso nunca lo sabes, pero, aunque así fuera, considérate afortunado. Tienes un hogar, comida y un trabajo que, aunque te pueda parecer duro, aún existen peores.

—¿Peores?

—¿Te gustaría trabajar de sol a sol trasportando las piedras para la construcción de palacios, mastabas o templos? Ya sabes que nuestras casas son de adobe y cañizo, pero para las construcciones que deben perdurar en el tiempo se utilizan sillares de gran peso. La mayoría de esas personas muere antes de llegar a los treinta años. Además, tienes toda la vida por delante, ¿quién sabe lo que te puede deparar el futuro?

«Que tampoco llegue a los treinta», pensó Nefer.

Desde luego, la vida da muchas vueltas.

4 EL CAIRO, EGIPTO, 3 DE ENERO DE 1836

—Escuche con atención. El coronel Campbell es la máxima autoridad británica en Egipto. Es una persona muy poderosa. Sea lo que sea lo que le diga, no se atreva a contradecirle. Podría ordenar su regreso a Inglaterra o incluso su encarcelamiento, si cree que no va a obedecer sus instrucciones. Es un honor que le reciba, pero también debe de temerle.

Vyse y Sloane se encontraban en El Cairo, en el edificio que albergaba el *Consulado General Británico*, y más concretamente frente a una gran puerta de madera con un imponente cartel que rezaba: «Coronel P. Campbell, cónsul general».

—Parece usted más nervioso que yo –le respondió Vyse con una tímida sonrisa en sus labios—. Haga el favor de relajarse que me va a contagiar a mí.

—No se lo tome a broma –le respondió Sloane, que cada vez parecía más alterado.

–Eso es precisamente lo que pretendo hacer —dijo Vyse, mientras llamaba a la puerta.

—¡Adelante! –se escuchó una voz muy potente desde el interior.

—Ya lo ha oído —le dijo Vyse, que no había perdido esa sonrisa que tanto parecía alterar a Sloane—. ¡Adelante! —exclamó, imitando la voz que habían escuchado.

Sloane le miraba con cierto temor. No comprendía esa extraña indiferencia, incluso insolencia, de Howard Vyse, por muy coronel que fuera.

Nada más abrir la puerta, se encontraron con un despacho de enormes proporciones. Todo estaba forrado de madera y se advertían multitud de libros y figuras decorativas en cada rincón. Al fondo se divisaba una gran mesa. Detrás de ella, se vislumbraba a una imponente figura, que parecía estar levantándose de su sillón y acudir a su encuentro.

Para asombro de Sloane, Vyse se dirigió hacia el cónsul. Eso no era lo que marcaba el protocolo. Debían quedarse en la puerta, hasta que su anfitrión se dirigiera a ellos. Si Sloane ya estaba asustado, la reacción de Vyse le produjo profundo terror. En ningún caso debía dirigirse al cónsul hasta que este les hablara.

—¡Patrick, te veo muy desmejorado! —exclamó Vyse.

—¡Howard! Esto es lo que tiene el Cuerpo Diplomático, que crías barriga en vez de músculo, como en el ejército —le respondió.

Ambos se fundieron en un prolongado abrazo. Sloane permanecía inmóvil en la entrada del despacho. Era lo último que se imaginaba ver y escuchar.

—Hace tiempo que no nos veíamos, desde que decidiste dejarnos —dijo Vyse, mientras se separaban.

–Creo que me gané un merecido descanso después de tantos años de guerras. Aunque si llego a saber las responsabilidades y complicaciones de mi nuevo cargo, me quedo con vosotros. Prefiero tratar con soldados que con funcionarios. Créeme, además de aburridos, pueden llegar a ser más peligrosos.

El coronel Patrick Campbell había nacido en una familia de militares, por lo que su destino estaba sellado. Combatió durante más de veinte años en las Indias Occidentales, Gibraltar e incluso en España. Fue condecorado en numerosas ocasiones y alcanzó gran prestigio internacional. Por ello, en 1823 decidió abandonar el ejército para incorporarse al Servicio Diplomático Británico. Después de tres años en oficinas y siete años en Colombia, había conseguido el traslado al puesto que quería, en Egipto.

—Tú siempre serás un tozudo militar escocés, aunque ahora vistas estos elegantes ropajes que no logran esconder esa tripa de diplomático que te has echado —dijo Vyse, ahora luciendo una sonrisa burlona.

Patrick Campbell se rio.

—Tampoco pretendo estar en este puesto toda la vida. En cinco años pienso jubilarme y seguro que mi esposa me pone a dieta. Ya me hago mayor y creo que he servido a mi patria lo suficiente. Por cierto, ¿cómo está Frances y tus hijos?

Las familias de Campbell y de Vyse se conocían desde su juventud. Howard era el único hijo del general Richard Vyse y el padre de Patrick era sir Neil Campbell, también general de la Armada Británica. A pesar de que Patrick Campbell era cinco años mayor que Howard Vyse, se habían llevado muy bien desde bien pequeños y habían compartido ratos muy agradables.

—Mi esposa Frances está en el campo, como siempre. En cuanto a mis hijos, dos de ellos han heredado mis malas costumbres. Frederick se ha enrolado en la Armada Británica y Richard ha decidido unirse al Partido Conservador. Ejército y política, mala combinación

Patrick Campbell no pudo evitar reírse de nuevo. Howard Vyse, paralelamente a su carrera militar, había sido miembro del Parlamento Británico durante once años. En cierta manera, también Campbell había hecho lo mismo. La diplomacia era el arte refinado de la política.

—Desde luego han heredado tus genes —dijo, entre risas.

—Podían haber heredado los de su madre— —le respondió Vyse. Su esposa Frances era hija del acaudalado noble Henry Hesketh, que vivía de las rentas de su enorme fortuna.

—Anda, sentémonos, que tenemos que ponernos al día — dijo Campbell, que ahora dirigió su mirada hacía el fondo de su despacho—. Mr. Sloane, de momento ya no necesitaré sus servicios.

El vicecónsul en Alejandría aún no había salido de su asombro por todo lo que había observado, pero no dudó en obedecer de inmediato la orden de su superior, abandonando el despacho.

La primera media hora de conversación fue intrascendente, a los ojos de Vyse. Campbell le habló de su familia y se habían reído mucho recordando anécdotas de su juventud, pero a pesar de ello, no pudo evitar que su nerviosismo lo delatara.

—Quieres saber por qué te he convocado ante mi presencia, ¿verdad? De hecho, a juzgar por tu expresión, te mueres de ganas por saberlo.

—¡Pues claro! Sabes que siempre me ha apasionado la figura de Bonaparte y no por su faceta militar precisamente. Se tomó un interés desmesurado en Egipto y en su cultura.

Eso abrió una puerta en mi mente que debo cerrar. Por eso estoy aquí.

—Sí, es cierto que Egipto está de moda. No sabes el quebradero de cabeza que supone esta cuestión para mí. Debo lidiar con hordas de turistas que se creen que pueden venir al país a llevarse lo que quieran. Para mayor escarnio, aunque también hay italianos, la mayoría son de nuestro país, británicos. Debo intentar controlarlos con el pequeño contingente de policía y soldados que tenemos en el país, para disgusto de Boghos Bey Yousefain, con el que intento mediar en cada conflicto que se produce.

—¿Quién es ese tipo?

—Es el ministro de comercio, asuntos exteriores y secretario personal del pachá de Egipto, que, no olvidemos, es el gobernador del país y su máxima autoridad. Es de los pocos que tiene acceso directo al pachá y, por tanto, es una persona poderosa. No me conviene llevarme mal con él, pero a veces es complicado porque tengo que defender las tropelías de nuestros nacionales frente a él. Por eso te decía que, si lo llego a saber, no dejo el ejército. No soporto a los funcionarios.

—No sabía que había que pedir permiso para visitar el país —dijo Vyse, imaginándose el motivo por el que estaba sentado en el despacho del cónsul.

—No, para visitarlo no hace falta. Tan solo con comunicarlo al consulado británico es suficiente. Nosotros nos encargamos de todo lo demás. El problema no es con las meras visitas, sino con las que pretenden serlo y luego se convierten en expediciones arqueológicas encubiertas para expoliar todo lo que puedan.

—¿Por eso estoy aquí? ¿Crees que vengo a expoliar Egipto? Mi interés es tan solo cultural. He llegado solo y es una expedición de puro placer, no pienso en arqueología ni nada de eso.

Patrick Campbell se permitió una pequeña sonrisa.

—¿Estás seguro? —le preguntó.

—¿Acaso dudas de mi palabra? —Vyse le respondió con otra pregunta.

Campbell hizo una pequeña pausa, como buscando las palabras adecuadas.

—¿Sabes qué es lo más difícil en mi trabajo? No, no es lidiar con turistas que se creen con derecho a llevarse todo lo que encuentran. Eso es desagradable, pero no complicado. Lo verdaderamente engorroso es negociar con Mohammad Alí Pachá de Egipto.

—No te entiendo —le respondió Vyse.

—Mohammad Alí Pachá es un militar otomano. Aunque su actual título sea virrey y gobernador con plenos poderes de Egipto, lo consiguió principalmente por sus méritos en combate. Fue enviado a batallar contra la ocupación napoleónica y consiguió cierta notoriedad. Después de la retirada de Napoleón, maniobró políticamente para ocupar su cargo y alcanzar su rango actual. Se consagró de forma definitiva cuando expulsó a los mamelucos de Egipto, conquistó Sudán y recapturó los territorios árabes. Unió y pacificó el país. Todo eso sucedió bastantes años antes de que yo llegara aquí, pero te lo cuento para que comprendas que su poder es absoluto. Si alguien quiere emprender una expedición arqueológica en su país, primero tienen que firmar un contrato con él.

—¿Un contrato? ¿Para qué? —Vyse cada vez entendía menos la conversación.

—El pachá no se niega a las expediciones de carácter científico, pero deja muy claro que todo lo encontrado le pertenece.

—Entonces, ¿qué alicientes tienen esas expediciones? Tengo entendido que son subvencionadas, en su mayoría, por museos europeos e incluso por filántropos millonarios. Y supongo que no lo harán de forma altruista.

—Aquí viene la parte difícil de mi trabajo. Tengo que negociar con el pachá y con su ministro, Boghos Bey, qué hallazgos se quedan ellos y cuáles se pueden sacar del país. Por supuesto, previo pago de importantes cantidades de dinero para las arcas de Egipto o del pachá, como prefieras.

—O sea, que es una cuestión económica más que cultural —dijo Vyse, disgustado.

—Digamos que es un término medio entre ambas —le respondió Campbell—. Los egipcios no tienen medios para llevar a cabo esas expediciones por su cuenta ya que requieren de conocimientos y técnicas que no están a su alcance. Por otra parte, se necesitan abundantes fondos económicos.

Piensa que para desenterrar los hallazgos que se puedan encontrar, hay que emplear mucha mano de obra local y eso cuesta dinero. Si no fuera por la financiación extranjera, todo quedaría sepultado en la arena del desierto para siempre jamás. Por ello, a mí me gusta verlo como una especie de simbiosis. Los europeos se llevan su parte de los hallazgos y los egipcios también, además del dinero. Es una situación en la que ambas partes ganan.

Vyse se quedó mirando a su amigo durante unos segundos.

—Supongo que será así, aunque no suena sencillo.

—Te aseguro que no lo es. En muchas ocasiones, el pachá toma el dinero y se desentiende de la expedición. La mano de obra local, que en su mayoría es poco especializada y vaga, abandona a los arqueólogos en cuanto cobran y estos se me quejan. Entonces tengo que intervenir y me toca mediar con el pachá o su ministro por esa clase de temas estúpidos. ¡Me tienen más que harto!

—Me parece muy instructivo todo lo que me acabas de contar, pero aún no has contestado a mi pregunta. ¿Qué hago en este despacho?

Campbell volvió a sonreír.

—Vas al grano como un militar y yo voy dando rodeos como un político. No deja de tener su gracia. ¿No te parece suficiente motivo querer verte después de tantos años?

—¿Acaso crees que me iba a ir de Egipto sin hacerte una visita? Ya sabes que no. Mi viaje ya estaba organizado y tú lo conocías de antemano. Sabías que después de visitar el Alto Egipto acabaría en El Cairo. Así que más vale que vayas ya al grano de una vez, como tú acabas de decir —le respondió Vyse con firmeza, aunque sin perder tampoco la sonrisa.

—Como quieras —dijo Campbell, mientras accionaba un botón de su mesa.

De repente, Vyse oyó, a sus espaldas, abrirse la puerta del despacho. Se giró y vio entrar a una persona. Ambos se levantaron para recibirla.

—Te presento a Mr. Hill —dijo Campbell—. Es el gerente del «Hotel El Cairo», el más importante de la ciudad.

—Es un placer —dijo un confundido Vyse. No comprendía para qué necesitaba conocer al director de un hotel. No pensaba quedarse en El Cairo.

—Te lo veo escrito en la frente —dijo Campbell, dirigiéndose a Vyse—, como cuando éramos pequeños. Tienes razón. Mr. Hill no está aquí en su calidad de director de un hotel. Antes de ocupar ese puesto, trabajó para el pachá de Egipto. Era el responsable de los molinos de cobre que funcionaban en la ciudadela de El Cairo y una persona de la máxima confianza del pachá... y de mí. Es de los pocos verdaderamente competentes que he conocido por aquí. No abundan.

Vyse no sabía qué decir.

—Gracias por sus palabras, coronel —dijo Mr. Hill— Como ya le había dicho, estoy entusiasmado con mi nuevo papel. Ya estaba un poco harto de la burocracia del hotel.

«¿Qué nuevo papel?», se preguntó Vyse, que cada vez estaba más confundido.

—Mi querido Howard —dijo Campbell—, lo que te voy a contar es máximo secreto. Quiero que me escuches atentamente. De momento, nadie más fuera de este despacho debe conocer nada de este asunto. ¿De acuerdo?

Vyse se escuchó responder un «de acuerdo» casi de forma automática, sin saber de qué estaba siendo testigo.

El coronel empezó a hablar y así estuvo durante diez largos minutos. La cara de Vyse empezó a trasmutarse desde la incredulidad inicial hasta la sorpresa final.

Cuando Campbell concluyó, Vyse no reaccionó. Aquello no se lo esperaba de ninguna manera. No había hecho el viaje desde Inglaterra hasta Egipto para eso.

«¿Se supone que debo decir algo?», pensó un asustado Vyse.

En realidad, no hacía falta.

5 ANTIGUO EGIPTO, PALACIO REAL DE MENFIS

—¿Por qué tenemos que llevar estas máscaras tan siniestras? Recuerdan la silueta de algún animal salvaje. Son incómodas incluso para hablar. ¿Son realmente necesarias?

—Por supuesto. A pesar de encontrarnos en la sala de ofrendas, que a estas horas siempre está desierta, no olvidéis en qué Palacio Real estamos. Todos conoceréis el antiguo dicho que afirma que «*las paredes del Palacio Real tienen ojos y oídos*» —respondió una voz femenina de avanzada edad.

—Siempre se ha dicho, pero en un sentido figurado. Las paredes, como se puede ver, son de sólidos sillares —respondió otra voz, esta vez masculina.

Todos asintieron con la cabeza, menos una persona: la voz femenina que había hablado acerca del rumor.

—Quizá no sepáis que este palacio fue la última construcción de Imhotep. Poco después de concluirlo, falleció —dijo.

—¿Hablamos del gran Imhotep? ¿El sumo sacerdote de Heliópolis? —preguntó otra voz.

—El mismo. Ya sabéis que no solo fue sacerdote, además era la persona de mayor confianza de faraón Djoser. Sus conocimientos abarcaban desde la medicina, pasando por las matemáticas, la astronomía o la ingeniería, por no extenderme más. Sin embargo, por lo que lo recordamos es por su maestría con la arquitectura. Diseñaba y construía palacios, templos y mastabas mágicas. Ya sabéis que fue tan audaz que fue el primero en atreverse a construir la primera pirámide de Egipto, la escalonada donde descansa el cuerpo de faraón Djoser. Otra edificación, aunque no sea un hecho muy conocido, es este palacio. Todos los años, en el día de su muerte, se reúnen miles de personas para agasajarle con ofrendas, como si se tratara de un Dios.

—Nos estás contando cosas que ya conocemos —respondió otro—. Pero ¿qué tiene que ver el gran Imhotep o este Palacio Real con estas incómodas máscaras?

—Que el dicho que las paredes ven y escuchan es completamente cierto. No es una leyenda ni un rumor, es la pura realidad.

En ese momento, se formó un pequeño revuelo en el grupo de seis personas que estaban manteniendo la reunión furtiva.

—¿Qué quieres decir? —preguntó otra voz femenina, más joven que la anterior.

—El faraón Djoser encargó la construcción de este palacio a Imhotep. Ambos ya eran mayores y muy recelosos. Mi padre me contó que Djoser ordenó a su arquitecto que camuflara, entre los sillares de las paredes, pequeños orificios apenas visibles, con el objeto de enterarse de lo que se decía acerca de él. Mi padre, antes de morir, me aseguró que los buscó y jamás los encontró. No olvidemos que Imhotep, además de un magnífico arquitecto, también era un genio de la ingeniería. Nadie sabe qué mecanismos pudo diseñar y ocultar entre estas paredes.

—Tú lo acabas de decir, nadie lo sabe —le respondió otra voz.

—Ahí te equivocas —le respondió la voz femenina que llevaba el peso de la conversación—. Mi padre no fue capaz de verlos, pero fue testigo en primera persona de una prueba irrefutable de su existencia. Una conversación que mantuvo con un sacerdote del templo de Ptah, en una estancia en la que estaban solos, llegó a oídos del faraón. A consecuencia de ella, Djoser ordenó matar a aquel sacerdote, ya que no le gustaron algunos comentarios que hizo. Mi padre me aseguró que jamás le dijo una sola palabra al faraón. Para aquel entonces, ya circulaba por el palacio el rumor de los ojos y los oídos, así que supongo que no sería la primera vez que habría ocurrido una cosa así.

—Aún sigo sin comprender que tengamos que llevar está incómoda máscara —dijo otro.

—Pues es muy sencillo. En el improbable caso de que hoy en día y muertos tanto Djoser como Imhotep, los únicos que conocían el sistema, alguien quisiera vigilarnos, no vería ni nuestro rostro ni escucharía nuestra voz con claridad, ya que la máscara la distorsiona. Es decir, no sería capaz de identificarnos.

—¿Y eso qué importa? —preguntó otro.

—¿Para qué creéis que os he citado aquí y a esta hora de manera urgente?

Se trataba de una pregunta retórica, ya que ninguno de los asistentes conocía su respuesta. Todos permanecieron en silencio.

La voz femenina continuó dando una pequeña explicación. Ahora, el nerviosismo pareció apoderarse de todos los reunidos.

—¡No podemos permitir que eso ocurra! —dijo una voz masculina.

—Desde luego que no —dijo otro.

—No os preocupéis —intervino la voz femenina—. Tengo un plan. Debemos de ganar adeptos cuánto antes y así podremos influir en el proceso. Es urgente, de ahí las prisas por celebrar esta reunión.

—No discuto que debamos intervenir —dijo la otra voz femenina del grupo, la más joven—. Todos sabemos que su estado de salud es muy delicado, pero aún podría vivir muchos años. No me gusta hacer las cosas con precipitación. Por el cargo que desempeño tiendo a ser más reflexiva. Por eso me pregunto, ¿por qué ahora y con tanta prisa? ¿No convendría pensar las cosas con algo más de detenimiento?

—Me temo que ya no hay tiempo de eso y tampoco importa la debilidad de su salud —dijo la voz femenina dominante—. No importa porque falleció ayer por la mañana.

—¿Qué dices? —preguntaron todos a coro. Ahora, sus rostros ya no reflejaban preocupación sino un profundo terror.

—¡Es imposible! Una cosa así habría trascendido y no me he enterado de nada —dijo uno de ellos, también joven.

—Ni ha trascendido ni lo hará en los próximos días, ya me he ocupado de ello. Precisamente por eso estamos reunidos aquí de urgencia. ¿Ahora comprendéis las prisas? Hemos de resolver nuestro problema antes de que la noticia se haga pública. Ya sabéis que, pese a mi poder, ni yo misma seré capaz de ocultar una cosa así mucho tiempo más.

—¿Y qué piensas que hagamos?

—Ya os había dicho que tengo un plan, pero antes de compartirlo con vosotros, debo asegurarme de vuestra lealtad. Como comprenderéis, se trata de una situación desesperada que puede requerir de medidas extremas.

—¿A qué te refieres? —intervino la otra voz femenina.

—Aunque hubiera preferido disponer de más tiempo, la muerte nos ha sorprendido. Para nuestra desgracia, nosotros no elegimos los momentos, son ellos los que nos eligen a nosotros. Ahora nos encontramos en ese punto. Si alguien de vosotros quiere abandonar, este es vuestro momento, porque después ya no habrá vuelta atrás. Quiero que os lo penséis bien y toméis una decisión.

Los seis estaban sentados en el centro de la sala de ofrendas. No podían verse sus rostros, pero ya se conocían lo suficientemente bien para imaginárselos. Nadie parecía querer hablar, hasta que la voz joven femenina dio el primer paso.

—Yo sigo adelante —dijo.

Fue el detonante. Las restantes cuatro voces masculinas asintieron con la cabeza.

La persona que había llevado el peso de la reunión se levantó y tomó entre sus manos una figura. Hasta que no la puso encima de la mesa, el resto no la identificó.

—¡Es un vaso canopo del Dios Anubis!

Los vasos canopos eran recipientes que se utilizaban en los rituales mortuorios. Se usaban para guardar las vísceras del fallecido, una vez limpiadas y embalsamadas. Así se evitaba la corrupción del resto del cuerpo.

—Ahora —dijo la voz femenina mayor—, cada uno de nosotros se hará un corte en forma de cruz en su antebrazo izquierdo con el puñal que tenéis al lado del vaso canopo. Después verterá la sangre en su interior. Así quedará sellada nuestra alianza para siempre.

Nadie se atrevió a pronunciar palabra alguna. Los seis cumplieron con aquel extraño ritual.

—Acaba de nacer el *Sacerdocio Secreto de Anubis* y nosotros somos sus miembros creadores —continuó la voz femenina.

—Pero ya existen los sacerdotes de Anubis, todos los conocemos y sabemos cuál es su función —dijo una voz.

—Sí, por supuesto. Entre otras cosas, se ocupan de todo lo que tiene que ver con las ceremonias mortuorias.

—¿No estarás insinuando lo que todos estamos pensando ahora mismo? —preguntó la voz femenina joven.

—No estoy insinuando nada, tan solo es una remota posibilidad que no hay que descartar. No sería la primera vez que ocurre en nuestra historia ni será la última. Todos lo sabéis, así que no os hagáis los sorprendidos

—Sí, pero eso es una monstruosidad. Es como intentar matar a un dios menor —protestó otro.

Estaba claro que todos tenían serias objeciones a aquella «remota posibilidad». La voz femenina dominante continuó.

—Todos tranquilos. Yo no he dicho en ningún momento que lo vayamos a hacer. De hecho, estoy segura de que no hará ninguna falta. Con el poder que hay alrededor de esta mesa, si existe el compromiso cierto de todos, bastará para cumplir nuestro objetivo.

—¿Estás segura?

—Sabéis que no puedo estarlo del todo, pero pensad en lo que nos jugamos; nuestras propias vidas y la de nuestras familias. Si el primer movimiento nos sale bien y conseguimos lo que queremos, ahí terminará todo y no habrá necesidad de recurrir a Anubis. Pero tened una cosa muy clara. En el caso de llegar ese momento, en realidad no sería un ataque, sino una defensa

—¿Desde cuándo matar es una defensa? —preguntó, aún medio escandalizada, la voz joven femenina.

—Querida, lo ha sido siempre y más para nosotras. Muchas veces en nuestra historia, matar ha significado vivir.

«¿Matar es vivir?», no podía evitar preguntarse la joven. No sabía la respuesta y esperaba no conocerla jamás.

6 EL CAIRO, EGIPTO, 4 DE ENERO DE 1836

—Ya sé que, como buen militar, no te gusta que alteren tus planes. Además, conociéndote, seguro que has dedicado mucho tiempo a elaborarlos. Pero debes comprender mi situación.

Vyse estaba mirando a los ojos del coronel Campbell.

—¿Comprenderte? Supongo que estarán los intereses del gobierno británico detrás de todo esto.

—Ya sabes que no puedo hablar de esas cuestiones, pero no te negaré que existe cierto interés.

Vyse no había apartado su mirada de su amigo.

—Quiero que me digas una cosa con total franqueza. ¿Tengo alternativa? ¿Me puedo negar?

—Por supuesto que puedes, pero sé que no lo harás.

—¿Por qué estás tan seguro?

—Porque te voy a dar la oportunidad de observar todo el plan de forma privilegiada. Además, podrás comprobar por ti mismo todo lo que quieras, sin ninguna restricción. Una vez tengas clara la situación, te podrás tomar tu tiempo y pensar acerca de ello, sin ninguna presión, y decidir si continúas o lo dejas. Así de sencillo.

Howard Vyse sabía que con Campbell no había nunca nada sencillo. Además, aunque no lo hubiera confesado expresamente, el gobierno británico estaba detrás de todo. Vyse sabía mejor que nadie que mezclar política con ciencia nunca daba buenos resultados. De todas maneras, las palabras del su amigo le habían tranquilizado un tanto. El hecho de poder tomar su propia decisión con los datos que considerara convenientes cambiaba bastante la situación. Si no se sentía atraído por el encargo, pues lo dejaría y continuaría su viaje por el Alto Egipto, como tenía previsto desde el principio.

Ahora, Vyse se giró hacia la tercera persona que se encontraba en el despacho.

—No se tome a mal lo que voy a decir, Mr. Hill. Si usted es un hombre de confianza del pachá y del cónsul general británico, no me cabe ninguna duda de que será una persona muy competente, pero yo no necesito una niñera. Cuando planifiqué este viaje, no contaba con eso y no he cambiado de opinión.

El coronel Campbell no pudo evitar una sonora carcajada.

—Ni tú necesitas una niñera, ni Mr. Hill lo es —dijo, cuando pudo para de reírse.

—¿Qué te hace tanta gracia?

—Que no te he contado todo acerca de Mr. Hill. Te aseguro que te será de mucha ayuda para tus próximos pasos. Lleva tanto tiempo en Egipto que ya no sé si es más británico que egipcio, y eso es una gran ventaja en nuestro caso.

—¿Me quieres decir que también trabaja para el gobierno británico de forma discreta? —dijo, sorprendido.

Aunque el primer servicio de inteligencia británico no fuese fundado de manera oficial hasta el año 1887 bajo la denominación de *Department of Naval Intelligence*, dependiente de la *Royal Navy*, todos sabían que había agregados en los consulados generales que se dedicaban a informar discretamente a sus respectivos gobiernos de lo que sucedía en el país.

Ahora el que se rio fue Mr. Hill.

—Mr. Vyse, me parece que no ha comprendido lo que el coronel le ha pretendido decir. Mi trabajo en Egipto no tiene nada que ver con cuestiones políticas ni diplomáticas. En mi primer año en este país fui el asistente personal del *signore* Belzoni. Entonces era un simple jovenzuelo muy curioso, pero aprendí mucho de él, tanto que llamé la atención del pachá de Egipto, que me contrató cuando Belzoni tuvo que abandonar Egipto. El resto ya lo sabe.

Cuando Vyse escuchó el nombre de Belzoni, lo comprendió todo. «¡Qué idiota he sido! Me parece que he hecho el ridículo», pensó, abochornado.

—Disculpe, Mr. Hill —acertó a decir Vyse—. No sabía que llevaba tanto tiempo en Egipto. Creo que Belzoni se marchó hace más de veinte años y suponía que su amistad era con el coronel Campbell, pero él lleva en el cargo de cónsul general apenas tres años.

—Tiene razón en eso —le respondió—. En aquella época el cónsul general británico en Egipto era Henry Salt. Tenía constantes disputas con el cónsul francés, Bernardino Drovetti, sobre todo por el tráfico ilícito de antigüedades. Mr. Salt acababa de llegar y *monsieur* Drovetti le llevaba mucha ventaja en eso. Intentaron dividirse las zonas de excavaciones para evitar más disputas, pero eso tan solo agravó el problema. Drovetti era un perro viejo y, sobre todo, confidente del pachá de Egipto. Pronto, Mr. Salt se dio cuenta de que necesitaba una persona experta en manejar ese tipo de situaciones, con amplios conocimientos de egiptología. No tardó en encontrarlo en Giovanni Batista Belzoni. Por su reacción ya he comprendido que sabe quién es.

—¿Quién no lo conoce en el mundo de la arqueología? —respondió Vyse— Consiguió muchos éxitos para los británicos. Quizá el más recordado sea el descubrimiento del gran busto de piedra de Ramsés II en el Ramesseum, el templo funerario del faraón en Tebas. Logró trasladarlo hasta Alejandría y allí lo embarcó con destino a Londres, donde hoy en día se puede visitar en el Museo Británico. En una época en la que imperaba la ley del más listo o fuerte, como prefiera verlo, Belzoni triunfó durante varios años. Se convirtió en un gran egiptólogo y consiguió grandes avances en la materia. No solo se dedicó al contrabando de antigüedades, como mucha gente cree.

—Ya veo que conoce sus logros, pero ¿se ha preguntado por qué la gente lo sigue percibiendo como un contrabandista? ¿Sabe por qué se ganó el inmediato apoyo del pachá? Le aseguro que eso no es nada sencillo.

—No, tan solo sé de egiptología —le respondió Vyse, acompañado por un gesto negativo con su cabeza.

—Giovanni Battista Belzoni tenía catorce hermanos y se tuvo que buscar la vida desde muy joven. ¿Sabe que se unió a un circo como *«El hombre más fuerte del mundo»* aprovechando que medía más de dos metros de altura? De ahí pasó a ser mago. En uno de los viajes del circo, en Malta, tuvo la fortuna de encontrarse con un enviado del pachá de Egipto, que estaba aprendiendo los sistemas de irrigación locales para implantarlos en su país. Belzoni le propuso una demostración de un proyecto de ingeniería que había diseñado él mismo y que podría extraer el agua del Nilo sin dificultad.

—¿Es eso cierto? No lo sabía —intervino Vyse.

—Es cierto que se lo propuso y también es cierto que viajó hasta aquí para construir su máquina, con el apoyo del pachá. Por eso le decía que se ganó su confianza rápidamente. Pero tan rápido como le llegó esa confianza, se esfumó. En cuanto ya no pudo demorar más la demostración del funcionamiento de su máquina, por supuesto su prototipo fue un fracaso total. No solo no extrajo ni una sola gota de agua del Nilo, sino que además hirió al joven egipcio que le estaba ayudando. El pachá le abandonó y se encontró solo en Egipto y sin trabajo. A partir de aquí tuvo que buscarse la vida. Por lo poco que le he contado, ya comprenderá que le costó muy poco. Apenas había estado unos meses en el país, pero ya se había dado cuenta de que el mejor negocio que existía en Egipto era el contrabando de antigüedades. A eso se dedicó en un principio. Por eso la gente lo identifica como tal.

—Desconocía esa historia —le respondió Vyse.

—Es normal. No crea que lo sabe tanta gente. Como le decía, algunos lo vieron en su día como un mero traficante, pero hacía falta tener mucho más talento para todo lo que descubrió —continuó Hill—. Cuando lo contrató el cónsul británico Henry Salt, Belzoni le pidió un ayudante, como había hecho con el pachá. ¿Sabe quién fue el crío que se unió a Belzoni? Sí, fui yo y estuve a su lado en todo momento. Descubrimos y entramos juntos en las tumbas de Ramsés I y sobre todo la extraordinaria de Seti I, que ahora todo el mundo conoce como «La tumba de Belzoni». También exploró multitud de templos y desenterró el de Abu Simbel, por ejemplo. Fue algo grandioso, jamás lo olvidaré.

—Sí, pero hay algo que no ha nombrado. ¿Lo ha hecho a propósito?

—Bueno, un poco sí —sonrió Hill—. Tan solo quería saber si usted lo sabía. Ya veo que sus conocimientos sobre Egipto no son superficiales.

—Mi pasión por este país me ha llevado a estudiar su historia durante más de trece años. Se podría decir que me considero un egiptólogo de biblioteca y museo, pero no de campo. Jamás había pisado suelo egipcio hasta hace cinco días. Por eso estoy aquí, para remediar esa carencia y completar el viaje de mi vida.

Mr. Hill hizo un gesto de aprobación con su cabeza.

—Quiero que sepa que lo que no le he contado, porque usted ya lo sabe, es completamente cierto. Belzoni fue el primer occidental en penetrar en la pirámide del faraón Khafre, más conocido por su nombre griego de Kefrén. Yo fui la segunda persona, siempre a su lado. También entramos en la Gran Pirámide de Khufu, Keops para nosotros. No se puede ni imaginar lo que vimos y descubrimos en su interior. Fue verdaderamente mágico.

—Algo sé —respondió Vyse, que había recuperado todo el interés por la conversación—. De hecho, he leído acerca de la denominada *Belzoni's Chamber* o «*Cámara Belzoni*» en honor a su descubridor, en la pirámide de Kefrén.

—Supongo que habrá leído lo publicado por el propio Belzoni en su libro *Narrative of the Operations and Recent Discoveries within the Pyramids, Temples, Tombs and Excavations in Egypt and Nubia*. Cuando lo escribió ya había abandonado Egipto. Como describe en su obra, penetramos por la entrada superior y descendimos por un pasaje hacia el norte. Mire, aquí tengo un dibujo que hice en aquellos días —dijo, mientras se extraía algo de uno de sus bolsillos.

—Impresionante —acertó a decir Vyse, que había pasado del escepticismo al entusiasmo en apenas unos minutos. Se quedó observando durante unos instantes el dibujo. Tuvo que reconocer que, sin haber estado allí, ya lo estaba deseando.

—¿Comprendes mejor quién es Mr. Hill y para qué lo necesita? —le preguntó el coronel Campbell, que llevaba un bien rato callado.

Por supuesto que Vyse lo había comprendido.

—Desde luego —le respondió con un tono de voz más amigable.

«Aunque, pensándolo mejor, las cosas con Campbell nunca son tan sencillas», se dijo Vyse, que, por un instante, volvió a desconfiar.

Quizá, después de todo, no lo había comprendido.

Desde luego que no.

7 ANTIGUO EGIPTO, RIBERA DEL NILO, MENFIS

—No sé de qué me extraño —dijo Nefer, en voz alta.

Tal y como había convenido con Sobek, Nefer había acudido a la cita, sin embargo, aquel extraño personaje que conoció justo ayer no se había presentado.

Nefer tenía sentimientos encontrados. Por una parte, se alegraba de su ausencia. Sabía que no podía entablar conversaciones con gente de la condición social de Sobek y mucho menos confraternizar con ellos. Por mucho que Sobek le hubiera dicho que su vida no corría ningún peligro, Nefer sabía que eso no era cierto y tenía pruebas. El hijo de un campesino que cultivaba un huerto junto a ellos, en una ocasión se tropezó con un sacerdote. Osó mirarle a los ojos y disculparse. Le contó a Nefer esa confidencia apenas acababa de suceder, en el campo. Recordaba que estaba asustado por las posibles consecuencias que podría tener para él o su familia, ya que el sacerdote le había preguntado su nombre, exactamente como había hecho Sobek con Nefer. Esa fue la última vez que lo vio. Cuando consiguió conversar con el padre de su amigo y preguntarle por él, le contestó diciéndole que se había trasladado temporalmente a vivir con sus tíos en Asuán. Por supuesto Nefer no lo creyó. Asuán está en el Alto Egipto, muy cerca del territorio nubio y, en ese momento, el faraón había iniciado una campaña militar contra ellos.

«¿Qué sentido tiene mandar a tu hijo a una zona en guerra?», se preguntó Nefer. Hoy en día, aún lo hacía. De aquello había pasado más de un año y nada había vuelto a saber de su desgraciado amigo. Nunca volvió a preguntar por él, ya que suponía su triste destino. «¿Para qué preguntar cuando uno sabe la respuesta y recordárselo a sus padres?», pensó.

Por otra parte, tenía que reconocer que le había caído bien Sobek. A pesar de su evidente pertenencia a la alta clase social egipcia, lo había tratado con una humildad muy cercana. Aquello no era nada habitual. Además, sintió que había empatizado con aquel joven. Un ser querido acababa de fallecer y se había atrevido a adentrarse en una de las riberas del Nilo. Aunque se hiciese el despistado, una persona de su posición no podía desconocer la existencia de cocodrilos en el Nilo. «Lo sabe todo Menfis, hasta mi hermana pequeña de cuatro años», pensó. En cualquier caso, tuvo que reconocer que no le hubiera importado volver a verle, pese a los elevados riesgos.

«Bueno, ya que estoy aquí, voy a aprovechar para ver si pesco algo», pensó, resignado.

De repente, escuchó un crujido entre los juncos. Se puso en tensión. De donde provenía, lo más probable es que fuera un cocodrilo al acecho y debía de estar muy cerca. Empezó a alejarse lentamente, intentando hacer el menor ruido posible.

—¿Qué es lo que haces?

La voz provenía de los juncos. Nefer se sobresaltó.

—¿Has sido tú el del ruido o hay un cocodrilo?

—Pero ¿qué tonterías dices? Aquí solo estoy yo, bueno, y ahora tú.

—Me has dado un susto de muerte.

—Y a mí me has estropeado el momento.

—¿Qué momento? ¿De qué hablas?

—¡De qué va a ser, idiota! ¡De la pesca! Casi lo tenía en la red cuando tus ruidos lo han ahuyentado. ¿Quién te crees que eres? Pensaba que entre los pescadores nos respetábamos. Esto es muy peligroso como para andarse con tonterías.

Nefer estaba confundido. Aún no podía ver con quién estaba hablando.

—¿Quién eres? —le preguntó.

Una persona surgió entre los juncos con una red en las manos. Cruzaron sus miradas.

—Un momento, ¡yo te conozco! —exclamó el recién aparecido.

—Pues yo no —le respondió Nefer.

—Tú eres el de ayer.

—No tengo ni idea de qué es lo que dices.

—Te escuché —le respondió el desconocido, llevándose una mano al oído—. Una de ellas era tu voz, no tengo ninguna duda. Y ahora que te veo, aún menos.

Nefer se puso a la defensiva. ¿Podría alguien haber escuchado su conversación con Sobek? No vio a nadie más, pero la altitud de los juncos hacía de aquel lugar un buen lugar para ocultarse. No lo podía descartar. Aquel imprevisto le asustó.

—¿Qué dices qué escuchaste? —le preguntó.

—A ti hablar con alguien de voz muy refinada, ya me entiendes.

—No, no te entiendo.

—¡Venga! ¡Claro que lo haces!

Por supuesto que Nefer sabía a qué se refería, pero no lo podía reconocer.

—¿Y qué es lo que escuchaste?

—Que alguien había muerto. La otra persona parecía triste. También oí que había venido a este apestoso lugar a limpiar su espíritu y no sé qué más tonterías. ¿Pero quién habla así?

Nefer no sabía cómo salir del atolladero. Decidió que, una vez descubierto, mejor buscar la complicidad de aquel joven que enfrentarse a él.

—Tienes razón, era yo el que estaba hablando con esa extraña persona. Le salve de la presencia de un cocodrilo, por eso empezamos la conversación.

—Esa clase de personas no deben estar en estos lugares. No son para ellos. Si te lo vuelves a encontrar, huye como si fuera un cocodrilo. Quizá sea hasta más peligroso.

—Sí, desde luego parecía salido de cualquier palacio, pero Sobek me pareció diferente.

—¿Cómo has dicho que se llamaba?

—Sobek.

Ahora, la cara del desconocido pareció trasmutarse. Se quedó completamente pálido y con el rostro desencajado.

—¿Sobek? —repitió, con voz temblorosa.

—Sí, Sobek. ¿Pasa algo? ¿Acaso lo conoces?

Los ojos del desconocido parecían que iban a salirse de sus órbitas en cualquier momento.

—¿Y quién no conoce a Sobek? —le respondió aquel muchacho, mientras salía huyendo como si hubiera visto cinco o seis cocodrilos a la vez.

Nefer no reaccionó. No sabía qué pensar.

«¿Quién es Sobek?», se preguntó. «¿Por qué debería conocerlo?».

Pensó que cuando llegara a casa se lo preguntaría a su padre de la forma más inocente posible, por si acaso.

«¿Por si acaso qué? ¿Debería preocuparme?», pensaba, camino de su casa.

8 EN LA ACTUALIDAD, 14 DE OCTUBRE

—¡Por fin!

Rebeca se sobresaltó ante el grito de esa persona desconocida que tenía enfrente de ella. Le había pillado completamente desprevenida.

—¿Sabes cuánto tiempo ha pasado? —continuó aquella voz—. No hace falta que te molestes en recordarlo, ya te lo digo yo. Exactamente tres meses y once días.

Ahora Rebeca prestó más atención. A pesar de ello, entre la penumbra del lugar y de su propia mente, no acertaba a comprender lo que estaba sucediendo a su alrededor. Le costaba hasta fijar la mirada al frente.

—¿Piensas quedarte ahí sentada sin decir nada?

De repente, Rebeca se levantó de la silla y se abrazó con aquella persona.

La supuesta desconocida se sobresaltó por la súbita e inesperada reacción, pero aceptó el abrazo con indisimulada satisfacción. Era lo que había estado deseando desde hacía tiempo. Incluso una pequeña lágrima se atrevió a resbalar por su mejilla, aunque intentó ocultarla con rapidez.

—¿Te importa que continuemos la conversación en inglés? No hace falta que te diga donde estamos —dijo al fin Rebeca, mientras se separaba de aquella persona.

—¿Hablas en serio? Jamás me hubiera imaginado que esas fueran tus primeras palabras después de tanto tiempo.

—Por favor —rogó Rebeca.

Carlota observó con más detenimiento a su hermana, examinándola de arriba abajo. Empezando por la cabeza, llevaba una coleta medio caída, que ocultaba y deslucía su otrora estupenda melena rubia. Y lo peor no era eso. Bajando la mirada se tropezó con una especie de chándal verde de tercera o cuarta mano que parecía recogido de alguna institución de caridad. Jamás la había visto vestida de esa manera, ni siquiera para andar por casa. Cualquier camiseta de su armario era más elegante, incluidas las que utilizaba a modo de pijama. Cuando llegó a los pies, se terminó de espantar. Rebeca tan solo utilizaba zapatillas de deporte cuando salía a correr, pero nunca las llevaba para ir por la calle. Prefería un calzado sencillo, pero jamás deportivo. Y eso no era lo peor, parecía que esas zapatillas se las hubiera encontrado en cualquier contenedor de basura, ya que estaban rotas y manchadas de barro. Aquello era inconcebible para una persona como Rebeca, que, aunque de manera desenfadada, siempre cuidaba su imagen.

—¿Me permites sentarme contigo? —le preguntó en inglés, intentando ocultar su preocupación.

Rebeca se limitó a asentir con la cabeza, sin pronunciar palabra alguna.

Carlota no se pudo aguantar más. Era una persona que le gustaba abordar los problemas de forma directa y sin rodeos.

—Ya me conoces —le dijo—. Te veo fatal. ¿Te encuentras bien?

Ahora, Rebeca sí que pareció reaccionar.

—¿Cómo te atreves a hacerme esa pregunta? No, por supuesto que no me encuentro bien. Me parece que es más que evidente. Es una pregunta estúpida.

«Sí que lo ha sido», pensó Carlota, que intentó reconducir la conversación.

—Escúchame bien. Para todas fue un palo tremendo lo que sucedió, pero ninguna de nosotras esperábamos tu reacción.

—Después de lo que pasó, ¿qué querías que hiciese? Por lo menos sigo con vida.

—¡Ni se te ocurra volver a decir algo semejante! —Carlota parecía asustada—. ¿Te crees que fuiste la única que se hundió? ¿Te crees que tienes el patrimonio del dolor? ¡Pues no! Mentiría si te dijera que no jugué con la idea de desaparecer también, pero pensé en los demás y me tragué mi inmensa pena como pude. Mi trabajo me costó, pero aguanté en pie.

—Tu situación no es la misma que la mía —el breve destello de reacción de Rebeca había desaparecido. Su rostro volvía a estar sombrío.

—¡Qué dices! —exclamó Carlota, ahora indignada—. ¿Qué diferencia hay?

Rebeca se quedó observando a su hermana, silente por un segundo. Parecía que no le salían las palabras. Carlota pensó que era la mirada más triste que había visto en Rebeca en toda su vida.

—La diferencia es que yo sabía lo que iba a suceder y no hice nada —dijo al fin Rebeca.

Carlota se quedó de piedra. «Eso es una dolorosa mentira», pensó. Su primer impulso fue responder de forma airada, pero se contuvo. Veía que su hermana estaba a punto de derrumbarse.

—¿Cómo podrías haber sabido una cosa así? —preguntó con suavidad—. Es de locos. Nadie se imagina eso.

—Nadie no. Yo me di cuenta, pero no supe interpretar las señales tan claras que tenía delante de mí. Toda la vida prestando atención a esos pequeños detalles y analizando a las personas, y la vez que más importaba resulta que estaba en la Luna. Esa falta de atención, ese maldito error, acabó en una tragedia que podría haberse evitado. Nunca me lo perdonaré —dijo Rebeca, derramando una pequeña lágrima.

Carlota no sabía cómo continuar después de lo escuchado, pero decidió ser fiel a su manera de ser. Tenía que ser valiente.

—No me lo creo. Ya sabes que soy más inteligente que tú y yo no advertí nada fuera de lo ordinario cuando estuvimos hablando aquel día.

Las dos hermanas poseían un extraordinario coeficiente intelectual. La diferencia entre ellas era mínima y solían bromear acerca de quién de las dos estaba por delante. Carlota había lanzado el guante, pero, para su sorpresa, Rebeca no entró al trapo como solía hacer. Se limitó a levantar los hombros en señal de indiferencia.

—Tan solo buscas atormentarte por un suceso que nadie pudo prever, ni siquiera el prodigioso intelecto de Rebeca Mercader —continuó Carlota—. No te fustigues que ese no es el camino. Si algo tengo claro es que, si yo no lo vi venir, tú tampoco.

—Te equivocas en todo —respondió de inmediato Rebeca—. Ya te he dicho que me di cuenta de lo que pasaba, lo que no me esperaba era ese desenlace tan súbito. Y tampoco aciertas al decir que quiera fustigarme, todo lo contrario. No deseo atormentarme, tan solo busco algo de tranquilidad y aclarar mi mente. Necesito estar en paz conmigo misma y ahora mismo no lo estoy.

—No quiero discutir contigo en estos momentos. Lo único que te reprocho es que no dejaras ninguna nota. Quizá tú busques la tranquilidad, pero no la has dejado detrás de ti. Mucha gente está preocupada. Desapareciste como un fantasma.

—Tan solo quiero limpiar mi espíritu.

—¿Y no podías haberme dicho que venías a limpiarlo aquí? —Carlota no pudo evitar su vena satírica ni en un momento como este. No podía negar que estaba dolida. Jamás había pasado tanto tiempo separada de su hermana. A pesar de ello, se arrepintió de inmediato de su pulla. Sin embargo, para su sorpresa, Rebeca se permitió lo que pareció una tímida sonrisa.

—Pues, por lo que veo, no te ha hecho falta esa nota para localizarme.

Carlota le devolvió la sonrisa.

—¡Venga! ¿Te crees que soy idiota? Si hubieras querido desaparecer de verdad, no te hubiera localizado ni con todos los recursos de los que dispongo, que ya sabes que son muchos. Sé perfectamente que has querido que te encontrara. Ni te atrevas a negarlo, no insultes a nuestra mutua inteligencia. La gran pregunta que me hago es, ¿por qué precisamente ahora?

Rebeca parecía que había abandonado por un momento la melancolía.

—¿Sabes dónde nos encontramos exactamente?

—No te entiendo —le respondió una extrañada Carlota—. Pues claro, en uno de los cientos de *pubs* que debe de haber en Dublín. No sé qué tiene eso de...

—Error —le interrumpió Rebeca—. Sí, desde luego que es un *pub*, pero no uno cualquiera. ¿Te has fijado en su nombre?

—¿En su nombre? —repitió Carlota, que no comprendía a su hermana—. Creo que era algo de animales. Pero ¿eso qué demonios importa?

—Su nombre es *The Cat & the Horse*, que cómo bien sabes, significa «*El Gato y el Caballo*». Y, desde luego, importa mucho.

—Y supongo que ahora llega el momento de que me cuentes esa importancia.

Rebeca hizo una pequeña pausa antes de comenzar con la explicación,

—¿Sabes que en la mitología irlandesa ver un caballo blanco por la mañana es un signo de buena suerte? En cambio, ver un gato negro no lo es, como ocurre en muchos otros países. De ahí el nombre del *pub*.

—¿La buena y la mala suerte? Sigo sin pillarlo.

—No es exactamente eso. Habrás observado su antigüedad. Fue fundado a mediados del siglo XIX, en concreto en el año 1846. Aquel fue un periodo muy duro para los irlandeses. ¿Te suena la Gran Hambruna?

—No tengo ni idea, pero para eso eres tú la historiadora y supongo que me lo vas a contar.

—Irlanda era muy pobre en aquellos años, nada que ver con su actual prosperidad. Imagínate que su alimento básico era la patata. Un año antes de la fundación de este *pub* comenzó a gestarse el gran desastre. Un parásito de la patata de nombre impronunciable comenzó a afectar a las hortalizas, desarrollando una enfermedad llamada «tizón tardío». Arruinó todas las cosechas, dejando a la población sin nada que comer ni sustento para vivir. Fue una auténtica catástrofe para la isla. La gente vagaba por las calles como zombis, sin un lugar donde dormir ni nada que comer. Los afortunados pudieron emigrar a otros países, sobre todo a Estados Unidos e iniciar nuevas vidas, pero los que se quedaron... ¡madre mía! Se calcula que murieron más de un millón de personas. La isla se sumió en el caos más absoluto. En apenas cuatro años, Irlanda pasó de tener ocho millones de habitantes a poco más de cuatro. Debió de ser algo terrible. Además, te recuerdo que, por aquel entonces, Irlanda no era un país independiente, sino que estaba integrado en el Reino Unido.

—¿Y eso qué tiene que ver con la hambruna?

—Mucho, ya que agravó aún más el desastre porque los británicos obligaron a los irlandeses a seguir enviándoles patatas, cuando no tenían ni para su propio sustento. Había constantes revueltas populares que siempre terminaban igual, en un baño de sangre para los irlandeses. Los delitos estaban a la orden del día, pillaje, violaciones, asesinatos y todos los del catálogo del código penal.

—Me parece muy interesante, pero ¿qué tiene que ver toda esa historia con este *pub* precisamente?

—Ahora llegamos a eso. Como te decía, Irlanda pertenecía a Gran Bretaña y, en consecuencia, los ingleses eran los encargados de impartir justicia. Cada poco tiempo se desplazaban tribunales completos desde Inglaterra a Irlanda para celebrar los numerosos juicios. Los ingleses también eran muy aficionados a tomar sus pintas de cerveza y a la juerga. Y aquí es donde surgió otro gran problema.

—¿En beber cerveza? —preguntó Carlota, que no comprendía adónde quería llegar su hermana.

—No, en los *pubs*. Los ingleses no eran bienvenidos por obvias razones. Los irlandeses no reconocían la competencia y soberanía de los jueces ingleses sobre ellos y esta situación generaba mucha tensión. Recuerda que, en otra ocasión, te cuente una anécdota histórica muy graciosa sobre este tema, que ahora no estoy de humor. Bueno, continuando con mi explicación, en numerosas ocasiones estos jueces eran atacados e incluso algunos fueron asesinados en los *pubs* irlandeses. En ese momento, a una persona que hoy en día se le consideraría como un «visionario» o «emprendedor» se le ocurrió una idea genial. Fundar un *pub* con dos ambientes separados. Uno de ellos era de uso exclusivo de irlandeses y otro de ingleses, así se evitaban los conflictos. Y aquí estamos, en el original *«The Cat & the Horse»* tal y como fue construido en el siglo XIX.

—Sigo sin entender nada.

—Desde su fundación este *pub* siempre ha dispuesto de dos zonas claramente separadas. Incluso hoy en día es famoso por ello.

—¿Aún separan ahora a los ingleses de los irlandeses? —preguntó Carlota, incrédula.

—No, claro que no —sonrió Rebeca—. En el siglo XIX los ingleses eran considerados «los gatos», es decir, gente de mal fario. Los irlandeses se reservaron «el caballo» como símbolo positivo. Obviamente, con el trascurso de los años ya no existe esta distinción entre nacionalidades, pero ha evolucionado de una manera muy curiosa. Hoy en día se ha convertido en un *pub* frecuentado por delincuentes, los gatos, y al mismo tiempo por caballeros, obviamente los caballos. Ambos conviven y toman sus pintas de cerveza en el mismo espacio, aunque separados.

—¿Me tomas el pelo? ¿Y en qué zona estamos sentadas nosotras?

—Mira a tu alrededor —le respondió Rebeca, con una mueca algo cómica.

Carlota se giró. De repente, comprendió a su hermana.

—¿Y eso no es peligroso? —preguntó, cuando advirtió la apariencia de la gente que les rodeaba. No fue capaz de ver a ninguno sin lucir sus buenas cicatrices y grandes tatuajes de apariencia siniestra y carcelaria. Las únicas dos personas que desentonaban en el ambiente eran ellas.

–Supongo, pero yo no he tenido ningún problema y lo frecuento casi a diario. Además, me sienta bien. Es una especie de catarsis interior.

—Sé que el carácter irlandés es muy abierto en general y, en particular, cuando beben cerveza. Seguro que no es extraño que se entablen conversaciones. Pasa en todos los *pubs* y este no será una excepción. ¿Cuáles son los temas de las tertulias? ¿Cuántos años de condicional te quedan? ¿Y qué es lo que tú dices?

—No te hagas la graciosa. Yo no suelo intervenir en esas conversaciones, aunque es cierto que conozco a alguno de ellos. Conocen que he perdido a una persona muy querida y simplemente respetan mi dolor.

Carlota señaló a su hermana haciendo un gesto de clara desaprobación.

—¡Ahora lo comprendo! Te sientes delincuente por lo que sucedió hace tres meses y por eso estás aquí. ¡Valiente majadería!

Rebeca no deseaba continuar por ese camino y decidió cambiar la conversación.

—Bueno, dejemos el tema del *pub* y vayamos a lo importante. Para empezar, ¿le has contado a alguien que me has localizado?

—No, no he tenido tiempo. Nada más conocer que estabas aquí he tomado el primer avión y he venido a verte. Quería saber cómo estabas antes de dar la noticia a todos.

—¡De eso nada! —exclamó una tajante Rebeca.

—¿Qué?

—Que no le vas a contar a nadie que me has encontrado. Como bien has supuesto hace un rato, es cierto que quería que me encontraras precisamente ahora, pero solo tú. Me he tomado demasiadas molestias para que todo sucediera así.

Si Carlota llevaba una tarde de sobresaltos, este era uno de los grandes.

—¿Me quieres explicar a qué viene este misterio?

—Todo a su debido tiempo —le respondió Rebeca, con ese tono enigmático tan característico en ella, pero que exasperaba a Carlota.

Por otra parte, Carlota sabía que no le sacaría una sola palabra a su hermana hasta que ella decidiera desvelarle el misterio, fuera cual fuese, así que se quedó callada, reflexiva.

«¿Por qué no quiere que nadie sepa que la he localizado? Y, sobre todo, ¿por qué ha querido que la encuentre precisamente hoy y en este lugar tan raro? ¿Qué es lo que está sucediendo a mi alrededor que no veo?», pensaba Carlota, cada vez más preocupada.

Menos mal que no tenía ni idea.

9 GUIZA, EGIPTO, 5 DE ENERO DE 1836

—¿Cómo puedes saber todo eso?

—Porque fui testigo directo de la conversación. No me lo ha contado nadie.

Caviglia se quedó un momento pensativo.

—Pero eso es un desastre. No puede suceder —dijo.

—Pues es lo que va a pasar a no ser que tomemos ciertas medidas y...

—¿No estarás insinuando lo que creo que estás haciendo? —le interrumpió escandalizado Caviglia.

—Es una mera posibilidad, pero creo que no debemos descartarla. Piensa bien las consecuencias que esta expedición puede tener para nosotros. Los dos llevamos muchos años en Egipto y hasta ahora nos hemos apañado para que ni el coronel Campbell ni el pachá de Egipto se enteren de nada de lo que sucede aquí, pero el tal Howard Vyse parece una persona muy competente y con amplios conocimientos de egiptología. Con él en Guiza se complicaría mucho nuestra labor. Piensa que es un militar inglés que fue miembro del parlamento británico durante muchos años. Proviene de una familia muy conocida que posee una gran fortuna. Es decir, tiene dos cualidades que no nos convienen en absoluto: es una persona íntegra y rica, no necesita nuestros «negocios paralelos» ni se le puede sobornar para que haga la vista gorda.

Giovanni Batista Caviglia se quedó pensativo por un momento. Había comprendido en toda su contundencia las palabras de su interlocutor. Jamás se había encontrado en una situación similar. Al fin y al cabo, era un arqueólogo italiano que había llegado a Egipto a buscarse la vida, como había hecho siempre, al calor de las riquezas enterradas en el país. Nada más llegar a Egipto fue contratado por el cónsul general británico Henry Salt para excavar la Gran Esfinge de Guiza, que durante muchísimos siglos estuvo cubierta por la arena. Aquello fue en el año 1817 e hizo notables progresos hasta 1819. Se ganó la confianza de los ingleses, por ello era conocido como *mister* Caviglia y no *signore* Caviglia, lo que era más acertado dada su nacionalidad. Un año después, también por encargo de los británicos, llevó a cabo excavaciones en la ciudad de Menfis, descubriendo lo que había sido el hito de su vida hasta el momento, el coloso de Ramsés II, pero a diferencia de su colega Belzoni, que descubrió el busto de piedra del mismo faraón, él no fue capaz de trasladarlo a Alejandría para poder embarcarlo rumbo a Inglaterra, por lo que se quedó en Egipto. Era una persona inteligente y aprovechó el inconveniente para ganar influencia con el pachá. Cuando fue consciente que no podría trasladarlo por el tremendo peso y tamaño que tenía, convenció al pachá para que construyera una especie de museo y lo expusiera en Egipto, como ejemplo de la grandeza de la figura del pachá y del prestigio del país que gobernaba.

Pero todo eso no era lo que más le importaba a Caviglia. Ya llevaba en Egipto más de dieciocho años y se lo conocía a la perfección. Se había ganado la confianza del pachá de Egipto, que lo tenía en muy buena estima. Aprovechándose de ello, había tejido una red de contrabando de antigüedades que le resultaba muy lucrativa. Los grandes descubrimientos no los podía ocultar, pero los pequeños los vendía al mejor postor entre los acaudalados europeos, ávidos por poseer objetos de la cultura milenaria egipcia. El país estaba de moda y Caviglia le sacaba mucho partido. Lo peor de todo es que no tenía ningún sentimiento de culpa. Según él, los egipcios vivían de espaldas a las grandes riquezas que tenían al alcance de su mano. No le daban ninguna importancia. Continuaban cultivando sus campos, recolectando con gran esfuerzo sus cosechas y pastoreando su ganado, sin ser conscientes de los tesoros que tenían justo debajo de ellos. Caviglia se limitaba a excavar y entregar al pachá los grandes descubrimientos y a expoliar el país de los pequeños. Nadie se había dado cuenta en todos estos años y no estaba dispuesto a que un simple turista británico se lo estropeara, por muy rico o miembro del ejército que fuera.

—¿Podemos negarnos a la presencia en Guiza de ese tal Howard Vyse? —preguntó Caviglia, después de sus reflexiones

—Técnicamente sí. Tenemos un contrato de excavación de la zona de la Gran Esfinge y las pirámides en exclusiva, firmado por el pachá. Si no le autorizamos la entrada, nada podrá hacer, aunque tenga el permiso de Campbell. El poder del pachá está por encima de él y, en caso de conflicto con el consulado británico, el pachá nos daría la razón.

—¿Y por qué no lo hacemos? ¿No es la manera más sencilla de quitarnos de encima a ese entrometido inglés?

—Es una posibilidad, pero ello supondría enemistarnos con el coronel Campbell y no nos conviene. Es un tema muy delicado. Me pareció que tenía un interés personal en la presencia de Mr. Vyse en Guiza.

—O sea, que me estás diciendo que la única posibilidad que ves es darle la bienvenida a nuestra excavación y luego matarlo. Maravilloso.

—Soy consciente de que, dicho así, puede quedar muy frio, pero es una excavación arqueológica precaria. Siempre es peligrosa y ocurren multitud de accidentes entre los obreros. ¿A cuántos hemos perdido en el último año? No creo ni siquiera que sepas la cifra aproximada.

Caviglia se quedó de nuevo pensativo antes de continuar la conversación. Tenía el ceño fruncido.

—Hay una cosa que no me ha quedado clara. ¿De dónde procede el interés del coronel Campbell para que Mr. Vyse visite este lugar? Si el interés fuera del propio Vyse lo podría comprender, ya que ha venido de visita a Egipto, pero ¿del coronel? Me habías dicho que Vyse se disponía a partir desde Alejandría hacia el Alto Egipto. ¿A qué viene alterar sus planes ahora para que visite las pirámides? No lo comprendo.

—Ni yo tampoco, y eso es algo que me tiene muy preocupado. Campbell necesitó convencer a Vyse, que no lo tenía nada claro. Creo que, pensando con lógica, tan solo nos queda una posibilidad.

—¿Cuál? —Caviglia no seguía el razonamiento de su interlocutor.

—No olvidemos que el coronel Campbell representa los intereses del gobierno británico en Egipto. Puede que se trate de uno de esos «asuntos discretos».

Caviglia pareció asustarse con el razonamiento de su interlocutor.

—¿Tendrán los británicos sospechas de nuestras actividades clandestinas?

—Lo dudo mucho. Si fuera así, el coronel Campbell posee multitud de recursos como, por ejemplo, dirigirse al ministro Boghos Bey. ¿Para qué iba a enviar a un turista a inspeccionar las pirámides y nuestras actividades? No le encuentro ningún sentido. Por otra parte, ¿qué tenemos que ocultar de las pirámides? Podemos tratar a Mr. Vyse con exquisito tacto y dejarle observar cuánto desee. De hecho, deberías ser tú en persona el que le muestre todo lo que quiera ver y convertirte en su guía personal.

—No te entiendo. Hace un momento hablabas de matarlo y ahora quieres que me convierta en su propio guía.

—Estoy pensando en que quizá lo mejor sea una solución intermedia.

—¿Entre matarlo y dejarlo vivo? ¿Tan solo herirlo?

El visitante de Caviglia no pudo evitar reírse ante semejante ocurrencia. Cuando paró, le expuso su plan con todo detalle.

Ahora, Caviglia pareció comprenderlo.

—¿Crees que eso funcionaría? ¿Lo aceptará de buena gana el coronel Campbell? —le preguntó.

—De buena gana desde luego que no, pero creo que comprenderá que tampoco tiene muchas alternativas. Estarás de acuerdo conmigo en que cuánta más corta sea la visita y más satisfecho se marche Mr. Vyse, mejor para nosotros. Incluso si todo trascurre con normalidad, no hará falta hacer nada más.

—¿Cuándo pretende el coronel Campbell que venga Mr. Vyse a Guiza?

—En los próximos días.

—¡Pero eso no puede ser! —exclamó Caviglia—. No estamos preparados. Necesitaremos ocultar lo que no queremos que vea y eso nos llevará algún tiempo.

—Por eso no te preocupes, ya se me ocurrirá algo.

—Bueno, tú sabrás cómo arreglártelas, pero lo que sí que me preocupa es la naturaleza de ese «asunto discreto» del gobierno británico. Tenemos toda la documentación en regla. Contratamos la mano de obra que nos provee el pachá y nos consta que está satisfecho con lo que obtiene de nuestras excavaciones. No hemos tenido ningún conflicto con nadie y cumplimos nuestras obligaciones del contrato firmado. También hemos mantenido todo este tiempo unas relaciones cordiales con el cónsul Campbell. Estamos haciendo un gran trabajo en la Esfinge de Guiza, con notables descubrimientos reconocido por todos. Perdona, pero sigo sin comprender ese «asunto discreto».

—Me temo que eso será lo que deberemos averiguar.

«Este tema no me gusta nada», pensó Caviglia, cuyo instinto le decía que se avecinaban problemas.

Y no pequeños precisamente.

10 ANTIGUO EGIPTO, AFUERAS DE MENFIS

—¿Dónde vas?

Nefer levantó la vista extrañado y la cruzó con la de su padre.

—¡Qué pregunta más tonta es esa! ¡Pues al campo, como todos los días a esta misma hora! —le respondió.

—No.

—No, ¿qué?

—Que no vas al campo.

Una sacudida fría recorrió todo el cuerpo de Nefer. Se sintió descubierto. Era cierto que, desde hacía unos días, antes de acudir al huerto, hacía una visita rápida a la ribera del Nilo, al mismo lugar donde se encontró con Sobek. No sabía por qué, pero aquel primer encuentro le había dejado demasiados interrogantes para un joven como él. Lo cierto es que todos los viajes al Nilo habían sido en vano. Sobek se había esfumado tal y como apareció. Si no llega a ser por aquel compañero pescador que también lo escuchó, se hubiera planteado que quizá fuera producto de su imaginación. Todo le resultaba demasiado extraño.

—¿No me vas a decir nada? —le dijo el padre, que observó que su hijo se había quedado pensativo, en silencio y sin reaccionar a sus palabras.

«¿Y qué le digo?», Nefer estaba alarmado. «No debería mentir a mi padre», concluyó.

Cuando estaba a punto de reconocer sus furtivas escapadas matutinas al Nilo, le vino un repentino pensamiento. «¡Un momento! ¿Cómo lo puede saber? Cuando mi padre acude al huerto yo ya estoy allí. Además, es el cuarto día seguido que lo hago. ¿Por qué esperarse a reñirme precisamente hoy?», reflexionó a toda velocidad. Casi cuando estaba a punto de confesar, volvió a cerrar la boca y decidió hacerse el despistado. Por otra parte, no iba a confesar a las primeras de cambio. Si le tenía que caer una buena regañina, cuando más tarde mejor.

—¿Por qué dices que no voy al campo? —respondió al final con una pregunta evasiva.

—¿De verdad hace falta que te lo diga?

Nefer era consciente que estaba a punto de cruzar una línea que no deseaba, la mentira, pero no sabía cómo continuar la conversación sin reconocer la verdad.

—¿Qué te pasa esta mañana? ¿Te has vuelto tonto de repente? —insistió su padre.

—No, no —masculló Nefer, hecho un lío.

—¿Acaso eres el último en enterarte de las cosas en esta familia?

«¿Qué?», pensó Nefer. «¿A qué se refiere mi padre?». Por un instante, se le pasó por la cabeza la posibilidad de que Sobek se hubiera ido de la lengua y hubiese hecho público su encuentro. En ese caso, quizá sus peores temores se podrían confirmar. Su familia tendría problemas. Se quedó observando a su padre, a ver si descubría alguna señal de dolor, pena o algo parecido. Para su espanto, allí estaba esa mueca en su rostro. A Nefer no le cabía ninguna duda, pero había algo que no le terminaba de encajar. «No parece enfadado conmigo, eso no se lo veo en sus ojos», pensó. Si Sobek hubiera contado su encuentro o su padre le hubiese descubierto en sus furtivas escapadas, estaría muy enojado con él. «Esta situación no tiene ningún sentido. Algo se me está escapando», pensó de nuevo.

—De verdad no sé qué te pasa esta mañana, aparentas estar atontado —el padre parecía que perdía la paciencia—. Lo que ha sucedido es que han anunciado la muerte de nuestro faraón Khafre. Hoy mismo se oficiará la primera ceremonia mortuoria. Nadie trabaja en un día tan triste como este. Todos hemos de orar por su tránsito a la otra vida y rezar para que el nuevo faraón nos provea de grandes crecidas del Nilo y abundantes cosechas, para que no nos falte el sustento diario.

Nefer se sorprendió. No había escuchado nada acerca de esa importante noticia. «Con mis visitas diarias a la ribera del Nilo, estos últimos cuatro días no he tenido tiempo ni de jugar con mis amigos. No he hablado con nadie más que con el pescador que me encontré», se dijo. «Bueno, y con Sobek hace cinco días». De repente, este último pensamiento hizo que se pusiera alerta. Recordó que el motivo de la presencia de Sobek en el Nilo era que había muerto un ser querido para él.

—Padre, no sabía nada. Últimamente estoy trabajando mucho en el campo y no he tenido tiempo de hablar con nadie. Por cierto, ¿el faraón murió ayer?

—Sí, eso parece. Desde luego lo han anunciado hoy.

—¿Tan solo «parece»? ¿Es posible que muriera hace cinco días?

El padre se quedó mirando a Nefer con la confusión reflejada en su rostro.

—¿Qué pregunta más rara es esa? Hoy te estás comportando de manera muy extraña. ¿Te encuentras bien?

—Padre, nunca había vivido la muerte de un faraón. Tan solo he conocido en vida al rey Khafre. Ya sabes que soy muy curioso y me gusta preguntar.

El padre pareció entenderlo.

—Bueno, lo más normal es que se anuncie la muerte de un faraón nada más se produce, pero eso no lo sabemos con certeza. Es posible que pudieran retrasar la noticia unos días, pensando en la organización de las distintas ceremonias que se deben oficiar por todos los templos del país. La verdad es que no te puedo dar una respuesta exacta a esa pregunta.

Nefer se sintió excitado. Cabía dentro de lo posible que la persona querida a la que se había referido Sobek fuera el propio faraón. De ser cierto, podría explicar que no se hubiera presentado a su cita con él. De repente, sintió interés por la muerte del faraón.

—¿Y ahora qué pasará en Egipto? —le preguntó a su padre.

—La vida continúa, si te refieres a eso. Como comprenderás, a lo largo de nuestra historia han muerto muchos faraones. Como ellos son los representantes de los Dioses en la tierra, cuando fallecen, se debe de nombrar a otro lo más rápido posible. De hecho, generalmente, la ceremonia mortuoria principal en la capital de Egipto, Menfis, nuestra ciudad, suele ser oficiada por el nuevo faraón. En todos los demás templos del país son oficiadas por cada uno de los sumos sacerdotes, para que haya continuidad y nos aseguremos que no se altera la esencia del *Maat*, como ya te había explicado.

—¿Lo entierran aquí en Menfis?

El padre no pudo evitar sonreír.

—A tu edad es normal que no sepas nada de estas cosas. A tu pregunta, la respuesta es no. Cada faraón se construye en vida su propia tumba en el lugar qué quiera. Desde el faraón Djoser, las construcciones funerarias son espectaculares. Antes eran más modestas, aunque no exentas de grandeza. Lo que marcó la diferencia es que Djoser las inició con forma de pirámide, mirando a las estrellas. La suya está cerca de la ciudad de Saqqara, que es la necrópolis de Menfis, junto con Abusir y Dahshur. El anterior faraón que murió, Khufu, también mando construir una gran pirámide, pero esta vez en Guiza, cerca de las otras necrópolis. Yo la he visto y es algo prodigioso y mágico y, por qué no decirlo, colosal en tamaño. El recién fallecido faraón Khafre mandó construir una también, junto a la de su padre Khufu. Aunque es algo menor en volumen, son prácticamente iguales y también impresiona. Además, ordenó la construcción de una gran esfinge que, junto con las dos grandes pirámides, parecen obra de los propios Dioses.

—Pero Guiza está a varios días de viaje de Menfis. Si anunciaron su muerte ayer, es imposible que el cuerpo del faraón esté en su pirámide listo para ser enterrado, a no ser que mi teoría sea cierta y falleciera hace cinco días—le respondió Nefer.

—Es perfectamente posible—el padre no había perdido la sonrisa.

—¿Por qué son Dioses?

—No, porque no los entierran.

—¿Qué? —esa respuesta no se la esperaba Nefer—. Si me acabas de contar lo de las pirámides y todo eso y ahora me dices que...

El padre lo interrumpió.

—No los entierran ahora. Por supuesto que, después de todas las ceremonias y el proceso por el que debe pasar su cuerpo para asegurarse el tránsito a la otra vida, son enterrados en el interior de sus tumbas. Estos procesos son el embalsamamiento y la momificación, que buscan la preservación del cuerpo. En el caso del difunto faraón Khafre, será enterrado en el interior de su pirámide, dentro de un sarcófago, cuando concluyan esos procesos que te he nombrado.

—¿Embalsamamiento? ¿Momificación? ¿Qué significan esas extrañas palabras? El año pasado, cuando se murió Bakari, nuestro vecino, simplemente lo enterraron. No recuerdo ningún proceso a su cuerpo.

—Porque esos procesos, como los estamos llamando, no son para nuestra clase social. Me temo que, para que lo comprendas, debo explicarte algunas cosas más. Si quieres lo dejamos aquí. Igual te aburren un poco, aunque es nuestra historia y siempre es interesante conocerla. Nunca agradeceré lo suficiente mi paso por las cocinas del Palacio Real y lo que aprendí allí.

—¡Continúa ya! —le respondió Nefer de inmediato.

El padre volvió a sonreír. No podía ocultar su satisfacción por los deseos de su hijo de conocer su historia, aunque desconociera el verdadero motivo, que no era otro que su encuentro con Sobek.

—Al principio de la historia de nuestro país como tal, en la llamada época predinástica de Egipto, no se le daba importancia al cuerpo físico. Imagínate, cuando morían los enterraban desnudos y en posición fetal bajo la reseca arena del desierto. Con ello conseguían que su putrefacción se alargara en el tiempo, pero no hacían nada más con ellos. Ni siquiera les importaba que, en ocasiones, debido a las constantes tormentas de arena, sus cadáveres descompuestos o sus esqueletos aparecieran desenterrados. Su cuerpo no significaba nada para ellos porque consideraban que su espíritu hacía el tránsito a la otra vida por sí mismo. Varios siglos después, tras la unificación del Alto y el Bajo Egipto por el primer faraón de la primera dinastía, el gran Menes, las cosas comenzaron a cambiar hasta evolucionar en lo que ahora creemos. El cuerpo de los faraones debe prepararse para su conservación en el tiempo porque lo necesitarán para disfrutar de la vida eterna. Además, ya no se entierran en el desierto sino en templos construidos con piedra y no con juncos y adobe como nuestras casas, para que sean duraderos en el tiempo y les den cobijo para la eternidad. Por el mismo motivo, antes de enterrarlos, embalsaman y momifican sus cuerpos, las dos palabras cuyo significado no entendías. Es para su preservación. ¿Aún quieres que siga? Te advierto que la explicación no es agradable para un niño de tu edad.

—Por supuesto. Me interesa lo que me estás contando —la curiosidad de Nefer era insaciable.

—Cuando un faraón muere lo trasladan al templo de Anubis en Menfis, aunque si el templo del Valle está ya finalizado cuando se produce la muerte del faraón, a veces lo llevaban directamente allí.

—¿Qué es el templo del Valle? Nunca lo he oído nombrar en Menfis.

—Porque no está aquí. Por ejemplo, tanto el faraón Khufu como su hijo Khafre, junto a las pirámides de las que te he hablado en Guiza, mandaron construir dos templos menores, en la cara este de las pirámides. Uno era destinado al culto, el llamado templo del Valle, y otro era funerario o conmemorativo. Si el templo del Valle ya está concluido, es posible que el cuerpo del faraón Khafre sea trasladado allí para ser preparado. En el templo, los sacerdotes depositan su cuerpo sobre una tabla plana purificada con ciertos ritos mágicos. Después, le introducen una especie de gancho por el orificio izquierdo de la nariz, con el objeto de batir su cerebro hasta hacerlo papilla. Así consiguen extraerlo del cráneo sin que esta sufra daños externos. Luego lo limpian por su cavidad interior con paños de lino para asegurarse que no quede ningún resto. Una vez higienizado y purificado, sustituyen su cerebro por una especie de resina fundida que se acopla a la cara interna del cráneo. Esta resina tenía un efecto desinfectante y desodorante en la cabeza del faraón. Después, para evitar que la resina pudiera salir al exterior por los orificios nasales, los tapaban con pequeños trozos de lino.

—¡Qué asco! —no pudo evitar exclamar Nefer.

—Te lo había advertido y esto es solo el principio. Con posterioridad a todo eso, le practicaban una pequeña incisión por la parte izquierda de su abdomen. A través de ella, extraían sus fluidos corporales y lo que es más importante, el hígado, el estómago, sus pulmones y sus intestinos. Estos cuatro elementos eran guardados en cuatro recipientes, llamados vasos canopos. Habrás observado que he omitido el corazón. Este permanece en el interior del cuerpo. No se extrae ya que se considera un elemento clave para la resurrección y la vida eterna.

—Sí, ya me había dado cuenta. Lo que llama mi atención es que siempre manipulan el cuerpo por la parte izquierda. ¿Por qué? ¿Existe alguna razón física?

—Buena observación. La razón para ello no es física sino espiritual. El corazón está situado en la parte izquierda de nuestro cuerpo y allí se almacena la esencia de cada persona, su alma, lo que conocemos como nuestro *Ka*.

—Ah —se limitó a decir Nefer, sin comprenderlo demasiado bien. En realidad, estaba siguiendo la explicación sin entenderla tampoco.

—A pesar de haber retirado todos los elementos que pudieran contribuir a una putrefacción acelerada del cuerpo, había que hacer algo más para evitarla por completo. Así, una vez concluida esta primera fase, lo que hacen los sacerdotes es rellenar las cavidades torácicas del faraón con un elemento llamado natrón, que es un mineral cuya principal función es la deshidratación. El natrón seca y desinfecta el cuerpo en su interior. Una vez rellenado, cosen la incisión en el abdomen y limpian el exterior del cuerpo con vino de palma purificado. Posteriormente lo cubren de natrón pulverizado, con el mismo objeto, deshidratar el cuerpo. Este último proceso suele durar unos cuarenta días. Así se consigue desecar el cuerpo y evitar su putrefacción, que es el objeto del embalsamado. Pero falta la momificación, que son dos procesos que van de la mano. ¿Quieres que pare ya?

—Si he aguantado todas las barbaridades que acabo de escuchar, supongo que seré capaz de terminar con la explicación —contestó Nefer.

—Bueno, pues una vez han trascurrido los primeros cuarenta días, los sacerdotes vuelven a limpiar el cuerpo del faraón con vino de palma purificado. Piensa que el cuerpo, después de pasar tantas semanas cubierto con natrón, necesita recuperar cierta flexibilidad para evitar que sus miembros se pudieran quebrar al trabajar con él, lo que supondría un auténtico desastre. Después lo ungen con aceites sagrados y celebran una serie de rituales. En ese momento ya no se trata tan solo de un cadáver, sino que el cuerpo del faraón se ha trasformado en una especie de semidiós y, como tal, debe ser tratado. Una vez concluido todo lo anterior, lo pintaban con una resina de color dorado. Esta resina cumple una doble función, mística y física. La parte mística es que la resina es de una tonalidad dorada, como es el color de la piel de los dioses. Ya sabes que, con su muerte, el faraón ha pasado de ser el representante de los dioses en la tierra a convertirse él mismo en un dios. Por eso intentan que el faraón presente el mismo aspecto físico y tono de piel que ellos. La parte física es para su mejor preservación y para otra cuestión importante. Con la ayuda de esta resina, que hace también de pegamento, envuelven el cuerpo con finas capas de lino hasta cubrirlo por completo. Mientras realizan todas estas labores, los sacerdotes prosiguen con sus rezos y quemando hierbas aromáticas, sobre todo incienso. Como siempre, la función de todo ello es doble. Las vendas proporcionan al cuerpo una protección física cuando es introducido en el sarcófago y las oraciones tejen una protección espiritual. Todo este proceso dura unos treinta días. Hasta no alcanzar este momento, el faraón no está listo para ser enterrado en su templo funerario.

—¡Qué complicado! —exclamó Nefer— O sea, que han pasado setenta días de su muerte y aún no ha sido enterrado.

—Así es —le respondió su padre—. Además, ¿te acuerdas que te acabo de contar que las necrópolis y los templos mortuorios de los faraones no están cerca de Menfis? Pues entonces, aún falta el proceso del trasporte. Cuando los sacerdotes de Anubis han terminado de momificar su cuerpo, lo trasladan hasta el río Nilo, donde es embarcado y trasportado aguas arriba hasta llegar a Guiza. Al pueblo se le permite arremolinarse en las orillas del río para despedirse de su difunto faraón. No es extraño que se forme una gran multitud de gente orando por su alma o simplemente llorando. Hasta aquí la ceremonia es pública, pero una vez llega la comitiva de barcos a Guiza, desembarcan el cuerpo y lo trasladan, pero no directamente a su tumba, sino a uno de los templos auxiliares que se construyen alrededor del funerario.

—¿Por qué? ¿No se supone que ya está listo para ser enterrado?

—No, en realidad no lo está. Aún no ha acabado el proceso sobre su cuerpo.

—Pero si me acabas de decir que los sacerdotes de Anubis ya habían concluido su trabajo de momificación.

—Ellos sí, pero queda una de las partes más importantes que es la llamada «ceremonia de apertura de la boca». Sirve para que el faraón difunto pueda conservar todos sus sentidos en su vida eterna, pero esa parte ya no se realiza por los sacerdotes de Anubis. En ese momento, en el interior del templo auxiliar de culto, ya solo permanece su familia, determinados miembros de la nobleza y algunos sacerdotes. Piensa que es un acto en el interior de un templo sagrado donde no nos está permitido entrar. Siempre asiste el nuevo faraón, como muestra de legitimidad de su reinado, pero también como símbolo de continuidad, algo muy importante para nosotros. El ciclo de la vida no se detiene y debe continuar.

—¿Cómo le abren la boca si se supone que está momificado?

—Buena pregunta, hijo —sonrió el padre—. Veo que estás atento a mis explicaciones. Realmente no le abren la boca de forma física, sino que el sumo sacerdote de Ptah toca su boca con un objeto sagrado, mientras recita oraciones mágicas. Pero la ceremonia no acaba aquí. El difunto faraón no solo tiene que recuperar el sentido del habla, también todos los demás. Otros sacerdotes, con azuelas, bastones en forma cola de pez o cuchillos ornamentados, que se consideran objetos purificados y mágicos, van tocando cada una de las partes de la momia del faraón, para que recupere todos sus sentidos en la vida eterna. Como comprenderás, yo jamás he asistido a una de esas ceremonias, pero entre el pueblo se comenta que consta de más de setenta y cinco pasos. Una vez concluida, la comitiva abandona el templo de culto para trasladarse a la cámara mortuoria del templo funerario. Introducen el sarcófago y sellan la puerta de entrada de manera sólida, borrando cualquier huella de su presencia en el lugar.

—¿Por qué hacen eso?

—Para desgracia de los dioses, muchas de estas tumbas sagradas son saqueadas por gente sin ningún escrúpulo, buscando las riquezas que pudiera contener. Supongo que es por eso por lo que el faraón Khufu y el ahora fallecido Khafre mandaron construir esas imponentes pirámides. Para alcanzar la cámara mortuoria debe existir un laberinto de pasadizos secretos en su interior.

—Has conseguido despertar mi curiosidad todavía más. ¿Se pueden visitar esos imponentes templos?

—Por el exterior sí, pero su interior está sellado, de manera que nadie conozca ni siquiera dónde está localizada su entrada o entradas, porque, en ocasiones, para despistar a los posibles saqueadores, se construye más de una a diferentes niveles de altura. Aparte de su arquitecto, nadie debe conocer cómo llegar hasta la cámara funeraria del faraón. Por eso se construyen pequeños templos de culto a su alrededor, para que la familia pueda rezar por el tránsito a la vida eterna, ya que las pirámides están completamente selladas y no pueden acceder.

—Parece muy misterioso.

—Quizá a los ojos de un joven de trece años lo pueda parecer, pero no lo es. Una vez el faraón se encuentra dentro de su sarcófago en su cámara mortuoria sellada, su cuerpo se presenta ante el Dios Osiris. Si pasa la prueba, que no te voy a aburrir más con sus explicaciones, ya ha adquirido la categoría de Dios y alcanzado la vida eterna.

—Pues sí que es complicado —respondió Nefer, que, a pesar de las complejidades de todo el proceso, había seguido las explicaciones con mucha atención e intentado entenderlas.

—Bueno, pues volviendo al principio de toda la conversación, por todo lo que te he contado, es imposible saber si el faraón murió ayer o hace cinco días, como extrañamente me preguntabas hace un momento.

Nefer volvió a recordar a Sobek y a su persona querida fallecida.

—¿Cuántos hijos tenía el faraón Khafre? —le preguntó a su padre.

El padre se quedó pensativo durante un instante.

—Creo que doce hijos y cuatro hijas. Cuando estaba en palacio ya se había desposado en varias ocasiones. De su esposa Meresankn III recuerdo a sus hijos Nebemakhet, Duaenre, Niuserre y Khentetka y a su hija Shepsetkau. Con la reina Khamerernebty I tuvo a su hijo Menkaure y a su hija del mismo nombre que su madre, Khamerernebty. Hekenuhedjet fue la madre de su hijo Sekhemkare. Con Persenet tuvo a Nikaure. Además, también eran reconocidos como sus hijos Ankhmare, Akhre, Iunmin e Iunre y sus hijas Hemetre y la pequeña y más bella de todas, Rekhetre.

—Eso suman once y cuatro. Te has olvidado de un hijo —apuntó Nefer.

—Es posible. Hace bastante tiempo que salí del palacio y mi memoria ya no es la que era.

—¿Y cuál de todos ellos es el nuevo faraón?

—Ninguno.

La cara de sorpresa de Nefer fue monumental.

—¿Pero no es uno de los hijos el que debe suceder a su padre como faraón? ¡No será porque no tenían de dónde elegir! —dijo Nefer, sorprendido por la respuesta de su padre.

—Eso es lo normal, sí, pero no ha sucedido en este caso. La verdad es que yo también me he extrañado bastante por la elección del nuevo faraón. Es cierto que, en ocasiones, la línea sucesoria no pasa de padres a hijos, pero eso suele ocurrir cuando hay guerras familiares o el faraón fallece sin descendencia, pero este no es el caso. Además, Khafre fue un faraón muy respetado y con mucha autoridad y poder. Me sorprende que no dejara el tema de la sucesión atado en favor de cualquiera de sus descendientes directos. Había dos opciones en las que todos pensábamos. La primera, como suele ser habitual, que el nuevo faraón fuera su primogénito y actual visir de Egipto, Nebemakhet, aunque no es muy apreciado por el pueblo por su función como recaudador de impuestos. Tiene fama de tener mano dura con los débiles y blanda con los poderosos. Por decirlo suave, es poco popular. El otro claro candidato a la sucesión era el príncipe Menkaure, ya que es el hijo primogénito de su esposa favorita, la reina Khamerernebty I, que goza de gran prestigio en todo Egipto. Yo creo que Menkaure era la persona que la mayoría del pueblo esperaba.

—Entonces, ¿quién es el nuevo faraón?

—El príncipe Baka.

—Como me sucede con todos los anteriores, no tengo ni idea de quién es.

—Baka es hijo del faraón Djedefre, que fue el sucesor de su padre, el faraón Khufu, el constructor de la primera gran pirámide en Guiza. ¿Te acuerdas de que te lo acabo de contar?

—Sí, claro. Entonces, si no me he liado con tanto nombre, ¿el actual faraón Baka es tan solo uno de los sobrinos del difunto faraón Khafre?

—Por extraño que te pueda parecer, así es. De todas maneras, nosotros somos unos simples campesinos. Los que están en contacto con los Dioses son los que deciden. Ellos están allá arriba y nosotros aquí abajo, así que ni es cosa nuestra ni nos va a afectar en lo más mínimo. Me temo que sea quién sea el faraón, el sol seguirá saliendo por las mañanas y la vida continuará para nosotros.

Por una vez, el padre de Nefer estaba equivocado.

11 EL CAIRO, EGIPTO, 8 DE ENERO DE 1836

—Coronel Vyse, le han dejado una nota para usted. Parece que es urgente.

Al final, Howard Vyse había tenido que permanecer ocioso unos días en el *"Hotel El Cairo"*, gestionado por Mr. Hill, quién precisamente le había dado el empujón final para aceptar la propuesta del coronel Campbell.

Rasgó el sobre y empezó a leer su contenido.

«Querido Howard, acude al consulado lo antes posible. Firmado, P. Campbell».

Vyse no pudo evitar sorprenderse. Era cierto que estaba esperando noticias del cónsul general británico, pero no a través de una nota tan lacónica como esta.

«No es propio de Patrick», pensó Vyse, que era más dado a extenderse en sus misivas, incluso adornándolas de detalles innecesarios. «Desde luego que este no es el caso. ¿Me debería preocupar?», siguió pensando.

La mejor manera de salir de dudas era hacer caso al coronel Campbell y acudir de inmediato al consulado. En consecuencia, salió del hotel y se dirigió hacia allí sin perder más tiempo.

Nada más llegar al edificio, a pocas manzanas de su hotel, la recepcionista ya tenía instrucciones de llevarlo ante la puerta del despacho del cónsul.

Cuando lo hicieron, para sorpresa de ambos, escucharon fuertes gritos en su interior. Sin duda era la voz del coronel Campbell, que parecía fuera de sí. La recepcionista no hizo ningún comentario, tan solo el gesto de que llamara a la puerta, mientras se marchaba discretamente.

«¿Qué sucede ahí adentro?», pensó Vyse, mientras la golpeaba con sus nudillos.

—¡Ya era hora! ¡Adelante, Howard! —escuchó a través de la robusta puerta.

Nada más entrar en el despacho, Vyse reconoció a la persona objeto de las iras de su amigo el cónsul. No pudo evitar sorprenderse.

—Encantado de verle de nuevo, Mr. Hill —dijo Vyse, con el tono más amable que pudo, dada la tensión que se palpaba en aquel lugar.

—Lo mismo digo, coronel Vyse— le respondió con una mirada un tanto asustada.

Aquella situación no le cuadraba nada al recién llegado. Se suponía que Hill era una persona de la máxima confianza de Campbell, como él le había insistido.

—Ya sé, ya sé —repitió el cónsul—. Siento que hayas escuchado mis gritos, pero es que hay momentos en que consigue sacarme de mis casillas.

—¿Mr. Hill? —preguntó de forma automática. Vyse aún no daba crédito a la situación.

—¡No, hombre, no! —exclamó Campbell, sin poder evitar una sonrisa.

Vyse se giró. En el interior de aquel despacho no había nadie más. Campbell se percató de la sorpresa de su amigo,

—¿Cómo me voy a enfadar con una persona como Mr. Hill? Te aseguro que eso es imposible, al menos yo no lo he logrado durante los muchos años que nos conocemos. Sí, ya sé que no hay nadie más en la habitación, como veo que has comprobado, pero mis gritos no iban dirigidos a él sino a lo que me estaba contando. A la persona responsable.

—Ayer volví de Guiza —intervino en la conversación Mr. Hill, a modo de explicación.

—¿Y qué tiene que ver eso? —preguntó Vyse, que seguía sin comprender nada.

—Acudí a ponerme de acuerdo y coordinar con Caviglia su próxima visita a Guiza.

—¿Caviglia? ¿Se refiere a Giovanni Batista Caviglia? ¿El arqueólogo?

—Sí, el mismo.

—No lo conozco personalmente, pero he leído acerca de sus hallazgos. ¿Qué tiene qué ver con mi visita a Guiza? Creía que Mr. Hill iba a ser mi guía durante mi estancia allí.

—Ese es uno de los problemas. El señor Caviglia insiste en ser él su guía —le respondió.

—¿Y eso supone un problema? —Vyse continuaba sin comprender nada—. Sin pretender ofenderle, Mr. Hill, Caviglia es uno de los arqueólogos más famosos del momento. Debería sentirme honrado, aunque no comprendo el motivo por el que una persona como él quiera ser el guía de un desconocido como yo.

—¡Ese es precisamente el problema! —exclamó Campbell, levantado otra vez la voz—. ¡Maldito entrometido!

—¿Alguien me quiere explicar qué sucede? No entiendo nada —Vyse también estaba empezando a perder la paciencia.

—Creo que será mejor que se lo cuente Mr. Hill. Al fin y al cabo, es él el que ha hablado con Caviglia.

—Bueno, coronel Vyse, el problema principal es que Caviglia se niega a darle permiso para su prevista expedición a las pirámides.

—¿Pero si me acaban de decir que se ofrece a ser mi guía?

—Sí, pero no se trataría de una expedición como tal. Tan solo sería un día de visita, como un turista cualquiera de los muchos que hay por aquí.

—¡Ese maldito demonio! —Campbell volvía a estallar.

—¿Puede hacer eso? —Vyse empezaba a comprender la situación—. ¿Qué poder tiene sobre las pirámides? ¿No me basta con un permiso del cónsul general británico?

Cuando parecía que el coronel Campbell se disponía a estallar otra vez, Mr. Hill se apresuró a intervenir.

—El señor Caviglia tiene firmado con el pachá de Egipto un contrato de excavación en exclusiva de todo el recinto de las pirámides de Guiza.

—Pero yo no pretendo excavar nada.

—No, pero ese contrato le faculta para decidir quién puede entrar en la zona y en qué condiciones. Es lo que le estaba explicando ahora mismo al coronel Campbell cuando se ha enfadado.

—¡Ingrato desgraciado! Si tiene ese contrato es gracias a mi mediación con el ministro Boghos Bey y con el propio pachá. El jamás lo hubiera conseguido por sí mismo.

—No le quito la razón, señor cónsul, pero ¿qué alternativa tiene?

—Así, sin pensar demasiado, se me ocurre una. Por ejemplo, dirigirme al pachá en persona y pedirle un permiso temporal extraordinario a favor de Mr. Vyse. Tenemos excelentes relaciones, no creo que se negara.

—Lo hará y usted lo sabe —le respondió Hill—. Conoce perfectamente que Mohammad Alí Pachá de Egipto tiene a gala cumplir con su palabra y honrar sus contratos. Presume de ello y hay que reconocer que ha conseguido cierto orden en las excavaciones, no como hace unos años que imperaba la ley de la selva. No logrará doblegarlo por ese camino.

—¿Y si mando a Vyse con un pequeño contingente de soldados del consulado, aduciendo intereses del gobierno británico? Caviglia podrá tener mucho personal a su cargo en Guiza, pero son obreros egipcios que no osarán oponerse a guardias británicos armados.

Vyse y Hill no pudieron evitar cruzar miradas ante la propuesta del cónsul. La mera posibilidad de que la expedición comenzara mediante la fuerza militar espantaba a ambos, incluso a Vyse, que también era coronel. Se supone que la arqueología y la egiptología eran ciencias civiles pacíficas. No podían permitir que aquello se les fuera de las manos y se convirtiera en otra cosa. Iban a objetar a la vez, pero se adelantó Mr. Hill.

—Coronel Campbell, con todos los respetos, eso es una barbaridad. Desde luego que conseguiría entrar en Guiza sin oposición alguna, pero la noticia llegaría de inmediato al pachá. ¿Qué lograría ganar? ¿Tres o cuatro días a lo sumo? Y eso por no hablar del posible conflicto armado que se podría generar. Para eso, veo más práctico aceptar la propuesta de Caviglia e intentar meterle un caballo de Troya.

—¡Qué dices! ¿Ahora te pones de parte de ese hijo de Satanás? —exclamó el coronel, que parecía a punto de perder los papeles de nuevo, cuando cayó en la cuenta de la última frase de Mr. Hill.

—¿Un caballo de Troya? ¿A qué te refieres?

—Sabemos que Caviglia guarda buena relación con uno de sus subordinados, el vicecónsul en Alejandría. Ambos llevan bastante tiempo en Egipto, como yo.

—¿Se refiere a Sloane? Supongo que ya habrá abandonado la ciudad. Le ordené que trasportara a Vyse hasta El Cairo, pero de eso hace ya cuatro días y no lo he vuelto a ver.

—Pues resulta que yo sí. Acabo de tomar un té en el *«Café París»* y resulta que lo he visto allí sentado.

El *«Café París»* era el local de moda en El Cairo. Era frecuentado por todos los extranjeros de la ciudad, además se hallaba situado justo enfrente del consulado británico, por lo que su personal también era asiduo.

—Aunque aceptara su propuesta, ¿qué demonios cambia eso? ¿Qué Caviglia trate con más cordialidad a Vyse durante su único día de estancia en Guiza? ¡Ese desgraciado no puede salirse con la suya y no esperar graves consecuencias!

Ante el inminente nuevo estallido del coronel, ahora intervino Vyse.

—Amigo Patrick, quizá Mr. Hill tenga razón. Habíamos convenido que haría una primera inspección de las pirámides antes de decidirme a aceptar tu trabajo. Es cierto que pensaba permanecer allí unos días, pero si me guía personalmente el señor Caviglia, quizá sea suficiente. Si viajo de noche y llego a Guiza a primera hora de la mañana, tendremos muchas horas de sol para la visita. Cuando anochezca, regresaré a El Cairo.

El coronel Campbell se quedó pensativo.

—Necesitarás una pequeña escolta. No es del todo seguro viajar por la noche —parecía que el cónsul estaba valorando la propuesta—, pero aún tenemos un problema no resuelto. Si lo que ves te satisface y aceptas mi encargo, ¿qué ocurriría al día siguiente?

—¿Sabes que sucedería al día siguiente? Como decían los egipcios durante el Imperio Antiguo, que volvería a salir el sol.

12 ANTIGUO EGIPTO, RIBERA DEL NILO, MENFIS

—¡Otro cocodrilo! —exclamó Nefer en voz alta.

Como todas las mañanas, con los primeros rayos de sol, Nefer se presentaba en la ribera del Nilo, pero no era para pescar. Aún confiaba en que, algún día, se pudiera presentar Sobek de nuevo, pero ya habían trascurrido diez días y no había dado señales de vida. De todas maneras, ahora mismo tenía otra preocupación.

«No le veo los ojos, pero ha sonado cerca de mí, en dirección al agua», se dijo. Estaba alerta y preparado.

Decidió que, aunque no lograba verlo, lo mejor era espantarlo, por simple precaución. Busco entre los juncos un guijarro de un tamaño apropiado, se alejó del agua y se dispuso a arrojarlo a la zona de dónde provenían los ruidos. «Así le obligaré a mostrarse y salir de su escondite», pensó.

Así lo hizo. De inmediato, los ruidos fueron en aumento, pero para sorpresa de Nefer, el cocodrilo no se escapaba hacia el agua como era lo habitual, sino que se dirigía hacia él. Se asustó y se dispuso a correr hacia un lugar más elevado.

De repente, algo lo atrapó y cayó al suelo. Intentó liberarse con todas sus fuerzas, pero no lo consiguió.

«¿Qué está pasando aquí?», pensó Nefer en un segundo de lucidez. Estaba atrapado por una pierna, sentía claramente su opresión, pero tan solo eso. Toda la acción había trascurrido en apenas dos o tres segundos y Nefer ni siquiera había mirado hacia el cocodrilo. «No se mira, se corre», era uno de los lemas de los pescadores de la zona, pero, en esta ocasión, Nefer lo incumplió.

El corazón le dio un vuelco ante lo que vio.

—¡Eso no se hace! —exclamó, enfadado.

—Menudo recibimiento. Pensaba que te alegrarías al verme de nuevo. No tuvimos demasiado tiempo para conversar la última vez.

Era Sobek.

—Me has asustado mucho. Nunca abordes a un pescador desde la ribera del Nilo, hazlo desde tierra firme. Si lo haces desde la zona más próxima al agua, siempre pensaremos, por simple precaución, que se trata de un cocodrilo y lo espantaremos para que huya.

—¡Y vaya si lo has hecho! —exclamó Sobek, que parecía divertido con la situación—. No me has dado con tu piedra por escasos centímetros.

—Lo siento —dijo Nefer—, pero la culpa no hubiera sido mía. Me disponía a empezar la jornada de pesca y me has asustado.

—¿De pesca? ¿Y dónde escondes el gancho y la red?

Nefer se puso colorado. Era cierto, no llevaba ninguno de los aparejos necesarios para pescar.

—Bueno, solo estaba reconociendo la zona —fue lo primero que se le ocurrió decir.

—¿Y qué tal es? ¿Te parece buena? —Sobek seguía divertido con la situación.

—Bueno, ¡ya está bien! —exclamó Nefer, que notaba el tono burlón en la voz de Sobek. Consideró que era estúpido seguir fingiendo. Lo había pillado y ya está—. No he venido a pescar ni a reconocer nada. Llevo haciéndolo desde hace diez días. No acudiste a nuestra primera cita.

—¿Y has venido todos los días desde entonces?

—Sí —reconoció Nefer, con algo de vergüenza—. Yo también pienso que no hablamos demasiado la última vez. Además, en aquella ocasión estabas triste por la muerte de un ser querido. Ahora pareces más alegre.

—Cuando nos vimos acababa de fallecer. Ahora ya han pasado unos cuantos días y me he hecho a la idea. Aunque aún duele, me siento algo mejor.

—Te tengo que confesar una cosa. A pesar de haber venido todos estos días aquí, no esperaba volver a verte.

—¿Por qué? —ahora Sobek parecía interesado.

—¿De verdad hace falta que te lo diga? ¡Mírate y mírame! Pertenecemos a clases sociales muy diferentes. Tu gente no se relaciona con nosotros.

—¿Mi gente? ¿Quiénes crees que son esos?

—Pues los sacerdotes del templo de la Diosa Neith y sus familias. Tus ropajes delatan tu procedencia.

Sobek sonrió.

—¿Eso es lo que crees que soy? ¿Una persona cercana a un sacerdote?

—¿Acaso lo niegas? Tú mismo, en nuestro primer encuentro, me señalaste de dónde procedías.

Sobek se giró y se puso a observar la ciudad de Menfis. Ahora lo comprendió.

—Es cierto. El templo de Neith es el más visible desde esta posición, aunque no es la única edificación.

Nefer no comprendió a Sobek.

—¿Acaso pretendes negarme ahora tu procedencia? No me encuentro cómodo hablando de ello. Ya sabes lo que le ocurre a mi gente cuando se relacionan con la tuya. Mueren.

—¡Qué manía tienes con la muerte! Ya te dije que te olvidaras de eso. Además, si tanto miedo me tienes, ¿por qué has estando viniendo todos estos días aquí?

Nefer no tenía respuesta para esa pregunta. Mejor dicho, sí que la tenía, pero no se atrevía a confesársela a Sobek.

—Soy muy curioso. Nunca había hablado con una persona como tú.

Sobek intentó tranquilizarlo.

—Cree lo que quieras, pero te aseguro que puedes estar tranquilo a mi lado; nada te sucederá. Además, ahora que estamos juntos, me apetece que hagamos otras cosas y no hablemos de tonterías acerca de mi procedencia.

Las palabras de Sobek parecieron tranquilizar un tanto a Nefer.

—¿Y de qué quieres que hablemos?

—Me gustaría pedirte un favor.

—¿Tú a mí? —Nefer estaba pasmado—. ¿Y qué puede querer una persona de tu posición social de alguien como yo? No tengo nada que ofrecerte.

—Te equivocas —le respondió Sobek, que parecía divertido otra vez.

—Bueno, pues ya me dirás.

—Quiero que me enseñes a pescar.

Nefer se levantó de golpe de las piedras en las que estaban sentados, con una cara de inmensa sorpresa.

—¿Qué? ¿De verdad quieres aprender a pescar? Jamás he visto a una persona de tu clase social pescando. ¿Para qué? A diferencia de nosotros, te sobrará la comida. Seguro que cuando llegues a casa, tus sirvientes ya te habrán preparado la mesa con los mejores manjares de Menfis.

—Tienes razón en lo de la comida, pero no es por eso. A pesar de mi aspecto algo aniñado, tengo veinte años, esposa y dos hijos. También tengo un importante trabajo, tan importante como aburrido.

Nefer se volvió a sentar en las piedras.

—Ahora me parece comprenderte. ¿De verdad crees que la pesca puede ser divertida?

—¿No lo es?

—¡Claro que no! Los pescadores de esta zona nos vemos obligados a acudir aquí para poder llevar algo de comida a nuestras casas. En mi caso, incluso lo tengo que hacer a escondidas, porque mi madre no quiere que pesque. Es un sitio muy peligroso, como ya pudiste comprobar hace diez días. ¿Qué tiene de divertido?

—Precisamente eso. El peligro es lo que lo hace emocionante.

Nefer se sentía como si hubiera caído en una encerrona. No se atrevía a negarle ese deseo a una persona como Sobek, pero, por otra parte, si accedía y sucedía cualquier imprevisto, como un cocodrilo o alguna otra alimaña que lo dañara, seguro que tendría graves consecuencias para él.

—Te lo veo en la mirada —siguió Sobek—. Puedes estar tranquilo, te repito que nada te pasará. Además, te lo he pedido yo, no ha sido cosa tuya.

«¡Cómo si eso importara algo!», pensó Nefer, resignado a cumplir con la extraña petición de Sobek. «Si tiene que ser, cuánto antes mejor».

—Pescar no es una cosa que se aprenda en un día, por eso vamos a empezar por la modalidad más sencilla. Como sabrás, todos los años el rio Nilo experimenta una crecida que suele durar hasta septiembre u octubre. Cuando las aguas se retiran, no solo nos dejan el limo para fertilizar nuestras tierras, sino también peces que se quedan atrapados en pequeñas pozas. Precisamente esta es una de esas zonas, por eso es tan popular entre los pescadores entre finales de septiembre y octubre. Pero no todo es tan sencillo ya que tiene sus peligros. Los cocodrilos conocen estas zonas igual que nosotros y acuden a lo mismo, a por comida, por lo que debemos ser más listos y rápidos que ellos capturando los peces. Si tenemos suerte podemos localizar, en el interior de esas pozas, algún pez atrapado. En ese caso, y después de asegurarnos de que no hay ningún cocodrilo por los alrededores, nos agachamos todo lo que podemos e intentamos capturarlo con la ayuda de un gancho y una red. Dicho así puede parecer sencillo, pero te aseguro que no lo es. Los peces son muy escurridizos y no es nada fácil atraparlos con el gancho. En ocasiones perdemos el equilibro y nos caemos dentro de las pozas. Si en ese momento aparece un cocodrilo, estamos muertos.

—¿Podríamos ver esas pozas? —Sobek parecía genuinamente interesado.

—Sí, pero con algunas condiciones. Debes permanecer todo el rato a mi lado. Mira siempre hacia adelante, en concreto hacia la lámina de agua del rio. Ya sabes por experiencia propia que los cocodrilos son difíciles de ver, pero yo estoy acostumbrado a distinguir sus ojos. Debemos permanecer en silencio. Si observo cualquier peligro, simplemente dejaré de mirar al frente. Tienes que estar atento también a mi mirada y preparado para correr. Y, por último, haz el favor de quitarte esas sandalias. Es más peligroso que las lleves puestas que vayas descalzo.

Sobek había escuchado toda la explicación y parecía emocionado.

«¡Qué raro es!», pensó Nefer. «Cualquier otra persona se hubiera asustado con lo que acabo de decir».

Tal y como había explicado Nefer, se aproximaron a la ribera del Nilo con mucha precaución. Nefer no dejaba de mirar al frente y no advirtió la presencia de ningún cocodrilo. El agua les llegaba a los tobillos. Nefer anduvo por el agua durante un par de minutos, buscando alguna fosa aislada del agua, sin perder de vista el Nilo, hasta que la localizó. La señaló con el dedo índice para que Sobek la advirtiera. Se aproximaron a ella y se asomaron.

—Aquí hay pesca. Lástima que no haya traído mis aparejos —Nefer le susurró al oído de Sobek, después de un par de segundos de observación.

Sobek no veía nada a través de las turbias aguas, pero creyó a su amigo.

De repente, Nefer le señaló algo en dirección al rio. Esta vez Sobek si pudo observar dos diminutos ojos de un cocodrilo, pero estaba muy lejos de ellos. A pesar de eso, Nefer agarró del brazo a su amigo y ambos corrieron hacia tierra firme.

—¡Qué susto me has dado! —le dijo Sobek cuando pararon de correr—. Es verdad que he visto el cocodrilo, pero estaba muy lejos, por lo menos a cien metros de nosotros. De hecho, ni se ha movido cuando hemos echado a correr.

—Aunque te cueste creerlo, los cocodrilos, si quieren, cubren esa distancia en apenas unos segundos. Jamás te puedes fiar de ellos. Los pescadores tenemos un dicho que aplicamos siempre: *«dos ojos en el agua, dos piernas en la tierra»*, es decir, que cuando divises a un cocodrilo en el rio, no importa a qué distancia se encuentre, corre hacia la costa sin pensártelo.

—En ese caso, me has vuelto a salvar la vida —dijo Sobek en tono guasón. Estaba claro que pensaba que Nefer estaba exagerando para darse importancia.

—No, al contrario, te he puesto en peligro. No te tomes jamás a broma a un cocodrilo, aunque parece que no eres consciente de ello.

—Créeme, no lo hago —le respondió, pero sin abandonar ese tono de guasa.

—Parece que te ha gustado la experiencia, a pesar del peligro —Nefer no sabía qué decir.

—¡Cómo no! Hacía tiempo que no me divertía tanto.

—Pues las lecciones de pesca han terminado. No puedo permitirme ponerte en peligro de nuevo. Ya has vivido tu pequeña aventura, pero está claro que este no es lugar para ti.

Nada más terminar de pronunciar la frase, a Nefer le vino a la mente su tropiezo con aquel pescador, al día siguiente de su primer encuentro con Sobek. Él le dijo exactamente que *«esa clase de personas no deben estar en estos lugares. No son para ellos»*. Lo mismo que él acababa de decirle. No pudo evitar rememorar el resto de la conversación y cómo concluyo. *«¿Y quién no conoce a Sobek?»*, le preguntó, para extrañeza de Nefer, mientras salió corriendo como un rayo.

—¡Qué aburrido eres! ¿Y de qué quieres que hablemos? —le preguntó Sobek.

—¿Me permites que te haga una pregunta?

—Inténtalo —le respondió de inmediato. Nefer le parecía preocupado.

—Al día siguiente de nuestro primer encuentro acudí a este lugar, como habíamos convenido. No apareciste, pero me encontré con otro pescador que resulta que nos había visto hablar. Durante la conversación, por un descuido mío, le dije tu nombre. Igual te puede causar algún problema. Lo siento, no debí haberlo hecho.

—¿Y cuál es la pregunta? —Sobek parecía distraído.

—¿No te importa que ese desconocido sepa que tú y yo estuvimos hablando, además conociendo tu nombre?

—¿En serio me preguntas eso? Dudo que se lo haya contado a nadie y, en caso de que se haya atrevido, ¿quién lo iba a creer?

—Me gustaría tenerlo tan claro como tú, pero me cuesta.

—¿Esa era la pregunta que te tenía tan preocupado? —estaba claro que Sobek no le daba la menor importancia.

—No, esa no era la pregunta. La conversación continuó y aquel pescador se mostró muy extrañado de que no te conociera. Más que extrañado, aterrado. La pregunta que te quería hacer es, ¿por qué tu nombre le causó esa reacción? Aún no lo entiendo.

Sobek no pudo evitar reírse, para congojo de Nefer, que tampoco comprendía su actitud.

—Su reacción fue completamente normal. Es lógico que se asustara al escuchar mi nombre.

—¿Por qué? —preguntó con temor Nefer.

Sobek se lo contó como si nada.

Ahora, el aterrado era Nefer, que no sabía si salir corriendo también.

13 EN LA ACTUALIDAD, DUBLÍN, IRLANDA, 14 DE OCTUBRE

—Después de tanto tiempo, ¿aún conservas todos tus trabajos?

—Sí, aunque en el único que no han notado mi ausencia es en el periódico. *La Crónica* no ha dejado de publicar mis artículos semanales de historia —respondió Rebeca—. En cuanto a mis colaboraciones en la televisión y en la radio, oficialmente estoy de baja médica. No me han puesto ningún problema.

—¡Solo faltaría que lo hubieran hecho! —exclamó Carlota—. Siempre te has portado muy bien con ellos y han ganado mucho dinero contigo. Estarán deseando que te recuperes y vuelvas.

—Te confieso que no lo tengo nada claro. Tengo muchas cuestiones de mi vida futura pendientes de decidir. Creo que continuaré con mi colaboración en el periódico. Ahí empezó mi carrera con dieciocho años recién cumplidos y son los que mejor me han tratado. Comprendieron mi dolor y apenas sacaron la noticia del suicidio en un pequeño artículo informativo que se limitaba a relatar los hechos, sin más adornos. Sin embargo, tanto en la radio como en la televisión le dedicaron una amplia difusión. Cruzaron la línea que separa el periodismo informativo del amarillismo sensacionalista. Jugaron con mis sentimientos. Eso no se le hace a una compañera de trabajo que saben que lo está pasando mal.

—No te lo tomes tan a pecho. Supongo que tendrían que justificar tu ausencia de alguna manera. Te habías vuelto muy popular y es normal que tus seguidores preguntaran por ti. Seguro que recibirían multitud de mensajes por todos los canales.

—Eso lo puedo comprender, pero con una simple explicación hubiera bastado. No hacía ninguna falta dedicar programas especiales a la desgracia. Supongo que tendrían gran audiencia, repercusión, alcance en redes sociales y todas esas cosas que tanto les gustan a ellos, pero considero que todo tiene un límite.

—No pretendo justificarlos ni mucho menos, pero la fama tiene su parte buena pero también su lado oscuro.

Rebeca levantó los hombros en señal de indiferencia. Como nunca se había considerado famosa no le había visto la parte buena a su trabajo, más allá de que se divertía con sus compañeros.

—¿Y tú? ¿Sigues con el tuyo? —le preguntó a Carlota.

—Claro. Ser *influencer* en redes sociales es un trabajo a tiempo completo, veinticuatro horas, siete días a la semana. Y menos mal que tú no las utilizas. Durante los siguientes días a la desgracia parecía que no existiera otro tema. Te confieso que fue terrible. Era como revivirlo una y otra vez. Imagínate lo mal que lo pasé que yo, que soy una profesional de las redes, al cuarto día tuve que desconectarme. Apagón total hasta que escampara un poco.

Rebeca se permitió una pequeña sonrisa.

—Me refería a tu «otro trabajo».

Carlota le devolvió la sonrisa.

—La respuesta anterior también te vale. Veinticuatro horas, siete días a la semana. Ya sabes que no es sencillo salirse de esas cosas.

—Entonces, si sigues trabajando, ¿qué haces aquí?

—Los espías también tenemos derecho a vacaciones y días libres, ¿no? —le respondió, con un manifiesto gesto de complicidad.

—Pues no lo sé. A mí no me mires. Yo no tengo ni la más remota idea si es difícil salirse de ese trabajo o tenéis días libres.

—Sí, claro —respondió de forma socarrona—. De todas maneras, no he venido hasta aquí para hablar de trabajo. Después de tanto tiempo, quiero saber qué ha sido de tu vida estos tres meses y once días de ausencia.

—No sé qué conversación será más aburrida. Te puedo resumir lo que he hecho estos últimos meses con una sola palabra: nada.

Carlota se quedó mirando fijamente a los ojos de Rebeca.

—¡Venga, que eres mi hermana! Tú no sabes lo que significa esa palabra. Toda tu vida ha sido un torbellino de actividad. Eso no se puede cambiar, es genético.

—No lo es, mentirosa. Y la gente sí que puede cambiar. Yo lo he hecho.

—Sí, y precisamente por eso has conseguido desaparecer durante todo este tiempo, sin que la policía o los servicios de información hayan sido capaces de localizarte. Eso tan solo se puede conseguir utilizando otra identidad y manejando documentos auténticos. Sobra decir que todo eso está fuera del alcance de la gente corriente, que con vivir una vida ya tienen suficiente. Y ahora te has tomado muchas molestias para que, tan solo yo y nadie más que yo, te localice en este rincón de Europa, sentada en este *pub* viejuno, por mucha historia que tenga. Me da la impresión que no han renovado el tapizado de las sillas desde que se fundó, en el siglo XIX.

—Entonces, ¿no cuela?

—Siento decírtelo, pero no.

—Bueno, en realidad tan solo he omitido algún pequeño detalle sin demasiada importancia para el fondo del asunto, pero la verdad no se aleja demasiado de lo que te he acabo de decir. Estos tres meses y once días, como te gusta recordarme, los he dedicado a pensar. Me hacía mucha falta. Sabes que llevamos más de un año subidas en una montaña rusa de sensaciones. Ya era hora de bajarse de la vagoneta y poner los pies en el suelo. Eso es lo que he hecho.

—¿Qué quieres decir?

—¿Y si seguimos hablando en mi casa?

—¿Tienes una? —le preguntó Carlota, haciéndose la sorprendida, mientras volvía a mirar a su hermana de arriba abajo—. Pensaba que vivías en la calle, debajo de cualquier puente.

Rebeca sonrió.

—Aquí, debajo de los puentes, tan solo vive el agua del rio Liffey —le respondió— Y, por favor, no continúes con las pullas. Ya sé que no me debo parecer demasiado a la Rebeca

Mercader de hace tres meses y once días, pero tan solo es por el exterior. Mi interior sigue intacto y te lo voy a demostrar. Antes de ir a mi casa hemos de recoger tu maleta del coche de alquiler que tienes aparcado en la puerta del *pub*.

Carlota se quedó boquiabierta.

—Eso no lo puedes saber. No has salido del local desde que yo he entrado. Además, listilla, ya me he registrado en un hotel y dejado la maleta en mi habitación.

Rebeca sonrió.

—Has llegado al aeropuerto de Dublín con el único vuelo que hay directo desde Valencia, que los jueves de octubre aterriza a las 15:40. Bajarse del avión y pasar los controles de inmigración, en esta época del año, lleva unos 45 minutos. Trasladarse hasta aquí otros 50 minutos, con el tráfico habitual a estas horas. Has entrado por la puerta del *pub* a las 17:23 exactamente. Teniendo en cuenta todo ello, no te ha dado tiempo de pasar por ningún hotel y como no llevas la maleta contigo, no has venido en taxi sino en coche de alquiler. Siempre viajas con una sola pieza de equipaje, como indica el manual de *La Casa*. Además, esta no es una zona muy concurrida y en un día como hoy se puede aparcar en la misma puerta. ¿Algo más?

—Sí, que no me gusta que me imites. Esas cosas las hago yo, no tú —le respondió Carlota, dándole un empujón.

—Anda, vamos a mi casa de una vez y continuamos hablando allí.

—Curiosa me tienes, pero tan solo por salir de esta especie de centro de rehabilitación de delincuentes, me aguantaré.

Rebeca se rio.

—Ahora que me recuerdas a este *pub*, de camino a mi casa te voy a contar la anécdota graciosa que te he nombrado antes —dijo, mientras tomaba por el brazo a Carlota y salían del *pub*.

—Este es mi coche de alquiler —dijo Carlota, señalando uno de los aparcados enfrente del *pub*, como había deducido Rebeca.

—Toma el equipaje del maletero. Iremos andando.

Sin abandonar la acera del *pub*, giraron a la izquierda hacia la zona más oscura de los *Docklands* de Dublín. Carlota miraba a su alrededor con cierto temor.

—¿Seguro que es por aquí? —preguntó—. ¿Vive alguna persona en esta zona?

—Por lo menos una, yo —le respondió—. Anda, no seas cascarrabias y disponte a escuchar la anécdota.

—¿De verdad es necesario?

—Yo te contaré un relato histórico curioso, que es mi especialidad, y después tú me cuentas un chiste de espías, si es que tenéis humor para esas cosas. ¿En las misiones vestís de negro como en las películas de «Men in Black»? Me cuesta imaginarte como Will Smith. ¿Es cierto que tenéis *neuralizadores*?

—¿Qué es eso?

—Eso es esa especie de lápiz que utilizan para borrar la memoria de las personas con las que tratan. Creo que su definición exacta es un reposicionador antisináptico neurotransmisor electrobiomecánico.

—¡Oye! ¡Qué somos gente normal! La rarita pareces tú —protestó Carlota, ante las burlas de su hermana.

Rebeca no le hizo caso y comenzó con su relato histórico.

—En los años veinte del siglo pasado, cuando Irlanda ya estaba en proceso de independizarse del Reino Unido, aún se desplazaban los tribunales desde Inglaterra para juzgar los numerosos delitos que se cometían aquí. El sentimiento antibritánico era generalizado en la isla. Todos los reos, cuando se presentaban ante el tribunal, decían la misma frase: *«no reconozco la autoridad de este tribunal en base a que este es un juicio político»*. Daba igual que fueran presuntos ladrones o violadores. Los jueces británicos estaban más que hartos, ya que se desplazaban hasta Irlanda para escuchar de forma repetida la misma frase una y otra vez. Estaban deseando terminar los juicios lo más rápido posible para salir de juerga, ya que era lo único provechoso que sacaban del viaje. Así, en uno de esos procesos, el juez se anticipó a la persona juzgada y le preguntó: *«para abreviar, ¿reconoce usted a este tribunal?»*. Para su sorpresa, la procesada, que era una prostituta, le respondió: *«por supuesto, ¿no recuerdan que estuve con todos ustedes la semana pasada?»*.

Carlota se rio con ganas.

—¡Eso no puede ser verdad!

—¡Y tanto que lo es! De hecho, la prostituta se llamaba Dicey Reilly y existe una canción del *folklore* popular irlandés que cuenta su historia. El tema es muy conocido porque lo interpretó en su día la mítica banda irlandesa *The Dubliners*, con la potente voz de uno de sus cantantes, el inolvidable Ronnie Drew, que le añadió algunos versos para que se entendiera mejor el mensaje de la canción.

Carlota se volvió a reír. No tenía ni idea de ese tipo de música y desconocía si su hermana le estaba tomando el pelo, pero tenía que reconocer que la anécdota, real o no, le había resultado graciosa.

—Ahora te toca a ti el chiste de espías —dijo Rebeca, que había recuperado algo de su chispa original.

Carlota empezó con el chiste. Juntas se volvieron a reír. Por un momento pareció que el tiempo no había pasado para ellas.

—Ahora en serio, me alegro mucho de que hayas venido. Te he echado de menos —dijo Rebeca.

—Yo también me alegro de volver a estar contigo. Te tengo que confesar que temía no volver a verte después de tu espantada.

Se volvieron a abrazar y continuaron el camino. Después de andar durante unos cinco minutos, Carlota lo único que veía eran almacenes abandonados y naves industriales, también en un estado de conservación muy deficiente, por decirlo suave.

—¿Está muy lejos tu apartamento? —le preguntó extrañada Carlota—. Esta zona da mal rollito de noche.

—¿Quién ha hablado de un apartamento?

—Tú.

—No, yo te he dicho que nos marchábamos a mi casa, no he hablado de ningún apartamento.

Carlota se detuvo y se quedó mirando a su hermana.

—¿Me tomas el pelo?

Rebeca se volvió a reír.

—Me parece que aún te espera alguna sorpresa esta noche.

14 EL CAIRO, EGIPTO, 13 DE FEBRERO DE 1836

—Debe tratarse de un error —dijo Howard Vyse, sorprendido.

—No, no lo es —respondió Giachino, en un inglés muy pobre, aunque comprensible—. Lo siento, pero nadie me ha dado ninguna instrucción.

—¡Pero si acaba de leer la carta de invitación de Mr. Caviglia con su firma! Usted lo conoce bien. ¿Acaso le parece una falsificación?

—Por supuesto que no, Mr. Vyse, por eso le comento que debe de tratarse de un malentendido involuntario. Como le he dicho, Mr. Caviglia se encuentra ausente, de viaje desde hace tres días y no regresará hasta la semana que viene. Por una simple cuestión de responsabilidad, comprendan que no puedo permitirles el acceso. Es una excavación arqueológica.

El enfado de Vyse iba en aumento.

—¡Ya sé que es una excavación arqueológica, idiota! ¿Con quién se cree que está hablando? He esperado casi un mes, ocioso en El Cairo, para que su jefe me conceda permiso para visitar Guiza con él. A pesar de que odio perder el tiempo, he sido paciente y respetuoso. Cuando por fin llega el día de la visita, resulta que su jefe está de viaje. ¡Es completamente inadmisible e intolerable!

—Comprendo su enfado, pero también deben entender que...

El jefe de la pequeña escolta que había acompañado a Vyse y Hill hasta Guiza dio un paso al frente, haciendo un gesto a ambos en señal de que le dejaran hablar a él.

—¿Me reconoces, Giachino? —le interrumpió.

—Por supuesto, *janissary* Selim —respondió Giachino, ahora con cierto temor.

Los jenízaros eran un cuerpo militar de élite de origen otomano. Su existencia se remontaba al siglo XIV y eran adiestrados de una forma muy estricta. Sus éxitos en el campo de batalla fueron notables y su influencia creció exponencialmente en la sociedad otomana, y no solo en el terreno militar. Se preocuparon por su formación en diferentes disciplinas y muchos de ellos se convirtieron en eruditos, tanto que eran empleados como administradores y personal cualificado. Alcanzaron tanta influencia en la sociedad que, como guardia personal de sultanes, llegaron a promover golpes de estado. El último, el que derribó al sultán Selim III en 1807, marcó su decadencia. El nuevo sultán, Mahmud II, empezó a recelar, ya que pensó que, si tenían el poder de poner y quitar sultanes, también lo podrían emplear contra él. Durante años maniobró en la sombra para afianzarse en la sociedad hasta que, en 1826, ordenó la disolución de los jenízaros. Como era de esperar, no aceptaron sus órdenes y atacaron el palacio del sultán, que ya conocía sus planes de antemano y estaba perfectamente preparado. Más de 4.000 jenízaros murieron ese mismo día y otros muchos posteriormente. Su disolución se consumó. Habían dejado de existir como cuerpo militar, pero su excelente formación garantizó a los supervivientes empleos como administradores y supervisores, ya no como militares sino como civiles. Era habitual que muchos jeques locales les dieran cobijo y trabajo. En concreto, el *janissary* Selim era una de las personas de confianza del coronel Campbell. A pesar de que ya no tenían ningún poder militar, eran temidos y respetados por todos los que habitaban Egipto.

—Me alegro de que así sea. Sabes que soy portador de instrucciones muy precisas de mi jefe, el cónsul general británico. Además, también están firmadas por el tuyo, Mr. Caviglia, quién parece que se ha olvidado de comunicártelas. Quiero que comprendas bien mis palabras para evitar cualquier tipo de acción no deseada por nadie —dijo Selim con una voz muy pausada, mientras su mirada se desplazaba entre su pequeña guardia armada y los ojos de su interlocutor—. Mr. Vyse y Mr. Hill van a acceder ahora al recinto con total libertad de movimientos, tal y como había sido convenido. ¿Supondrá eso algún inconveniente?

Si Giachino guardaba alguna intención de no permitir esa visita, las palabras y, sobre todo, la incisiva mirada de aquel temible *janissary*, terminaron con su oposición de un plumazo.

—Claro que no —respondió de inmediato—. Ya les había dicho que se trataba de un malentendido y lo resolveremos de una manera civilizada. Tienen pleno acceso a todo el recinto, pero me temo que no podré acompañarlos. Al no tener prevista su visita, ya tengo labores asignadas.

—No se preocupe por eso —dijo Vyse, notablemente aliviado—. Como podrá ver, me acompaña Mr. Hill, que conoce perfectamente las pirámides por haber trabajado con Belzoni hace unos años.

—También conozco a Mr. Hill, no hace falta presentación —dijo Giachino—. A pesar de ello, desde la época de Belzoni se han hecho algunos avances, sobre todo en la Gran Pirámide. Hay nuevos pasajes descubiertos, pero también gran cantidad de arena y piedras que se pueden desprender. Les aseguro que toda precaución es poca. Vayan con mucho cuidado.

«¿Es una velada amenaza?», se preguntó Vyse, aunque pronto lo descartó. «¿Qué sentido tiene?».

Sus preocupaciones pronto se disiparon cuando alzó los ojos y pudo ver en toda su majestuosidad el conjunto de las maravillas de Guiza. Desde la distancia se podía percibir su mágica armonía con el cielo y el desierto. Vyse pensó de inmediato que el propósito de aquellas construcciones no podía ser terrenal. Había leído mucho acerca de ellas y ahora que las tenía justo delante de él, sus sensaciones iban mucho más allá de lo que se había imaginado, y eso que sus expectativas eran muy altas.

—Impresionado, ¿verdad? —le sacó de sus pensamientos Mr. Hill—. Ocurre con todos los que las ven por primera vez. Es una especie de sentimiento de nuestra insignificancia frente al universo.

—Sí, algo así estaba pensando.

—Sé que está viviendo un momento muy especial, ya sé que es algo mágico, pero no nos podemos entretener. Tan solo tenemos el día de hoy y habrá mucho por inspeccionar. Como supongo que estará deseando, entraremos primero en la Gran Pirámide. Ya he convenido con el *janissary* Selim y su guardia que permanezcan en el exterior y no permitan que nadie nos interrumpa. No sé si lo comparte conmigo, pero la ausencia de Mr. Caviglia me resulta muy sospechosa. No me fio.

Vyse hizo un gesto afirmativo con su cabeza, mientras todos se bajaban de sus monturas. Recorrieron andando el camino hasta la base de la Gran Pirámide. Los pies se enterraban en la fina y candente arena del desierto, dificultando sus movimientos. Aunque costaba avanzar, el simple hecho de ir acercándose poco a poco a aquella grandiosa y mágica construcción merecía la pena.

Cuando llegaron a la base, Mr. Hill señaló una pequeña obertura situada a unos quince metros sobre el nivel de la arena.

—La entrada original aún se situaba a más altura, pero está obstruida. Desde el siglo IX se utiliza la que le estoy señalando, obra de un califa árabe en busca de tesoros. No se preocupe, nos conduce al mismo lugar que la entrada original.

Ascendieron entre los enormes bloques de piedra y penetraron por el pasaje artificial, que era llano y estaba en buen estado. Llegó un momento en que el camino se bifurcaba.

—Déjeme pasar delante —dijo Mr. Hill—. Ahora ya estamos en los pasajes originales de la pirámide. Aunque recuerdo perfectamente su interior, nos ayudaremos con un plano. No sé qué avances se habrán hecho desde que Belzoni abandonó su excavación. Primero, vamos a tomar el camino descendente. Conduce a una cámara subterránea. En esa zona hicimos bastantes progresos limpiándola de arena y basura.

Ambos descendieron. A pesar de que llevaban antorchas, la suciedad y el polvo les complicaban la visión.

—¿Es una sensación mía o este pasaje mantiene un grado de inclinación constante? —preguntó Vyse.

—Buena observación. Belzoni efectuó algunas mediciones muy interesantes acerca de los pasajes. Aunque no muy exactas, parecía que guardaban una curiosa simetría. Él opinaba que quizá tuvieran que ver con algún tipo de alineamiento estelar, aunque no es algo comprobado científicamente por la precariedad de los medios.

—Pues habría que tomar medidas exactas acerca de su longitud e inclinación. Me parece un tema muy interesante.

En ese momento, llegaron al final del pasaje descendente y se encontraron con una cámara.

—¿Dice que limpiaron esta zona? No me imagino cómo debía estar entonces —dijo Vyse, ya que se amontonaba la arena por todas partes.

—Aquí han trabajado —le respondió Mr. Hill—. Observe la oquedad en su suelo. Esa excavación es posterior a Belzoni.

Se asomaron como pudieron. Apenas mediría dos por dos metros y no se veía que condujera a ningún lugar.

—Probablemente buscarían algún apartamento secreto debajo de esta cámara, sin éxito —continuó Mr. Hill.

Estuvieron observando las paredes de aquella cámara con detalle. No se observaba ningún adorno ni jeroglífico. Era muy austera y mal conservada. Después de pasar allí unos quince minutos, volvieron sobre sus pasos y regresaron al pasaje por donde habían accedido. Llegaron al cruce y esta vez tomaron el camino ascendente.

El pasaje era angosto y parecía tener un ángulo de inclinación muy similar al anterior hasta que llegaron a una bifurcación muy peculiar. El pasaje principal parecía que continuara su ascensión, pero se vislumbraba una gran galería encima de sus cabezas.

—Dejemos eso para el final —indicó Mr. Hill— y vayamos por el pasaje horizontal que tenemos enfrente de nosotros.

Al poco de andar, llegaron a una estancia más grande.

—Supongo que es la *Cámara de la Reina* —dijo Vyse.

—Así es. Como observará, carece de ornamentación alguna. Eso es algo que ya observamos con Belzoni y parece característico de las pirámides de Guiza.

—Observo que su planta es rectangular con un techo a dos aguas. Supongo que todo ello indica que, en su día, habría un sarcófago en su interior.

—Eso no lo sabemos. Si lo hubo se perdió hace muchísimos siglos. Ni siquiera estamos seguros de que los restos de la esposa del faraón descansaran aquí alguna vez. En esta cámara no se ha hecho ningún avance desde la época de Belzoni. Esta exactamente igual. Observe el nicho en la pared Este de la cámara. El pasaje que ve detrás de él ya nos lo encontramos así y, por sus características, Belzoni pensó que debía pertenecer a la época árabe, excavado entre las piedras probablemente buscando los tesoros de la reina. Como puede ver, el pasaje termina en más piedras. Está claro que fue un intento fallido. Nada encontraron por esta vía.

Vyse se entretuvo observando de cerca los sólidos sillares de las paredes durante un tiempo, hasta que hizo un gesto con la mano a Mr. Hill para continuar. Regresaron por el pasaje llano hasta encontrarse de nuevo con la bifurcación ascendente. Continuaron por ella hasta que penetraron en la Gran Galería.

—Es espectacular —Vyse estaba asombrado por sus proporciones. Calculó que mediría cerca de cincuenta metros de largo por unos ocho de alto.

Cruzaron la Gran Galería, sin perder detalle en su techo. No era plano, sino que, a partir de los dos metros de altura, los constructores habían superpuesto una serie de piedras en forma de escalón, dando la impresión de una bóveda.

Una vez atravesada y terminada la ascensión, penetraron en una sala de dimensiones más reducidas.

—Es la antecámara real —dijo Mr. Hill—. Se nota que han retirado escombros, pero tampoco se aprecia ningún cambio adicional.

La atravesaron y, por fin, entraron en la cámara del faraón. Lo primero que le llamó la atención a Vyse fue su suciedad. La estancia estaba vacía, excepto por el sarcófago del faraón, que se encontraba en un lamentable estado de conservación, lleno de basura. Vyse calculó que la estancia de planta rectangular mediría unos diez metros de largo y cinco de ancho. Como ya había observado en la cámara de la reina, estaba recubierta de enormes piedras de granito sin ningún tipo de decoración.

—Veo que también han intentado forzar los sillares debajo del sarcófago —dijo Mr. Hill, mientras se aproximaba—. No, no se ve nada, la oquedad también está llena de porquería.

A pesar de ello, a Vyse le impresionó aquella estancia. Por su sentido de la orientación, suponía que debían encontrarse en el centro de la pirámide. Miró hacia arriba y vio las llamadas cámaras de descarga. Sabía que su función era precisamente esa, descargar el tremendo peso que las enormes piedras ejercían sobre la bóveda de la cámara real.

—En esta estancia sí que se observa algún cambio —dijo Mr. Hill—. Si mira hacía una de las cámaras de descarga, en concreto la llamada de Davidson, observará que se han retirado algunas piedras, supongo que buscando accesos secretos. También se ha agrandado el conducto sur de ventilación. El resto permanece igual, no veo ningún cambio aparente.

Vyse ahora estaba observando con curiosidad los sillares de granito del pavimento de la cámara. Era fascinante. No solo estaban pulidos hasta extremos inimaginables para una piedra de semejante dureza, sino que acoplaban a la perfección entre ellos. Se podría decir que no cabía ni una aguja entre sus juntas. No comprendía cómo podrían haber conseguido semejante precisión hacía más de cuatro mil años.

—Sí, sé lo que piensa —dijo Mr. Hill, al observar a Vyse—. No tenemos explicación para ello. Tampoco para el tamaño del sarcófago del faraón. Si observa sus dimensiones, no cabe por los pasajes que hemos utilizado para acceder a esta cámara. La única conclusión que se nos ocurre es que lo depositaran antes de concluir la construcción de la parte superior de la pirámide.

—O eso o que aún falta por descubrir multitud de secretos entre estos impresionantes bloques de granito.

—¿A qué se refiere?

—Estamos ante una construcción de proporciones colosales. Tan solo hemos recorrido unos pocos pasajes y hemos visto dos cámaras en su interior y la estancia subterránea. Para eso no se necesitaba una pirámide de estas dimensiones. Cuando observaba el pavimento hace un momento, he tenido un pensamiento perturbador. Esta perfección debe ocultar algo. ¿Por qué no se han destinado más recursos a su investigación y excavación? Estoy convencido de que aquí hay mucho más de lo que hemos visto.

—Lo mismo opinaba Belzoni —asintió Mr. Hill—. Ya que ha nombrado la palabra «perturbador», ¿conoce la anécdota de Napoleón en esta misma cámara?

—No he leído nada acerca de ella y eso que me he estudiado a fondo esta pirámide.

—Porque jamás se ha publicado por expreso deseo del propio emperador francés. La noche del 12 de agosto de 1799, cuando los franceses aún controlaban Egipto, Napoleón acudió a Guiza. Para sorpresa de sus generales, quiso permanecer una noche en solitario en el interior de esta pirámide, justo en esta sala donde nos encontramos ahora.

—He leído que eso lo hicieron el emperador romano Julio César y el gran Alejandro Magno.

—Sí, ya conocerá las ínfulas de Napoleón tratando de imitar a los más grandes. Pero hay una cuestión diferente y muy significativa en el caso de Napoleón.

—¿Qué sucedió? —preguntó Vyse. Hill había conseguido captar su atención.

—Acampó justo enfrente de la entrada de la pirámide. A la puesta del sol, entró y se dirigió hasta aquí. Se sentó en el suelo. Pensaba que, si los más grandes estrategas militares de la historia como Alejandro Magno y Julio César lo habían hecho, quizá hubieran recibido algún tipo de revelación mística desconocida. Napoleón aguantó tan solo siete horas. Cuando salió, se cuenta que estaba pálido y con el rostro desencajado. A preguntas de sus generales, contesto: *«aunque os lo contara no me ibais a creer».* Ordenó borrar de los registros de campaña lo sucedido esa noche. La información ha llegado hasta nosotros por soldados franceses que fueron testigos directos.

Vyse se quedó en silencio.

—Lo puedo llegar a entender —dijo, al cabo de unos segundos—. Está claro que esta pirámide es mucho más de lo que nos muestra. Por lo que hasta ahora conocemos, suponemos que su función es ser un templo funerario para que el faraón hiciera el tránsito desde la vida terrenal hasta alcanzar la divinidad. Pero para todo eso me falta algo. Tengo la sensación de que no tenemos el conocimiento completo.

—Supongo que será así —dijo Mr. Hill—, pero para eso se necesitaría dedicar más recursos a las excavaciones de este lugar. No es una tarea nada sencilla.

Después de permanecer en el interior de la pirámide otra hora más, decidieron salir para visitar la segunda. Anduvieron por el desierto hasta llegar al lado norte.

—¿Qué se le pasa por la cabeza? —preguntó Vyse—. Fue la primera persona occidental, junto con Belzoni, en entrar en esta pirámide. Dieciocho años después de aquello, vuelven a verse las caras.

SECTION ... PASSAGES
SECOND PYRAMID

—Recuerdo aquel día como si fuera hoy —Hill parecía genuinamente emocionado—. Cuando conseguimos encontrar la entrada superior de la pirámide, sentimos que íbamos a hacer historia. Nos costó mucho retirar toda la arena que cubría la galería. En un principio parecía intacta. No daba la impresión de que hubiera sido descubierta. Descendimos por el pasaje hasta encontrar la cámara del faraón. Estaba sellada. Cuando conseguimos quitar las losas y las piedras que nos impedían entrar, descubrimos que había sido saqueada. En su interior tan solo encontramos el sarcófago abierto, sin la momia en su interior, y la tapa rota en un costado. Nada más.

—De todas maneras, fue un gran logro. Hasta ese momento, no se tenía ningún conocimiento de su interior.

Entraron. Descendieron por el pasaje en dirección a la cámara del faraón. En honor a su descubridor, era conocida como la «Cámara Belzoni».

—Veo que han retirado más arena y ampliado el pasaje. Cuando nosotros entramos apenas podíamos ir de pie. También veo que se han retirado algunas piedras en la cámara, supongo que buscando apartamentos secretos. Por lo que veo, todo ello sin ningún éxito. Mire esa pared. Aún se conserva en la pared la inscripción que hizo el propio Belzoni.

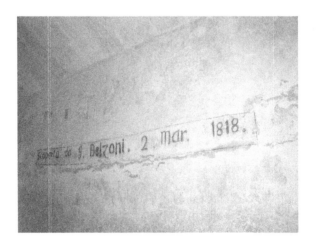

—Dieciocho años y apenas ningún progreso. No lo entiendo, como tampoco comprendo lo de la Gran Pirámide. ¿Acaso no hay interés?

—Las pirámides ya fueron saqueadas hace siglos y muchos egiptólogos piensan que no queda nada de valor por descubrir. De todas maneras, como Caviglia está haciendo ahora, conducen pequeñas expediciones a ver si la suerte les sonríe y hallan algún pasadizo o cámara escondida, pero no dedican el grueso de su esfuerzo en ello. Piensan que no merece la pena el colosal trabajo para lo que puedan hallar y no les falta parte de razón. Cada una de las piedras de granito que componen las pirámides pesa más de dos toneladas y hay millones de ellas. ¿Qué posibilidades hay de encontrar algo que merezca la pena? Faltan medios materiales y humanos para llevar adelante ese ingente trabajo. Por otra parte, junto a la Gran Esfinge, se están haciendo grandes avances y descubrimientos. Supongo que se preguntará el motivo. Es muy sencillo. Trabajan en la superficie, es más sencillo retirar la arena y no tenerse que enfrentar con esas descomunales moles de granito. Se están descubriendo tumbas, momias intactas, joyas y estatuas.

—Lo puedo comprender, pero lo importante está escondido ahí adentro —dijo Vyse, señalando los muros de la pirámide—. Que fueron saqueadas es algo que se supone, pero ¿en su totalidad? Son gigantescas y apenas se ha explorado una fracción de su volumen. ¿Quién nos dice lo que todavía pueden ocultar?

—A mí no me tiene que convencer —le respondió Mr. Hill, sonriendo—. Yo lo tengo claro, pero volvemos otra vez al punto inicial. No existen medios técnicos ni humanos para conseguir avances significativos.

Vyse estaba pensativo. No concebía lo que acababa de ver.

—Creo que ya me he hecho una idea de lo que quería —dijo, al fin—. Como conclusión, en las pirámides no se ha descubierto casi nada, sea por los motivos que sea. En cualquier caso, ya podemos regresar a El Cairo. Aquí ya hemos terminado por ahora.

Mr. Hill parecía sorprendido.

—No me ha preguntado por la tercera pirámide.

—Porque no me interesa —le respondió Vyse, dándole la espalda.

«¡Qué mal miente!», pensó Hill. «La ha estado evitando desde el principio y ni siquiera la ha nombrado. De las tres grandes pirámides de Guiza, es la única cuya entrada permanece obstruida y no se ha conseguido llegar hasta la cámara del faraón».

Curioso.

O quizá no tanto.

15 ANTIGUO EGIPTO, TEMPLO DE LA DIOSA NEITH, MENFIS

—¿Cómo ha podido suceder? ¿Alguien de los presentes me lo puede explicar?

Nadie parecía atreverse a responder a la reina Khamerernebty. Era una persona muy apreciada por su pueblo, cercana y amable, excepto en las pocas ocasiones en las que se enfadaba, y esta era una de ellas.

—Yo no tenía ni idea —se atrevió a responder Setka, visir del Bajo Egipto.

Desde un punto de vista puramente geográfico, Egipto estaba dividido en cinco regiones diferenciadas por su relación con el rio Nilo. Estas eran el Valle, que comprendía las tierras que acompañaban al Nilo desde Asuán hasta El Cairo, de sur a norte. Sin embargo, separaban el Delta del Valle, al que consideraban otra región. El Desierto Occidental, al oeste del Nilo, es la zona más árida de Egipto, aunque existan varios oasis frecuentados por los nómadas. Las otras dos regiones eran el Desierto Oriental y la Península del Sinaí, que son zonas de fuertes contrastes. El norte es más desértico, sin embrago, el sur se caracteriza por grandes montañas de granito. Como curiosidad histórica, allí se encuentra el monte Horeb, donde según la tradición cristiana, Dios entregó a Moisés las Tablas de la Ley. El granito de estos montes era utilizado por los egipcios para sus construcciones, así como también explotaban sus minas de oro, alabastro, cobre, plomo y otros muchos minerales y metales valiosos.

Sin embargo, para un mejor gobierno del país, administrativamente estaba dividido en dos zonas, el Alto Egipto y El Bajo Egipto. A su vez, dentro de cada una de estas zonas se encontraban los nomos o *sepat*, como los llamaban en el Antiguo Egipto. Eran el equivalente a las provincias. En el Alto Egipto existían veinte y en el Bajo Egipto veintidós y estaban gobernados por los *nomarcas*, aunque estos tenían por encima de ellos la figura del faraón y los visires.

A la cabeza del Alto Egipto se situaba un visir, al igual que en el Bajo Egipto. Se trataba de uno de los cargos más importantes del país y el faraón solía designar a personas de su máxima confianza, la mayor parte de las veces de su propia familia, ya que era su representante en ese territorio, con poderes muy amplios. Por ello, no era extraño ver a hermanos o hijos de faraones ocupar semejante dignidad.

—¿Cómo puede ser? —el enojo de Khamerernebty iba en aumento—. ¿Me estás diciendo que el visir del Bajo Egipto, el más importante del país, no se entera de lo que sucede en su territorio?

—Le repito que no ha llegado a mis oídos ninguna información al respecto.

—¡Incompetente! — Khamerernebty estaba a punto de estallar.

—Su Alteza, le he escuchado con respeto, pero no tiene ningún derecho a hablarme así. Por si lo ha olvidado, soy el príncipe Setka, hijo del difunto faraón Djedefre. Usted es mi tía. Por si no fuera suficiente, también soy uno de los hermanos pequeños del actual faraón, el rey Baka.

—¡Por supuesto que no lo he olvidado! También sabes que he *sido la Hemet Nisu Ueret*, es decir, la «*Gran Esposa del Rey*» en vida del faraón Khafre.

En Egipto, los faraones podían tener varias esposas, pero tan solo una de ellas ostentaba el título de «*Gran Esposa del Rey*». Aunque todas vivieran en el Palacio Real junto al faraón, la preferida era la que disponía de más influencias. Con Khafre, esa había sido la reina Khamerernebty I. En el Imperio Antiguo de Egipto, su gran poder se manifestaba incluso al ser enterradas, ya que lo hacían en la misma pirámide que el faraón, aunque en una cámara separada.

—Por eso precisamente me permito tratarte así. No concibo semejante incompetencia de un príncipe de Egipto.

—Sabe que no tiene ningún poder sobre mí —Setka también estaba empezando a enfadarse—. Si le digo que no sabía nada, debe creerme. El simple hecho de dudar de mi palabra me ofende.

Khamerernebty pareció calmarse un tanto. Tampoco le convenía un enfrentamiento directo con Setka, además no tenía ningún motivo para dudar de su palabra. Aunque le costaba creer que una persona en su posición social no hubiera escuchado ni el más mínimo rumor, consideró que este no era el momento para un enfrentamiento, sobre todo en el interior del Templo de Neith con otras dos personas presentes. Pensando en el templo, ahora se dirigió al sacerdote de más rango.

—Debehem, tú siempre has sido un gran apoyo para mi difunto esposo, el faraón Khafre. Llevas muchos años como sumo sacerdote del Templo de Ptah, el más importante de Menfis. ¿No me digas que tampoco te enteraste de nada?

Debehem era una persona que rozaba los cincuenta años de edad y llevaba toda su vida en el templo. Era un zorro viejo y se decía que nada ocurría en Menfis sin que él lo conociera.

—Su Alteza, si me preguntara sobre ritos, ofrendas y cuestiones sacerdotales le respondería encantado. Sin embargo, sabe que nunca nos entrometemos en cuestiones sucesorias. No son de nuestra incumbencia. Sería un sacrilegio para los Dioses.

«¡Qué mentiroso!», pensó de inmediato. «Los sacerdotes tienen mucha influencia y, de todos ellos, el que más es Debehem, por su antigüedad en el cargo». A pesar de esos pensamientos, convino que tampoco le llevaba a ningún lugar seguir discutiendo con él.

Se giró hacia la tercera persona presente en la reunión.

—Ya sé que eres muy joven y acabas de acceder al sumo sacerdocio del templo de la Diosa Neith, pero no puedo olvidar que es el segundo en importancia en Menfis. ¿Tampoco sabías nada?

—Su Alteza, como bien acaba de decir, llevo tan solo un mes en el cargo y apenas me ha dado tiempo a conocer a todo mi cuerpo sacerdotal. No estoy al tanto de los asuntos de la ciudad de Menfis.

Khamerernebty no daba crédito a lo que acababa de escuchar. A pesar de intentar no enojarse en exceso, era difícil contenerse.

—Tengo delante de mí a las tres personas con más poder en Menfis después del propio faraón y todos afirmáis no saber nada. ¿Qué queréis que piense?

—¿Se ha planteado que quizá la confabulación no haya nacido aquí? —dijo el visir Setka— Si ninguno de nosotros sabe nada...

—¿Estás insinuando que una cosa así se ha gestado fuera de la capital de Egipto? ¡Me parece inconcebible!

—Si me lo permite —intervino ahora Debehem, el sumo sacerdote del Templo de Ptah—, no menosprecie a la suma sacerdotisa de Hathor. Aunque no debería hablar de una compañera, sé que tiene muchos partidarios y goza de gran influencia.

—¿Neferhetepes? ¡Pero si su templo está en Dendera! ¿Me estáis insinuando que la confabulación ha nacido en un *nomo* del Alto Egipto?

—Yo no lo creo —respondió Setka—. Ya sabe que Neferhetepes es mi madre. Aunque es cierto que desde que el faraón Khafre me nombró visir del Bajo Egipto y no tengo mucho trato con ella, no me la imagino metida en asuntos como este.

—¿Eso la excluye? —preguntó el joven sumo sacerdote de Neith.

Khamerernebty estaba pensativa y no respondió hasta pasados unos segundos.

—Reflexionando un poco, no. No la excluye, aunque me cueste creerlo. En cuanto al hecho de que sea tu madre —dijo, dirigiéndose al visir Setka—, piensa que también es la madre del actual faraón. Podría tener cierta lógica que se haya involucrado.

—Si sospecha de todos los familiares de Baka, también debería incluirme a mí en la lista —le respondió—. Y a usted también. ¿Quién se libraría entonces? Todos somos familia en un grado u otro.

—Ya sé que es de locos, pero no sé qué creer. Una confabulación de semejantes proporciones requiere la colaboración de altas figuras de la sociedad egipcia. No es una cuestión de segundones.

—Lo que ha quedado claro es que nadie de los presentes teníamos el menor conocimiento de ello —dijo Debehem—. Ahora, si me disculpan, las obligaciones en mi templo me reclaman.

Salió de la estancia, sin esperar más conversación por parte de Khamerernebty.

—Yo también debo partir —dijo el visir Setka.

La reina Khamerernebty se quedó mirando a su joven anfitrión.

—¿Tú no tienes obligaciones cómo esos dos, que se acaban de largar?

El sumo sacerdote se le quedó mirando a los ojos.

—Su Alteza, sabe que soy muy joven y apenas acabo de llegar a Menfis, pero no soy idiota. Nada puedo decir del príncipe Setka porque es la primera vez que lo veo, pero no se fie de Debehem. Durante este mes he tratado con él y le aseguro que no se dedica tan solo a sus obligaciones como sumo sacerdote del Templo de Ptah.

—Me parece que es la primera cosa sensata que he escuchado esta mañana —sonrió Khamerernebty.

—Además, si me permite el atrevimiento, ¿quién ha sido el beneficiado por todos estos sucios juegos de intereses ocultos? Sin ninguna duda el actual faraón Baka que se ha saltado la línea sucesión natural. ¿Y quién es su madre?

—Sí, la suma sacerdotisa del Templo de Hathor en Dendera. Pero me sigue costando pensar que una cosa así se pueda haber urdido desde fuera de la capital de Egipto.

—¿Y quién dice eso? Yo tampoco lo creo. Por otra parte, sabe que el actual faraón tiene la salud delicada. No debería pensar tan solo en el pasado, sino también en el futuro próximo. Es inútil volver sobre lo que ha sido y ya no es, pero es de inteligentes temer aquello que pueda venir —concluyó el sacerdote, mientras hacía una reverencia y abandonaba la estancia.

«¡Caramba con el joven!», pensó Khamerernebty mientras se sentaba en un banco. Las últimas palabras de aquel sacerdote demostraban una sabiduría impropia de su edad. Se quedó un momento reflexionando acerca de ello, en la soledad de una de las salas de ofrendas del templo.

De repente, se levantó de un salto como si fuera un gato, con un gesto de terror reflejado en su rostro. Acababa de comprender que las palabras del sacerdote escondían una clara advertencia y un consejo.

«Su referencia al futuro próximo debe tratarse de la muerte del faraón Baka por su delicada salud. ¿Y qué sucederá a continuación?», pensó Khamerernebty, muy preocupada. «La muerte puede estar acechándonos y, lo que es peor, voy a ciegas y no sé qué está sucediendo a mi alrededor».

Anticiparse sería una sabia decisión.

«Temer a aquello que pueda venir» habían sido las últimas palabras del sacerdote.

16 EL CAIRO, EGIPTO, 14 DE FEBRERO DE 1836

—¡Adelante!

Howard Vyse escuchó la voz potente del coronel Campbell, tras la puerta de su despacho. Sin dudarlo un momento, la abrió y entró.

El coronel no estaba solo. En una de sus sillas había sentado un individuo con el pelo desaliñado. De espaldas le fue imposible reconocerlo. Cuando avanzó y lo hizo, se llevó una monumental sorpresa.

—¡Caviglia! —no pudo evitar exclamar. Era la última persona que esperaba ver en este lugar.

—Hola, coronel Vyse —le respondió con sorprendente calma, como si nada hubiera sucedido entre ellos.

—Pero ¿usted no debía estar ayer en Guiza para acompañarme en mi visita?

—Caviglia acaba de llegar ahora mismo —intervino Campbell—. No hemos tenido tiempo de comenzar la conversación más allá de las frases de cortesía.

—Así es —confirmó Caviglia.

—Desconocía que no estuvo ayer en Guiza —continuó el coronel—. Espero que eso no supusiera ningún inconveniente para que el coronel Vyse pudiera inspeccionar el recinto.

—No, no lo supuso —intervino Vyse—, pero desde luego no fue por la diligencia de Mr. Caviglia. Su ayudante, un tal Giachino, no tenía ninguna información de nuestra visita. Menos mal que iba acompañado de Mr. Hill y, sobre todo, de su *janissary* Selim, que ayudó a convencer a Giachino.

Campbell y Caviglia se imaginaron la escena. Selim, cuando se ponía serio, intimidaba hasta a los elefantes.

—Lo siento de verdad, fue un olvido imperdonable por mi parte no avisar a mi ayudante de su visita. Supongo que le informaría que el motivo de mi ausencia había sido un viaje imprevisto de última hora. Con todos los preparativos se me pasó decirle nada. Le ruego que acepte mis sinceras disculpas.

Vyse no sabía si creerlo, pero pensó que la discusión no llevaba a ningún sitio.

—Por supuesto, Mr. Caviglia —le dijo.

—¿Pudo ver lo que quería?

—Sí. Como le decía, fui acompañado por Mr. Hill, que trabajó antes que usted en Guiza con Giovanni Belzoni. Conocía el interior de las dos pirámides y me fue de gran ayuda.

—¿Y qué le parecieron?

—Icebergs.

—¿Qué? —Caviglia no se esperaba esa extraña respuesta.

—Son enormes moles que tan solo nos muestran una pequeña parte de su contenido.

Caviglia sonrió.

—Estoy completamente de acuerdo con usted. La grandiosidad de las pirámides no se corresponde con lo que hemos sido capaces de descubrir, no solo yo, sino todos mis predecesores. Estoy convencido que esconden multitud de pasadizos y cámaras aún por descubrir. Como gesto de buena voluntad y a modo de disculpa por mi ausencia de ayer, le voy a mostrar todos los documentos y planos que he ido recopilando sobre el conjunto arqueológico de Guiza.

Caviglia se agachó y depositó encima de la mesa un ajado maletín de cuero marrón. Extrajo varios cuadernos de notas, el libro registro de la excavación y múltiples planos.

Vyse estaba entusiasmado. Durante más de un cuarto de hora no cerro la boca, pero no salió ni un solo sonido de ella. Estaba devorando toda la información que contenían aquellos documentos.

—¡Es extraordinario! —consiguió decir, al fin—. Toda esta información detallada demuestra que piensa lo mismo que yo. ¿Qué sentido tiene construir, con los medios disponibles hace más de cuatro mil años, esas fastuosas pirámides, con el simple objeto de guardar el sarcófago de un faraón? Cuestiones místicas aparte, no tiene ningún sentido. Mr. Hill me dijo que existía algún tipo de medición acerca de la inclinación de los pasajes que podría tener que ver con su forma piramidal y la astronomía, pero que no estaba demostrado.

—Es cierto. Supongo que habrá observado la curiosa simetría entre el grado de inclinación de las galerías en la Gran Pirámide.

—Sí, por supuesto, pero tengo la certeza de que nos faltan piezas. No termino de ver el cuadro en su totalidad. ¿Conoce esa sensación?

—Eso son las pirámides —confirmó Caviglia, con una pequeña sonrisa.

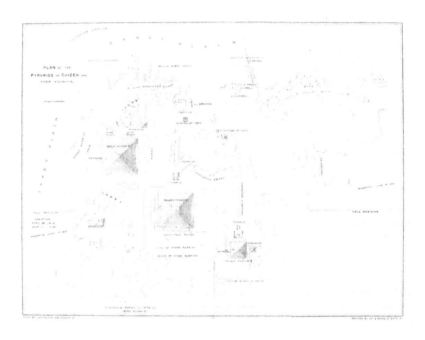

—Y si está convencido de que queda mucho por descubrir en su interior, ¿por qué no le dedica más medios? Mr. Hill me dijo que apenas se había hecho progreso alguno en su interior. Por otra parte, pude observar como centraba el esfuerzo de su mano de obra en retirar la arena en la zona de la Esfinge.

Caviglia tenía sus motivos, pero no podía revelarlos.

—Me imagino que se quedaría impresionado por la Gran Galería y por la perfección del pulido y encaje en las piedras de granito en la cámara del faraón. Estoy convencido de que esconden algo. Ni siquiera con la tecnología de hoy en día seríamos capaces de ajustarlas de esa manera, sin dejar ni una sola marca ni resquicio. Eso tuvo que hacerse con un propósito muy concreto. Nadie se toma ese tipo de molestias para nada.

—¡Exacto! Yo pensé lo mismo.

—Entonces ya tiene media respuesta. Ambos estamos convencidos de que las pirámides nos ocultan muchas cosas y que no hemos sido capaces de encontrarlas. Pero ¿por qué? Habrá visto el tamaño de las piedras de granito y caliza empleadas para su construcción y se hará una idea del peso de cada una. Simplemente intentar abrir algún hueco para investigar la presencia de pasajes sin descubrir supone un ingente trabajo. Hace falta mucha mano de obra que no tenemos. Los egipcios que nos envían desde las aldeas cercanas no quieren trabajar en el interior de las pirámides. Además, siempre tenemos que tener *jannisarys* supervisores y capataces especializados para evitar que cometan alguna tropelía o que se produzcan accidentes. Este personal es muy caro y difícil de encontrar.

—¿Me está diciendo que se trata de un problema económico?

—Va más allá de eso. Muchas veces no disponemos de la mano de obra necesaria, ni siquiera pagando buenos sueldos.

—Tenía entendido que disponía de un contrato firmado con el pachá donde le garantizaba su apoyo. ¿No va incluida la provisión de la mano de obra que necesite?

—Sí, por supuesto, pero el pachá vive en su palacio y yo tengo que tratar todos esos detalles con los jefecillos de las aldeas próximas a Guiza. Cuando parece que hemos llegado a un acuerdo, piden más. Es así constantemente. No sabe el tiempo que se pierde en este tipo de trabas y lo desesperante que puede llegar a ser. La arqueología no es como usted cree. Todas las tareas administrativas también deben ser supervisadas en persona por mí. Cuando Boghos Bey o cualquier otro emisario del pachá le da por acudir a Guiza, debo tener todos los libros registros en orden, fecha por fecha y dónde se ha efectuado cada uno de los hallazgos, catalogados y numerados. Por supuesto también soy responsable de su custodia hasta que no hemos acordado el reparto definitivo. Le aseguro que leyendo libros y visitando museos uno no se convierte en arqueólogo de forma automática. Hay semanas tan frustrantes en las que me gustaría largarme de allí. A pesar de todo ello, sigo en Guiza persiguiendo sueños.

—Veo que tenemos una visión muy parecida en cuanto al tema de las pirámides. Yo podría serle de gran ayuda.

—¿Usted? ¿Cómo? ¿Retirando arena y dejándose los dedos intentando abrirse camino entre esas moles de granito?

—Tampoco me importaría, pero no estaba pensando en eso. Mi familia y yo mismo tenemos una considerable fortuna en Inglaterra. Se podría decir que soy un hombre rico. Ya ha podido comprobar que lo que vi ayer me entusiasmó, sobre todo por las enormes posibilidades que hay de descubrir secretos que ni nos imaginamos contando con los medios adecuados. Y aquí entra en juego mi fortuna. Me ofrezco a costear a mi cargo la mano de obra que sea necesaria para su excavación. Si hay que contratar a los mejores y quitárselos a la competencia, yo pongo el dinero que haga falta, sin límites.

Tanto Caviglia como Campbell se quedaron mirando a Howard Vyse.

—¡Caramba! No me esperaba esta generosa oferta por su parte —intervino el coronel, que llevaba un tiempo en silencio—. Supongo que usted tampoco, ¿no es así, Mr. Caviglia?

—No, la verdad es que ha sido inesperada. Desde luego ha vuelto de Guiza con un entusiasmo desbordante.

—Bueno, en cualquier caso, imprevista o no, es un regalo caído del cielo para su excavación en Guiza —continuó Campbell.

Caviglia permanecía en silencio. Vyse lo advirtió y decidió aclarar posibles malentendidos.

—No piense que busco la gloria. Mi ego ya lo cubrí hace muchos años en el campo de batalla —dijo, dirigiéndose al arqueólogo—. Todos los hallazgos le serían atribuidos a usted de acuerdo con el contrato que tiene firmado con el pachá, que por supuesto seguiría en vigor en sus mismos términos. Dirigiría la excavación como ha hecho hasta ahora. Por mi parte, tan solo le aportaría más medios económicos para conseguir la mano de obra que necesita. Ya está. Es así de simple.

El arqueólogo continuaba en silencio.

—¿Ha escuchado, Mr. Caviglia? Parece que no haya entendido la extraordinaria oferta del coronel Vyse —Campbell parecía emocionado—. Es una oportunidad única para usted, que siempre se queja de falta de medios.

—Nada es «así de simple» —respondió al fin Caviglia, que no parecía compartir el entusiasmo de sus compañeros.

—¿Qué quiere decir? —Campbell no entendía nada.

—Que me temo que debo declinar el generoso ofrecimiento del coronel Vyse.

—¿Qué dice? —Campbell parecía que iba a estallar—. ¿Por qué? Solo le ofrece dinero, no le pide nada a cambio.

—¿Se está escuchando, coronel? —le pregunto Caviglia, con una extraña sonrisa en sus labios—. He oído de su propia boca en más de una ocasión que, en esta vida, nadie regala nada. ¿Ahora pretende convencerme de lo contrario?

Howard Vyse asistía atónito a la conversación, sin articular palabra. No daba crédito a lo que escuchaba.

—¡Esto no quedará así! —chilló Campbell—. Hablaré con el pachá y, cuando se entere que ha desestimado fondos adicionales para la excavación que permitirían aumentar los hallazgos y, en consecuencia, sus propios beneficios, estallará en cólera como yo.

—Mr. Caviglia, estoy dispuesto a firmar un documento donde se recojan todos los extremos de mi oferta. Le aseguro que no escondo nada —Vyse intentó poner algo de calma en la conversación. Ahora se dirigió hacia Campbell—. No creo que sea necesario que hable con el pachá.

—En eso tiene razón —dijo Caviglia, mientras rebuscaba en su maletín. Sacó de él lo que parecía una carta y la depositó encima de la mesa.

—¿Qué es esto? —preguntó Vyse.

—Es un documento firmado hace tres días por el propio pachá. Ratifica nuestro contrato y me da plenos poderes para dirigir la excavación en Guiza de acuerdo con mis criterios. No solo eso, sino que declara el conjunto arqueológico de Guiza como «terreno en usufructo temporal» a mi nombre. Es decir, ahora tengo poderes no solo para explorar en exclusiva, sino también para permitir quién accede al recinto. Lo pueden leer si lo desean.

—¡Maldito traidor! —el coronel Campbell se levantó de su sillón en dirección a Caviglia—. Lo tenías todo previsto. Tu «inesperado viaje» no fue tal. Fuiste a ver al pachá para conseguir este documento. ¡Eres una rata y te voy a aplastar!

Vyse tuvo que interponerse, ya que, de no haberlo hecho, estaba convencido de que el coronel cumpliría lo dicho al pie de la letra.

—¡Por favor! —exclamó—. Un poco de calma.

—Eso dígaselo a su amigo, no a mí —respondió un atemorizado Caviglia, que también se había levantado de la silla ante la acometida del coronel.

El coronel pareció calmarse y se volvió a sentar en su sillón. Vyse tomó el documento de su mesa, no porque le interesara su lectura. Estaba seguro de que ponía lo que Caviglia había dicho, sino por evitar que lo leyera el coronel y volviera a estallar.

—¡Fuera de mi despacho! —gritó Campbell en dirección a Caviglia—. Que sepa que no es bienvenido en el consulado general británico ni espere ninguna ayuda por nuestra parte. Desde este momento se ha ganado un enemigo y le aseguro que no es uno cualquiera.

Caviglia recogió todos los documentos de la mesa del coronel y los volvió a guardar en su maletín. En apenas unos segundos ya había abandonado el despacho, sin decir ni una sola palabra.

—¿Has entendido algo de lo sucedido? —le pregunto Vyse a Campbell, una vez se quedaron solos.

—No, pero debe existir algún motivo de peso que desconocemos. Nadie rechaza una oferta así. Si el desgraciado de Caviglia cree que se ha librado de mí, no me conoce. Voy a utilizar todos mis contactos para averiguar qué está pasando en Guiza. Por cierto, ¿no observaste nada extraño que te hiciera sospechar este desenlace?

—La verdad es que no. Además, lo más raro de todo es que, en temas arqueológicos, coincidimos en nuestras apreciaciones. Debe de tratarse de otra cuestión.

Campbell se quedó pensativo por unos segundos.

—Creo que puedes tener razón —dijo, con un gesto de preocupación—. Pero dejemos este tema y vayamos a lo importante.

—No te entiendo. ¿Lo importante no era si aceptaba tu «asunto discreto» o no? Ahora ya no es posible hacerlo. Guiza nos está vetado.

—No. Lo importante es, ¿lo hubieras aceptado en caso de ser posible ejecutarlo?

Vyse no comprendía al coronel, pero le respondió.

—Desde luego. A pesar de mis reticencias iniciales, me parece que tienes razón.

—Bien, eso me imaginaba —dijo Campbell, que seguía muy pensativo.

Vyse seguía sin comprender a Campbell.

—¿Te encuentras bien? Supongo que el tema de la traición de Caviglia habrá sido un golpe bajo para ti.

Campbell levantó la mirada e hizo un gesto de indiferencia con sus hombros.

—Me parece que ambos hemos pasado por situaciones mucho peores, ¿no te parece, amigo? Esto no ha sido nada.

—¡Por supuesto! —sonrió Vyse, aliviado de que el coronel pareciera más relajado. En realidad, no sabía lo equivocado que estaba.

—Supongo que ahora quedaré liberado para continuar con mis planes originales de visita al Alto Egipto —continuó Vyse.

—Sí, claro. Puedes dar por concluida tu estancia en El Cairo cuando quieras —contestó Campbell de forma automática.

—Pues, en ese caso, tengo muchos asuntos por resolver. Debo comprobar qué naves se dirigen hacia el norte del Nilo y rehacer todos mis planes. Nuestros caminos se separan aquí.

Campbell pareció salir de sus pensamientos.

—¡Querido amigo! Ha sido un verdadero placer volver a verte, aunque hayan sido en estas circunstancias tan desagradables. Aun así, no sabes lo que agradezco que accedieras a mi petición, aunque es una verdadera lástima que no nos haya llevado a ninguna parte.

—A ti no sé, pero a mí que me ha llevado a alguna, a Guiza. Aunque las cosas no hayan terminado como nos hubiera gustado, te aseguro que esa pequeña expedición a las pirámides las compensa sobradamente. Por cierto, despídeme de Mr. Hill. Ha sido un gran guía y, sobre todo, un caballero. Su sabiduría me ayudó mucho.

Se abrazaron de forma prolongada. Ya tenían una edad en la que no sabían si se volverían a ver.

El destino suele ser muy caprichoso.

¿El destino?

17 ANTIGUO EGIPTO, RIBERA DEL NILO, MENFIS

—¿Eres de carne y hueso?

Sobek intentaba aguantar la risa, pero tenía que hacer verdaderos esfuerzos.

—Tal y como eres tú —respondió.

Nefer no parecía muy convencido. Ahora miraba a Sobek de una manera diferente.

—Entonces, ¿no eres un dios?

—Ya te he dicho que no. Tan solo te acabo de explicar el motivo por el que tu compañero pescador se asustó hace diez días, cuando escuchó mi nombre. Nada más.

Sobek le había contado a Nefer que su nombre se correspondía con uno de los dioses más conocidos de Egipto.

—¿Seguro que no eres el Dios Cocodrilo?

—Te lo acabo de contar. A pesar de que a Sobek se le represente con el cuerpo de un hombre y la cabeza de un cocodrilo, es un dios bueno, creador del Nilo, no un devorador de pescadores. Aunque fuese ese dios, que no lo soy, nada deberías temer de mí.

—Pero me has dicho que era el esposo de la Diosa Hathor. A esa si que la conozco porque es una de las más importantes de Egipto. Tengo entendido que se la considera la madre de todos los faraones.

—Sí, así es. Pero esa creencia no es de Menfis. Aquí se le considera más como el «Señor de las Aguas» pero en sentido positivo. La relación con la Diosa Hathor procede de un poblado llamado Nubt, situado en el Alto Egipto, también en la ribera del Nilo. Su deidad local es Sobek, por eso lo relacionan con la Diosa Hathor, supongo que para dar más importancia a su dios.

—¿Cómo puedes saber todo eso?

—Bueno, mi vida es como la de los nómadas del desierto. Voy de aquí para allá. De hecho, cuando nos vimos la primera vez, llevaba en Menfis menos de tres semanas.

—¿No eres de aquí? —Nefer cada vez estaba más sorprendido con Sobek.

—Sí y no. Se podría decir que soy de todos los sitios.

—No te comprendo. ¿Ni siquiera sabes dónde naciste?

—Sí, claro. Nací aquí, en Menfis, pero lo que te quería explicar es que me he criado por todo Egipto. Eso responde a tu pregunta acerca de mis conocimientos de las deidades locales. He vivido en muchos templos y palacios.

—¿Eso significa que te marcharás en breve de Menfis? —Nefer le estaba cogiendo cariño a aquel joven.

—No es probable. Mi madre me ha dicho que, en esta ocasión, permanecemos más tiempo en la capital.

—¿Tu madre? —se extrañó Nefer—. Me habías dicho que tenías esposa e hijos. ¿Ellos no tienen nada que decir?

—Ellos, como yo, dependen de mi trabajo. Si me destinan a otro lugar, no tengo más remedio que acudir. Es mi obligación.

Nefer pensó que quizá perteneciera al ejército de Egipto. En ese caso, estaría justificado que no pudiera contarle muchos detalles. Las campañas militares del faraón eran secretas, además no se le ocurría otro trabajo que exigiera tantos desplazamientos forzados. También estaba el hecho de que hubiera vivido en tantos palacios por todo el país. «Debe pertenecer a la guardia personal del faraón», concluyó.

Nefer conocía que los faraones deseaban anexionarse el territorio que ocupaban los nubios, un pueblo que vivía en el extremo sur del Alto Egipto, cerca de Asuán. Por ello, sus desplazamientos a esa zona eran constantes.

«No le voy a preguntar por su trabajo», pensó. «Seguramente me mentiría».

—Te estarás preguntando a qué me puedo dedicar que requiera tantos viajes —pareció leerle el pensamiento Sobek.

—¿Seguro que no eres un dios? —le respondió de forma espontánea.

Ambos se rieron.

—Ya habrás supuesto que su naturaleza es muy delicada, ya que te he dicho que viajo y conozco muchos palacios y templos de Egipto. Siento no poder darte más explicaciones.

—Ni te las iba a pedir —le respondió.

Sobek se quedó observando a su menudo acompañante.

—¿Sabes? Pareces muy listo para tener trece años.

Nefer se alarmó de inmediato. A pesar de que Sobek le había dicho que tenía veinte años, Nefer no recordaba haberle dicho su edad.

—¿Cómo sabes que tengo trece años?

—Supongo que me lo dirías en la anterior conversación.

—No, no lo hice. Quizá sea un niño o un joven menudo, como prefieras, pero tengo buena memoria.

—Pues si no me lo has dicho, entonces lo debo de haber supuesto. Es lo que aparentas.

—No es cierto. Todos mis amigos de mi misma edad son más altos que yo. Es verdad que soy fuerte, por mi trabajo en el campo, pero soy consciente que no parezco tener trece años. Me echan siempre entre once y doce, como mucho.

Sobek sonrió. Estaba claro que no se había equivocado con Nefer.

—Créeme, tengo buen ojo para esas cosas. Soy consciente de que yo también tengo un aspecto algo aniñado, aunque tenga veinte. Con mi edad no pareces haber dudado de mi palabra.

—¿Por qué debía de hacerlo? Me lo dijiste tú mismo.

—No, no debes dudar. También es cierto que tengo esposa, una hija y un hijo. Mi madre vive con nosotros.

—¿Y tu padre?

—Mi padre ya no está con nosotros —dijo, con un tono de evidente tristeza.

Nefer se arrepintió de inmediato de haberle hecho esa pregunta. Estaba claro que si no lo nombraba era por algo. «Espera, espera», pensó. «Estábamos hablando de cómo podía conocer mi edad y ha conseguido desviar la conversación de una manera brillante. Sobek es muy listo. ¿Debería preocuparme?». Ante semejante pensamiento, no pudo evitar que se le escapara una sonrisa nerviosa. Ya estaba preocupado, no hacía ninguna falta que lo hiciera aún más todavía. Se dio cuenta de que Sobek le estaba observando. No sabía cómo podría interpretar aquella sonrisa, después de lo de su padre, así que tuvo que improvisar una excusa.

—Disculpa, no pretendía sonreír después de lo que me has dicho. Debe ser muy triste no tener padre. Como ya te conté, en mi casa somos cinco personas, mis dos padres, dos hermanos más y yo mismo. Además, mi madre está embarazada. Pronto seremos seis.

—Tranquilo —respondió Sobek, que ahora ya no parecía triste—. Ya me he dado cuenta de que estás algo nervioso y no le he dado importancia. Ya te he dicho que soy bueno adivinando cosas.

«¿Me dice que esté tranquilo?», pensaba Nefer a toda velocidad. «¡Pues no lo estoy!». Su instinto le gritaba que había algo en todo aquello que no era normal. «O es un dios de verdad o aquí pasa algo que se me escapa. Parece anticiparse a todo. Eso no sucede cuando estoy con mis amigos».

Sobek interrumpió sus pensamientos.

—Como veo que ya no estás dispuesto a enseñarme a pescar, me voy a atrever a sustituir esa petición por otra.

—¿Acaso quieres que te enseñe otra cosa? —Nefer ahora estaba sorprendido.

—Exacto.

—¡Pero si no tengo nada más que enseñarte! Pescar es lo único que sé.

—Te equivocas. Hay otra cosa que puedes enseñarme.

—¿Cuál?

Sobek se la dijo.

Nefer se levantó de golpe de la piedra donde estaba sentado, con el semblante completamente pálido de la sorpresa que se acababa de llevar.

Ahora sí que tenía claro que Sobek era un dios. Además, más le valía que lo fuera, porque, en caso contrario, mañana mismo estaría muerto.

18 PUERTO DE ALEJANDRÍA, EGIPTO, 25 DE OCTUBRE DE 1836

Howard Vyse había disfrutado este viaje como ninguno de los que había hecho con anterioridad, que no eran pocos. Egipto no le dejó de sorprender ni por un instante. Pudo conocer a fondo su cultura, sus gentes, sus costumbres y, sobre todo, sus impresionantes monumentos, creados por una civilización muy avanzada, tristemente extinta. Cleopatra VII fue la última reina de aquel fabuloso Egipto. Después de su muerte, el país pasó a ser una simple provincia del Imperio romano. Aunque su decadencia ya había comenzado mucho antes, el emperador romano Julio César fue el encargado de dar por concluido de una manera oficial el sueño de aquella civilización casi mágica.

Por otra parte, llevaba fuera de su hogar mucho tiempo, casi un año. A pesar de que echaba de menos a su familia y a sus hijos, debía de reconocer que cada minuto que había pasado en Egipto había merecido la pena.

Ahora, mirando por la borda del barco que le iba a llevar de regreso a Londres desde Alejandría, volvió a admirar la exótica belleza del aquel puerto. Rememoró sus sensaciones cuando lo vio por primera vez. Para su sorpresa, no habían cambiado demasiado. Sus colores, su vida y su ambiente eran los mismos. Conseguían cautivarte en segundos.

Se sentó en cubierta, encima de un barril. No quería derramar ninguna lágrima en este delicado momento para él. Era todo un coronel del ejército británico y no se lo podía permitir. Aunque el orgullo no era uno de sus defectos, no le apetecía tener que dar explicaciones a nadie acerca de su estado emocional.

Decidió que lo mejor era dejar de observar la belleza de Alejandría. Abrió una pequeña maleta de mano que portaba consigo y extrajo un pequeño libro. Era un diario. Había apuntado en él lo que había admirado y conocido en cada uno de los días de este viaje iniciático, para rememorarlo cuando estuviera de regreso en Gran Bretaña. Demasiadas experiencias que no quería olvidar.

Lo abrió con una delicadeza propia de quién tiene en sus manos un tesoro. Pensó que le ayudaría, en este momento delicado, echarle un vistazo cuando aún se encontraba en tierras egipcias. No pretendía leerlo, ya que era muy voluminoso, pero sí echar un vistazo a las ilustraciones que había creado para darle vida a su diario. Vyse no era un gran dibujante, pero tampoco se le daba mal. Consideró que determinadas imágenes valían la pena conservarlas en su retina para siempre, aunque fueran en forma de dibujo.

Una de las cosas que a los occidentales más le llamaba la atención era la indumentaria de las mujeres egipcias. El país era muy diverso y eso se reflejaba también en sus ropajes. Por ejemplo, en el Bajo Egipto, cerca de Guiza, pudo dibujar a una mujer con su indumentaria habitual.

Sin embargo, a medida que avanzó hacia el sur del país, conocido como el Alto Egipto, pudo observar que no solo cambiaba su forma de vestir, incluso en Nubia las mujeres eran de una raza distinta.

Su cultura y hábitos de vida también diferían de las mujeres del norte de Egipto. Es algo que llamó poderosamente la atención de Vyse. Parecía una cultura que, aunque con raíces comunes, parecía diferente. Esto se reflejaba incluso en la construcción de sus templos para adorar a sus dioses. Uno de los ejemplos más claros que encontró fue el templo de Amada.

A pesar de su reducido tamaño en comparación con los que había visitado más al norte de Nubia, se enamoró de él nada más verlo.

No en vano, el templo de Amada era el más antiguo de Nubia. Empezó su construcción el faraón Tutmosis el Grande, de la XVIII Dinastía, que, aunque había reinado en Egipto durante más de cincuenta años, no pudo ver su templo terminado. Fue su hijo, el faraón Amenhotep II, el que se encargó de decorarlo, siguiendo las instrucciones que le había dejado su padre.

Aunque conocía que la esclavitud todavía existía en muchos rincones del mundo por sus viajes, le llamó la atención que, en el actual Egipto aún existiera la trata de personas. Había supuesto que, en una sociedad que había heredado los cimientos de una cultura milenaria muy avanzada para su tiempo, aún pudiera pervivir la esclavitud. De sus lecturas, Vyse había conocido que, en los primeros tiempos del Antiguo Egipto, había existido el comercio de esclavos, pero esta figura fue desapareciendo gradualmente. Era consciente de que bastantes egiptólogos aún consideraban que las grandes construcciones como las pirámides las habían erigido utilizando esclavos como mano de obra. Esas opiniones partían de un supuesto erróneo; como el trabajo debió de ser colosal y muy duro, nadie lo habría querido hacer de forma voluntaria. Afortunadamente, los hallazgos arqueológicos iban por otro camino. El propio Caviglia ya lo había desmentido al hallar asentamientos de trabajadores junto a las pirámides de Guiza. Por todo ello, Vyse prefirió ilustrar esa parte de su diario con la casa donde vivía el principal traficante de personas de toda Nubia. No todo eran bondades en la cultura egipcia y así había que reflejarlo.

El medio de transporte más común en las riberas del rio Nilo era el propio rio. Vyse ya se había servido de multitud de esas pequeñas embarcaciones llamadas falucas en su viaje. Pero fuera de la ribera del Nilo, a ambos lados, tan solo existía la arena del desierto. Su medio de trasporte, debido a la escasez de agua, eran los camellos y dromedarios. Dibujó para su diario una estampa de unos nómadas, con el fondo de un arco de piedra. Así como en la ribera del Nilo las poblaciones florecían y aumentaban sus habitantes debido a las riquezas que les aportaban las crecidas del río, no ocurría lo mismo en el desierto. Existían muy pocos asentamientos y la mayoría eran en la parte occidental, siempre en las proximidades de algún oasis. Los egipcios que recorrían estas zonas eran nómadas que se ganaban la vida comerciando con camellos.

Tan absorto estaba con sus pensamientos que se había abstraído de su alrededor. Su mente estaba recorriendo Egipto y había dejado de prestar atención al propio puerto de Alejandría. Por ello le sorprendió que le devolvieran a la realidad de esa manera tan abrupta.

Era imposible no escuchar aquellos gritos.

Howard Vyse devolvió el diario al interior de su pequeña maleta y se volvió a asomar por la borda del barco para intentar observar qué estaba sucediendo. Debía de ser algo muy grave, con todo el escándalo que se estaba formando.

Cuando pudo ver de qué se trataba, su rostro cambió por completo.

Aquello era imposible. No podía estar sucediendo.

19 ANTIGUO EGIPTO, AFUERAS DE MENFIS

—Tengo una cosa importante que contaros.

Nefer acababa de entrar por la puerta a la hora habitual, cuando terminaba su labor matutina en el campo. Su madre estaba empezando a preparar la comida y su padre prendiendo el fuego. Ambos se le quedaron mirando, extrañados.

—¿Ha ocurrido algo en el huerto? —le preguntó su padre.

—No, no se trata de eso —dijo Nefer, que no sabía cómo comenzar la explicación. Decidió ser directo—. He invitado a un amigo a comer con nosotros.

Para espanto de Nefer, lo que Sobek le había pedido ayer era que le enseñara a su propia familia. Era consciente del lío en el que se iba a meter, pero no fue capaz de decirle que no. Ahora debía asumir las consecuencias, que eran inciertas, por decirlo suave.

—¿Hoy? —preguntó la madre.

Nefer estaba hecho un manojo de nervios.

—Sí.

—¿Y no podías haberme avisado antes?

—Lo siento, pero ha surgido de repente —no sabía qué decir, así que estaba improvisando.

—¿De repente? ¿Quién es? ¿No será Ishaq, tu amigo del campo contiguo al nuestro? Parece buen chico, pero nunca lo has traído a casa —dijo el padre.

—No es un amigo del campo.

Ahora, el padre pareció notar el nerviosismo de Nefer y creyó comprender el estado de su hijo.

—Lo has conocido en la ribera del Nilo, ¿verdad? Por eso te estás comportando de esta manera tan rara, porque crees que tu madre te reñirá.

—¡Y tanto que lo voy a hacer! ¿No te quedó claro la última vez que no quería que te relacionaras con pescadores? Sabes de sobra que esa zona del Nilo es muy peligrosa.

—Es cierto que lo he conocido allí, pero no es un pescador.

—¿Qué tonterías dices? ¿Quién iría a ese lugar infestado de cocodrilos y otras alimañas si no es para pescar? ¿Qué sentido tiene?

«Eso mismo me pregunto yo», pensó Nefer.

—No hace falta que niegues lo evidente —su madre no podía ocultar su enfado—. No solo no me haces caso, sino que ahora traes a uno de esos pescadores a nuestra casa. ¡No tienes vergüenza!

El padre creyó que era la ocasión de intervenir en la discusión, antes de que fuera a mayores.

—Bueno, pongamos algo de paz —dijo, dirigiéndose a su esposa—. Siempre nos hemos quejado de que nuestro hijo tiene pocos amigos. Se pasa la vida trabajando para mantener esta familia y no tiene tiempo de disfrutar. No seamos tan duros con él. Por otra parte, es la primera vez que trae un amigo a comer a casa, aunque sea un pescador.

—¡Eso! ¡Ahora ponte de su lado! —su madre no estaba del todo convencida, aunque su esposo tuviera razón.

El padre se giró hacia Nefer, haciéndole un guiño de complicidad, como queriéndole decir que, aunque a regañadientes, su madre ya había cedido. Sin embargo, lo que vio no se lo esperaba.

—¿Tienes algo más que contarnos? —le preguntó.

—Sí —Nefer estaba pensando a toda velocidad cómo explicarse—. Lo conocí hará unos diez días y enseguida nos caímos bien.

—¿Y eso es un problema? —el padre no lo comprendía.

—Como ya os había dicho antes, no es pescador. Creo que es militar.

—¿Y qué más da? Ya sabes que yo también lo fui brevemente durante mi estancia en las cocinas del palacio de Menfis.

—Tiene veinte años, esposa y dos hijos.

—¡Caramba! —exclamó el padre—. Ahora comprendo tu preocupación. ¿No crees que es un poco mayor para ser amigo tuyo?

—Quizá sí —reconoció Nefer—, pero le pasa como a mí, que parece más joven. Me contó lo de su edad y la familia cuando ya nos habíamos caído bien. No me lo imaginaba.

—Bueno, tampoco pasa nada porque sea un poco mayor que tú —el padre intentaba que no volviera a empezar la discusión, que la veía reflejada en los ojos de su esposa.

—Aún hay otra cosa más —dijo Nefer, que seguía con esa expresión de preocupación que no había abandonado desde el principio de la conversación.

—¿Qué le ocurre ahora? —saltó su madre—. ¿Qué viene a comer junto con su familia? Porque eso sí que sería un problema, ya no tengo ahora mismo comida para...

—No, lo que pasa es que su nombre es Sobek —le interrumpió su hijo.

Se hizo un breve silencio, mientras sus padres se miraban sin comprender nada.

—¿Acaso importa su nombre? —le preguntó el padre, desconcertado—. ¿Qué más da cómo se llame?

—¡Sobek! ¿No lo entendéis? Es el Dios Cocodrilo.

Los padres de Nefer intercambiaron miradas de nuevo, pero esta vez no pudieron evitar una sonora carcajada.

—¿No me digas que crees que has invitado a un dios a comer a casa? —le preguntó su padre, aún con lágrimas en los ojos— Espero que no hayas hecho el ridículo de decírselo a él.

Nefer se puso colorado.

—¡Lo has hecho! —el padre no pudo evitar volver a reírse.

«Reír ahora mientras podéis», pensaba Nefer, «porque dentro de un momento, cuando se presente vestido con sus elegantes ropajes y comprendáis su clase social, me parece que se os cortará de golpe esa estúpida risa y se armará una gorda».

Justo en ese momento oyeron que alguien llamaba a su puerta.

—No debe ser tu invitado —le dijo el padre a Nefer, aún en tono jocoso—, porque los dioses no llaman a las puertas. Anda, abre.

Volvieron las risas, por supuesto exceptuando a Nefer, que veía como se aproximaba una tormenta perfecta.

Obedeció a su padre y se dirigió a la puerta. Cuando la abrió, se llevó una gran sorpresa.

—Hola —escuchó.

Nefer no reaccionó. La persona que tenía delante de él era un campesino. Llevaba como único atuendo un *shenti*, la faldilla corta que se enrollaba a la cintura y se ceñía con un cinturón. Bajó la mirada hasta sus pies. Iba descalzo.

—Hola otra vez.

Ahora, Nefer pareció retornar de sus pensamientos.

—¿Por qué te has vestido así? Casi ni te reconozco.

—Ya me dejaste bien claro, desde la primera vez que nos vimos, que mi atuendo llamaba la atención. Así que he decidido vestir así. ¿Me he equivocado en algo?

—No, no. Pareces un auténtico campesino hasta que hablas, pero supongo que eso no tiene solución posible.

—¿No me invitas a entrar?

—¡Por supuesto! —dijo Nefer, que no se había dado cuenta de que estaba en medio de la puerta y que no se había movido. Se hizo a un lado.

La casa de la familia de Nefer era idéntica a las demás que existían en ese asentamiento, junto a la ciudad de Menfis. Su construcción era muy simple, empleando como elementos fundamentales el adobe para las paredes y los juncos para cubrir el techo, que obtenían de la ribera del Nilo. Todo pivotaba en torno a una estancia central donde se encendía el fuego, que servía tanto para cocinar como para calentarse cuando hacía frío. Aparte de ese espacio, existían dos habitaciones más. Una era empleada a modo de almacén, donde dejaban los aperos y guardaban los alimentos. La otra hacía las veces de dormitorio. Las familias más acomodadas se podían permitir más estancias, pero ese no era el caso de la de Nefer.

—Adelante, Sobek. Nuestro hijo nos ha avisado de que vendrías a comer con nosotros.

Le presentó a su esposa y sus otros dos hijos.

—Les agradezco de verdad su hospitalidad y espero no ser una molestia —Sobek parecía genuinamente interesado, para sorpresa de Nefer.

Todos se sentaron alrededor de una mesa rectangular de madera. La madre sirvió al centro una porción de cordero acompañada de verduras de su huerto. Siempre bebían agua, salvo en ocasiones especiales que se reservaban alguna pequeña tinaja de cerveza. Se la ofrecieron a Sobek, que amablemente la rehusó.

«Está claro que quiere ver cómo vivimos y comemos», pensaba Nefer. La cuestión que no comprendía era para qué quería saber eso. En su casa no le faltaría de nada y los manjares que le servirían en su mesa no tendrían nada que ver con la alimentación de la familia de Nefer, que se basaba sobre todo en legumbres y verduras y, un par de días a la semana, algo de carne o pescado, que era considerado un lujo. Todo ello acompañado de forma habitual con una especie de pan que cocinaban en cada casa a base de harina, agua y sal. La harina de Egipto tenía un componente arenoso, lo que le daba una textura, en ocasiones, no demasiado agradable. Por ello, a veces también incluían en su receta miel y dátiles para darle sabor. En cuanto a las bebidas, aparte del agua, de vez en cuando se podían permitir un poco de cerveza. El vino era prohibitivo para las clases humildes. Las familias que se lo podían permitir hacían tres comidas diarias, aunque lo habitual eran dos; un buen desayuno antes de salir al campo a trabajar y una especie de comida tardía, que hacía las veces de cena.

La clase alta solía comer en silencio, ya que entendían que estaban ante los manjares que los dioses les habían proveído, pero en las clases más humildes no era así. Lo habitual era mantener cualquier tipo de conversación.

—Este guiso está muy sabroso. Le felicito. Desde luego sabe cocinar —dijo Sobek dirigiéndose a la madre.

—Esta no es una familia muy normal, como ya habrá notado por nuestro hijo Nefer —la madre aprovechó para lanzarle una pulla—. El que verdaderamente sabe de cocina es mi esposo. Yo me limito a ayudarle.

—¡Caramba! —exclamó Sobek—. No es muy habitual que los hombres tengan esa cualidad. Por ejemplo, yo no tengo ni idea.

—Tiene una explicación —intervino el padre—. Hasta los veintidós años serví en las cocinas del Palacio Real del faraón Khafre.

De repente, el interés de Sobek pareció aumentar.

—Eso no me lo había contado su hijo.

—Como tantas otras cosas —le respondió Nefer—. ¿No pensarás que en dos ratos de conversación te pueda contar toda la vida de mi familia?

—¡Nefer! No seas desconsiderado con nuestro invitado.

Sobek sonrió.

—No se preocupen, la culpa ha sido mía. Me ha sorprendido. No mucha gente tiene el honor de servir al faraón de Egipto.

—Bueno, usted también lo hace a su manera.

—¿Qué quiere decir? —preguntó Sobek, que no había comprendido esa extraña afirmación.

—Nuestro hijo nos ha contado que es militar, por eso lo decía, que a su manera también sirve al faraón.

—¿Eso les ha dicho? —ahora Sobek parecía divertido.

—Ya sé que no me has contado nada. Es una cosa que se me había ocurrido. O eso o eres un dios —se excusó Nefer de forma espontánea.

El hermano mayor y la hermana pequeña de Nefer no pudieron evitar reírse. Cuando el padre se disponía a reprender a su hijo por semejante comentario inoportuno, le sorprendió que el propio Sobek se uniera a las risas.

—¿Saben? Tienen un hijo muy inteligente e ingenioso. También con algo de imaginación, pero eso no es malo —dijo, para evitar la más que probable riña.

—¿Muy inteligente? —el padre repitió incrédulo la pregunta—. No es tonto, desde luego, pero tampoco creo que sea para tanto.

—Lo es, se lo aseguro —insistió Sobek, aún divertido por la situación creada.

A Nefer no le gustaba el rumbo que estaba tomando la conversación, así que aprovechó su oportunidad.

—Entonces, ¿no eres militar?

—No, Nefer, no lo soy. Ya sé que te conté que he viajado por todo Egipto y por eso habrás supuesto que pertenezco al ejército o incluso a la guardia del faraón, pero no es cierto.

De repente, el padre se levantó de la mesa. La expresión de su rostro era de verdadero pánico.

—¿He dicho algo inconveniente? Lo siento, no pretendía... —comenzó a disculparse Sobek.

—No eres militar, eso está claro. No comes como ellos —le interrumpió el padre.

—Sí, eso ya lo he dicho.

—Pero comes como otras personas que he visto anteriormente en mi vida. Cuando te has sentado en la mesa has mirado de forma instintiva a los dos lados del cuenco. En ese momento no he caído, pero ahora acabo de comprender que estabas buscando los utensilios que se usan en los palacios para comer. Nosotros comemos con las manos, pero vosotros no.

—¿Qué quiere decir con «nosotros»?

—Vives en un palacio o un templo. Has intentado imitar nuestra manera de comer, pero tus refinados modales son imposibles de ocultar para alguien como yo que se ha pasado muchos años observándolos. No sé a qué te dedicarás, pero no eres ni un campesino ni un artesano. Tus delicadas manos lo atestiguan.

Sobek parecía tranquilo.

—Anda, siéntate, no hay para tanto. Tu hijo ya sabía que, por mi trabajo, suelo frecuentar los palacios y templos. No hay que alarmarse.

—¿Qué no hay que alarmarse? —el padre seguía en pie—. No sabemos en presencia de quién estamos, pero desde luego no perteneces a nuestra clase social. Eso podría traernos muchos problemas si cualquiera de los vecinos te ha visto y...

Sobek le interrumpió.

—¿Qué habrá visto? A una persona vestida como vosotros. Te aseguro que me he ido fijando cuando venía hacia aquí y no he llamado la atención de nadie.

—Sí, pero eso no quita lo anterior. No sabemos quién eres.

Nefer estaba asistiendo a la conversación con verdadero interés. Quizá su padre consiguiera lo que él mismo no había logrado: conocer el oficio de Sobek.

—Insisto, siéntate, por favor.

A Nefer le dio la impresión que el tono de la voz de Sobek había sufrido un ligero cambio. Su padre también debió de notarlo, porque se sentó de inmediato.

—No comprendo la necesidad de conocer ese detalle. Aquí estoy en calidad de amigo de Nefer y muy agradecido de que me hayáis recibido en vuestra casa para comer. ¿Qué más da cuál sea mi empleo?

Si Sobek había pretendido con sus palabras tranquilizar a la familia, desde luego no lo había conseguido.

—Señor, ya sé que somos una humilde familia trabajadora y quizá no nos merezcamos conocer su oficio, pero debe comprender nuestra desazón. Jamás habíamos estado tan cerca de una persona de su posición social y mucho menos sentada a la mesa con ella.

Sobek hizo un gesto de desaprobación.

—¿De repente me llamas de usted? Hablas de mis refinadas formas, pero tu léxico también es muy rico. No creo que muchos de tus compañeros campesinos hablen así. Por cierto, Nefer también lo ha heredado.

—Eso se debe a mi estancia de juventud en el Palacio Real. Nos dieron una educación básica para ser capaces de responder con propiedad, en el caso de que alguno de sus moradores se dirigiera a nosotros.

—Pues lo hicieron muy bien y me alegro por tu familia, pero ¿qué debo de hacer para que todo vuelva al principio y me vuelvas a tratar de tú?

—Me sentiría más cómodo sabiendo a qué se dedica, si me permite que insista en la pregunta.

Sobek levantó los hombros. Era un gesto que Nefer ya había observado en él en alguna otra ocasión. «Nos lo va a decir», pensó, con una mezcla de emoción y temor.

—Está bien. Si eso sirve para tranquilizaros, lo haré.

Los cinco estaban pendientes de Sobek. No se escuchaba ni el zumbido de un mosquito.

Cuando por fin lo dijo, la familia al completo se levantó de la mesa, incluido Nefer y su hermano mayor, que tenía una enfermedad en las piernas.

Parecía que había obrado un milagro.

20 PUERTO DE ALEJANDRÍA, EGIPTO, 25 DE OCTUBRE DE 1836

—¡Eso es imposible! —exclamó Howard Vyse.

—Le aseguro que no lo es. Ahora mismo acabo de llegar de El Cairo. No sabía si su barco había zarpado o no, por eso me verá tan sofocado.

—¿Qué ha sucedido?

—No lo sé.

Vyse miró con un claro gesto de incredulidad al vicecónsul británico en Alejandría, Mr. Sloane. En su primer encuentro, allá por el mes de diciembre del año anterior, habían decidido tutearse, pero la extraña sensación que flotaba en el ambiente les había hecho olvidarse de aquello.

—O sea, ¿me está diciendo que le mandan a toda prisa a mi encuentro, antes de que mi barco abandone Egipto, y desconoce el motivo? ¿Y pretende que lo crea?

—Ya sé que puede sonar chocante, pero le juro que es cierto —Sloane aún se estaba recuperando del sofoco.

—¿Chocante? ¿Qué palabra más inapropiada? Más bien diría que su solicitud es insólita y completamente fuera de lugar.

—Le aseguro que el coronel Campbell tan solo me ha dicho que evite a toda costa que embarque y deje el país. Le juro que no sé nada más. Debo de llevarlo a su presencia en El Cairo.

—¡Eso será si yo quiero! —exclamo Vyse, que se estaba empezando a enfadar.

Howard Vyse, como buen militar, era un hombre muy organizado. El coronel Campbell ya le había alterado sus planes de visita a Egipto el pasado mes de diciembre y, en aquella ocasión, había aceptado. Pero ahora las circunstancias eran otras. Llevaba en Egipto diez meses y debía de reconocer que el viaje había superado todas sus expectativas, pero tenía familia y no poca. Su esposa Frances le estaría aguardando en Londres, junto con sus diez hijos. «Todo debe tener un final», pensó. «Ya he abusado demasiado de la paciencia de mi familia».

Por su parte, Mr. Sloane parecía sorprendido. No estaba acostumbrado a recibir esa clase de respuestas, sobre todo a órdenes del coronel Campbell. Reflexionó durante un instante acerca de cómo abordar de la manera más conveniente a Vyse. Estaba claro que era un destacado miembro de la Armada Británica que gozaba de gran reconocimiento en Inglaterra. Debía de evitar expresiones del tipo «es una orden» y similares. Además, no tenía ningún poder para retenerlo en Alejandría. Si no lo conseguía en los próximos diez minutos, ya sería tarde. El barco zarparía a su hora prevista y ni siquiera Sloane tenía poder para evitar eso. «Si no puedo obligarlo, ¿qué me queda?», pensaba a toda velocidad. «La única posibilidad que tengo es que parezca que la decisión de quedarse la ha tomado él. Pero, ¿cómo consigo eso?».

—Coronel Vyse —dijo Sloane—. Usted conoce incluso mejor que yo al coronel Campbell. Me di cuenta de que son amigos desde hace muchos años, incluso sus familias. En consecuencia, debe saber que no le pediría que permaneciera unos días más en Egipto si no fuera por un motivo realmente importante. ¿Recuerda el día que llegó a Egipto y nos vimos por primera vez?

—¿Adónde quiere llegar con su discurso? —Vyse no parecía ablandarse.

—A que veo en usted la misma cara que aquel día. Una persona apasionada por la cultura milenaria egipcia, pero no desde la perspectiva de un simple turista. De esos hay a montones y usted no pertenece a esa categoría.

—¿Sabe que el barco está a punto de partir? Por favor, vaya al grano si tiene algo que decir que no sepamos ya.

—Lo que pretendo decirle es que algo sorprendente ha sucedido en Guiza.

Al escuchar la palabra «Guiza», la actitud del coronel pareció cambiar ligeramente, como suponía Sloane.

—¿Caviglia ha hecho algún descubrimiento?

—Coronel, no estoy autorizado a contárselo aquí, gritándonos a pleno pulmón. Quizá si descendiera del barco sería más sencillo hablar de forma reservada.

—¿Por qué tengo que hacerlo? Caviglia ya me dejó muy claro que mi presencia no era bienvenida en Guiza. Si ha hecho algún descubrimiento, por fabuloso que sea, ya me enteraré cuando llegue a Londres.

—No se trata de eso.

Sloane no tenía ni idea de lo que le estaba contando a Vyse. Tan solo pretendía que descendiera del barco para seguir con alguna historia inventada y que el navío zarpara sin él.

—Entonces, ¿por qué ha nombrado a Guiza?

—Le necesitan. Sin usted no pueden continuar con el gran descubrimiento.

Sloane continuaba con su estrategia. Esperaba que la frase «lo necesitan» le ayudara a tomar la decisión por sí mismo y no por una orden del coronel Campbell.

—¿Para qué? ¿No será otro de esos «asuntos discretos» del coronel? —gritó Vyse.

Sloane no tenía ni idea a qué se refería con esa expresión, pero decidió seguirle el juego.

—Precisamente por esa discreción le ruego que descienda del barco. Comprenda que este tipo de asuntos no se pueden tratar a gritos. Nos está escuchando medio puerto. Si no le interesa lo que le voy a contar, pues se vuelve a subir al navío y asunto concluido.

Vyse no se fiaba de Sloane ni un pelo, pero no solo por lo que estaba escuchando ahora. Desde el primer día que lo conoció tuvo la impresión de que su extrema amabilidad era impostada. De todas maneras, debía de reconocer que Sloane había mencionado la única palabra que podía abrir una brecha en su determinación.

Guiza.

—Está bien. Ahora desciendo del barco —dijo, mientras se encaminaba a la pasarela, bajaba por ella y se aproximaba a Sloane.

—Tiene exactamente cinco minutos —le dijo, cuando llegó a su altura.

—Como comprenderá, a mí no me dan una completa información acerca de los «asuntos discretos» del consulado.

Tan solo me facilitan la información estrictamente necesaria para cumplir con la labor que me asignan.

—Cuatro minutos —le respondió Vyse, impávido.

—Están a las puertas de un gran hallazgo en Guiza.

—Eso ya lo había supuesto, pero, como le había dicho, no es cosa mía sino de ese engreído pavo real de Caviglia. ¿No quería la gloria? ¡Pues toda para él!

—No pueden seguir sin usted —Sloane seguía improvisando como podía.

—¿Por qué? ¿Qué se lo impide? Caviglia tiene todas las bendiciones del pachá.

—Esa información no me la han facilitado, pero debe tratarse de algo de proporciones colosales.

—Tres minutos y aún no me ha dicho nada.

A Sloane ya no se le ocurría nada más. Él no era arqueólogo y no se podía inventar datos concretos de algún sorprendente hallazgo porque Vyse descubriría su falsedad de inmediato.

«Me parece que tendré que recurrir al "plan B"», pensó contrariado. El coronel Campbell le había dado instrucciones muy precisas. Debía convencerlo sin llegar a ese extremo, ya que las consecuencias de hacerlo serían imprevisibles, pero a Sloane ya no le quedaban más argumentos.

Muy a su pesar, se echó la mano a uno de los bolsillos de su chaqueta y extrajo un sobre doblado.

—Tome —le dijo, entregándoselo.

—¿Qué es esto?

—Una nota personal del coronel Campbell. No me pregunte qué es lo que contiene porque no estoy informado. Es solo para sus ojos.

—Faltan tan solo dos minutos para que regrese al barco. Espero que todo esto tenga algún interés y que no me haya hecho desperdiciar mis últimos minutos en Egipto con tonterías.

Sloane hizo un gesto con los hombros en señal de indiferencia. Era cierto que desconocía el contenido de esa nota hasta el punto que no tenía ni idea de si tenía algo que ver con Guiza o no. Eso se lo había inventado el propio Sloane. Lo más probable es que se tratara de cualquier otro asunto. Lo que tenía claro es que el coronel Campbell no le podría reprochar nada, ya que lo había intentado todo, pero la determinación de Vyse de regresar a Londres parecía muy firme.

Vyse rasgó el sobre, extrajo la nota y leyó su contenido. Para sorpresa de Sloane, se le quedó mirando como si fuera un extraño. Tuvo la impresión de que su mirada le atravesaba e iba mucho más allá de él.

Pasaron unos segundos y Vyse parecía no reaccionar.

«Un minuto», pensó Sloane.

No hizo falta ni ese minuto. De repente, Vyse volvió en sí y salió corriendo en dirección a la pasarela. Apenas quedaba tiempo para que el navío zarpara.

Se subió al barco sin mirar atrás.

21 EN LA ACTUALIDAD, DUBLÍN, IRLANDA, 14 DE OCTUBRE

—¡Oye! ¿Qué haces? —preguntó Carlota, espantada—. Deja de forzar la reja de este solar en construcción. Yo también necesito ir al baño después de la cerveza que hemos bebido, pero me aguantaré hasta llegar a tu casa.

Rebeca no le hizo el más mínimo caso. Carlota continuó regañándola.

—Claro, como ahora te codeas con los malotes en ese *pub* tan raro que frecuentas, te crees con derecho a entrar a mear en la obra esta. Me puedo imaginar hasta que lo has hecho anteriormente con ellos.

—Deja de decir bobadas y mira hacia arriba —le respondió Rebeca, con una sonrisa burlona.

—¡No puede ser! —exclamó Carlota de inmediato—. ¿Ese no es el símbolo de *Willy Wonka*, con las dos W formadas por el chocolate que cae de los cuencos?

Willy Wonka era un personaje de ficción de la novela del escritor británico Roald Dahl llamada *«Charlie y la fábrica de chocolate»*.

Rebeca asintió con la cabeza.

—Me acuerdo de esa película. La vi de pequeña y creo recordar que el protagonista era Johnny Depp —dijo Carlota.

—¡Bah! Depp siempre sobreactúa. La mejor película es la original, la que protagonizó el inolvidable Gene Wilder en el siglo pasado.

—Esa no la he visto, pero... ¡espera! ¿Qué narices hacemos hablando de cine mientras intentas forzar la puerta de una obra?

—Intento no, ya está abierta. Puedes pasar.

—Entra tú si te urge tanto. Yo esperaré a llegar a tu casa.

—Bienvenida —Rebeca estaba haciendo todo lo posible para no reírse.

Carlota se quedó mirando fijamente a su hermana y no se le pasó por alto su rostro burlón. Por un momento se le cruzó una idea alocada por la cabeza.

—No —dijo.

—Sí.

Carlota se echó las manos a la cabeza.

—¡Por todos los santos! De todos los lugares posibles que estaba pensando para tu definición de «casa», jamás se me habría ocurrido este. ¿Vives en un solar en construcción?

Rebeca ignoró la pregunta de su hermana, mientras volvía a cerrar la reja.

Carlota no daba crédito. Desvió la mirada de su hermana hacia el frente y se quedó observando en silencio un par de segundos. No le cabía ninguna duda. Eso era exactamente lo que veía. Unas viejas rejas que daban acceso a un solar abandonado. Sin embargo, ahora advirtió un detalle nuevo. En uno de los pilares que sujetaban las rejas, había un cartel oficial con el escudo del ayuntamiento de Dublín. *«Important notice. This is a derelict site (within the meaning of the Derelict Sites Act 1990)»*. Estaba fechado el 6 de mayo de 2014 y, por su antigüedad, apenas se leía. A pesar de ello, estaba muy claro lo que indicaba el cartel. El ayuntamiento lo declaraba como abandonado, de acuerdo con esa normativa de 1990 que, por supuesto, desconocía.

—Rebeca, ¿de verdad que no necesitas ayuda? Ya sé que la experiencia que pasaste fue muy traumática, pero no es necesario que te fustigues más.

—Entra —se limitó a decir Rebeca.

Su hermana la obedeció. Se quedó mirando a su alrededor. Efectivamente, aquello era una obra y era evidente que estaba abandonada.

—Sígueme —le ordenó Rebeca, mientras empezaba a caminar por el solar.

—Creo que ya es oficial: no estás bien de la cabeza. ¿Sabes que las últimas cuatro veces que te has dirigido a mí lo has hecho con monosílabos?

—No.

—¡Cinco!

—Ese número tiene muy mala rima, no me provoques —le respondió Rebeca, sonriendo—. Anda, deja de incordiarme y entremos de una vez.

Carlota no se había dado cuenta de que habían llegado frente a una especie de pequeña nave.

—Esto parece un almacén de productos de construcción en desuso.

—¡Por fin has acertado una cosa esta noche! ¡Enhorabuena!

—Pero esto es inhabitable, por no decir insalubre e indigno de ti.

—Eres una impertinente, si jugamos con la letra «i».

—¡Y tú eres imposible! —exclamó, mientras ambas hermanas se echaban a reír.

A pesar de que se llevaban muy bien, Carlota era la más extravagante de las dos con mucha diferencia. Era ella la que solía sorprender a la gente con sus locas excentricidades, pero esta vez debía de reconocer que se estaba viendo desbordada y no le gustaba. «Carlota tan solo hay una», le gustaba pensar. «No quiero clones».

Rebeca manipuló un teclado numérico, que era lo más moderno que había visto Carlota desde hacía horas, e inmediatamente se oyó el chasquido característico de la apertura de una puerta.

—De nuevo, bienvenida a mi casa —dijo Rebeca, simulando una pequeña reverencia.

Carlota no daba crédito.

—¿En serio? Con todo el dinero que tienes te podrías haber comprado el hotel de Dublín que te hubiera dado la gana y vivir en una suite de lujo con *jacuzzi* en la terraza.

—¿Para qué quiero un *jacuzzi* y una terraza? Eso ya lo tenía en mi ático de Valencia, ¿no lo recuerdas? Además, preferí comprarme el parque de *Willy Wonka*. ¿Sabes que *Willy Wonka & the Chocolate Factory* fue la primera película que vi en mi vida? No había cumplido ni cinco años y recuerdo que salí del cine pensando que, algún día, sería dueña de esa fabulosa fábrica. Nunca pensé que mi sueño se convertiría en realidad.

—Rebeca, ¡pero si esto es un puñetero solar abandonado! ¿No lo ves?

Rebeca no parecía afectada por las palabras de su hermana. Ahora, sus ojos reflejaban algo de magia.

—¿Sabes? Hace unos cuantos años, la ciudad de Dublín decidió remodelar la zona de los *Docklands*, el antiguo puerto y sus naves industriales y pesqueras, que se encontraban en muy mal estado de conservación. Antes era una zona sucia y oscura, sin embargo, ahora la han convertido, en su práctica totalidad, en una zona vibrante y muy cotizada.

—Pues se debieron olvidar de este trozo.

—No, no lo hicieron, y aquí viene lo verdaderamente curioso. En estos terrenos proyectaron construir una especie de parque temático inspirado en *«Charlie y la fábrica de chocolate»* y en las películas de *Willy Wonka*. Llegaron a desarrollar el proyecto, pero el ayuntamiento de Dublín se encontró con muchas trabas legales debido a las constantes disputas por la titularidad de los terrenos. No todos eran de propiedad pública y ello generó sus batallas en los tribunales. El proyecto original del parque se inició hacia el año 2005. Con todos los retrasos que hubo se llegó hasta 2008 y, aunque nosotros éramos entonces unas simples niñas, ya sabrás lo que sucedió en ese año.

—Lo de niñas te lo admito, pero lo de simples no. Ya sabes, antes muertas que sencillas.

—¡Venga! No te disperses. ¿Qué sucedió en 2008? —le recriminó Rebeca, aunque no pudo evitar que se le escapara una tímida sonrisa. Conocía de sobra a su hermana.

—Supongo que te refieres a la gran crisis mundial iniciada en Estados Unidos por la caída del gigante *Lehman Brothers*, ¿no? El gran terremoto económico de principios del siglo XXI.

—Exacto. El impacto en todo el mundo fue brutal, pero Irlanda fue golpeada con especial dureza e incluso llegó a ser intervenida por la Unión Europea. Se presentaron en la isla los temidos «hombres de negro» y finiquitaron muchos proyectos. Algunos de ellos ya estaban iniciados, como este parque, aunque en una fase muy inicial.

«¡Y tan inicial!», pensó Carlota con maldad, mirando a su alrededor.

—En el momento de cancelarlo, tan solo se había redactado el proyecto arquitectónico, se habían confeccionado los planos y comenzado los trabajos preliminares sobre el terreno. Aunque hubo algún intento posterior de recuperar el proyecto cuando Irlanda salió del pozo económico, bajo el nombre de *Chocolate Factory Park*, jamás culminaron en nada.

—Sí, ya lo veo —Carlota continuaba en modo sarcástico.

—Pues resulta que estos terrenos acabaron en manos de un fondo de inversión de nombre muy pomposo. Les hice una oferta y la aceptaron. Ahora soy la dueña de la fábrica de chocolate de *Willy Wonka*. ¿Qué te parece? ¿Te imaginabas que viviría en el mismo lugar que soñé cuando tenía cuatro años?

Carlota alucinaba.

—No. Siento bajarte de la novena nube y ser yo la que te lo diga. Vives en un cochambroso solar y una pequeña nave industrial que se cae en pedazos. Además, con un cartel del ayuntamiento en la puerta, avisando de que se trata de un lugar abandonado.

—Incrédula.

—Infantil.

No pudieron evitar reírse de nuevo y se abrazaron. Carlota era una persona muy afectuosa y no perdía la ocasión de demostrarlo, pero también poseía una mente analítica.

—En serio, Rebeca, no puedes estar viviendo aquí. ¿Y ese aviso legal del ayuntamiento en la puerta? Podría venir la policía y desalojarte.

—¿Cómo me van a desalojar de una propiedad mía? El cartelito ese ya estaba colgado cuando lo compré, pero decidí no quitarlo para ahuyentar a posibles curiosos. Tengo toda la documentación en regla, no soy estúpida.

—Si tú lo dices…

—Anda, no seas aguafiestas. ¿Recuerdas que te había prometido una sorpresa?

—¡Ah! Pero ¿no era esto?

—No del todo.

—¿Qué quieres decir con «no del todo»? —le preguntó Carlota, intrigada, Después de todas las extravagancias de la noche, ya no sabía qué esperar más—. ¿Me tengo que preocupar?

—Todo a su debido tiempo, hermanita.

22 ANTIGUO EGIPTO, AFUERAS DE MENFIS

—¡Lo sabía! —exclamó Nefer, que era el único de toda la familia capaz de hablar.

Sobek, a pesar de su revelación, no esperaba esa reacción de verdadero temor en la familia de Nefer.

—Siento haberos disturbado. No era mi intención —Sobek sentía la necesidad de disculparse—. No pensaba que el lugar donde trabajo fuera a causaros tanto disgusto.

—No es disgusto —se atrevió a hablar el padre de Nefer—. Comprenderá que nos está prohibido hablar con usted. Pertenece a una clase social muy diferente a la nuestra.

—Tan solo os he dicho que trabajo en el Templo de Neith, nada más. Lo hace mucha gente en diferentes empleos de rangos desiguales. Por otra parte, debéis saber que, a pesar de que es cierto que existen ciertas restricciones de trato entre los moradores del templo y vosotros, si soy yo el que inicia la conversación, en ese caso, estáis autorizados para contestarme. Es más, estáis obligados.

—Esto no es una conversación —el padre continuaba temeroso—. Está comiendo en nuestra casa.

—Es lo mismo, por eso antes hice hincapié en que era yo el que se lo había pedido a vuestro hijo. No tenéis nada que temer. Aunque descubrieran mi visita, que no lo harán, nada os pasaría. La ley está de vuestra parte.

Después de escuchar a Sobek, la familia pareció relajarse un poco, pero solo porque no serían llevados presos. Seguían en presencia de un morador de un templo y aquello les resultaba inconcebible.

—Anda, vamos a sentarnos todos y continuemos comiendo, que se enfría y es una lástima, porque este guisado con verduras está muy sabroso.

Todos hicieron caso a Sobek de forma automática, como si se tratara de una orden.

Durante los primeros instantes nadie se atrevía a hablar. El primero que se lanzó fue Nefer.

—Si no le importa, ¿puedo seguir tratándote de tú? Se me hace extraño hablarle de usted.

—¡Por supuesto! No solo tú, sino también el resto de la familia —le respondió Sobek con una sonrisa.

—Lo siento, pero no podemos hacer eso. Ya es bastante que estemos sentados en la misma mesa con usted.

—No es una sugerencia ¡Es una orden! —exclamó Sobek.

El padre de Nefer empequeñeció y tan solo deseaba ocultarse debajo de la mesa. Para su sorpresa, escuchó a su hijo y a aquella refinada persona reírse a pleno pulmón.

—Era broma, por si no lo habéis notado —aclaró Sobek—. El único que parece haberme entendido es Nefer. ¿Cómo os voy a dar órdenes en vuestra propia casa? Aquí mandáis vosotros.

El padre de Nefer no sabía qué pensar. Lo único que se le ocurrió es que su empleo en el templo fuera de un rango menor y, a pesar de sus refinadas maneras, sus clases sociales no estuvieran tan distantes entre sí, pero no se atrevía a formular esa pregunta.

Pero para eso estaba su hijo, que no conocía la vergüenza. O el miedo.

—Ya que has confirmado mis sospechas y has sido franco con nosotros —comenzó a decir Nefer, dirigiéndose a Sobek—, te voy a hacer la pregunta que todos desearían formularte pero que nadie se atreve a hacerla.

—Adelante —dijo Sobek, divertido.

—Sabes que el primer día que nos encontramos te pregunté acerca de tu procedencia. Tu forma de vestir era la típica de los moradores de palacios y templos, nada que ver con el *shenti* usado que llevas ahora, por no hablar que vas descalzo.

Sobek volvió a sonreír, pero esta vez pensando en la cara de extrañeza que habían puesto en el templo cuando les pidió esa prenda, pero no una nueva de lino sino una usada y confeccionada con tela de junco del Nilo. No se podía ni imaginar cómo la habrían conseguido en apenas unas horas.

—Sí, claro que lo recuerdo.

—Estabas triste y no me contestaste. Te limitaste a señalar un punto en el horizonte, hacia Menfis. Cuando miré en esa dirección se veían multitud de edificaciones, pero la primera construcción que destacaba era el Templo de Neith. Ya me imaginé que trabajarías allí. Entonces no sabía que tenías veinte años. Te echaba diecisiete o dieciocho, pero ya recuerdo que pensé que podrías ser el hijo de un sacerdote. Te confieso que me asusté. Nunca había estado en presencia de una persona de esa posición social.

—¿Sabes? —Sobek continuaba divertido, para espanto del resto de la familia—. Iba a decir que eres un niño muy perspicaz, pero con trece años ya no debería llamarte niño y menos a ti. Me di perfecta cuenta de tu turbación, pero ya sabes que mi mente estaba en otro lugar.

—Allá va la pregunta —continuó Nefer—. ¿Era cierta mi intuición inicial? ¿Eres el hijo de un sacerdote del templo?

El padre, aunque desearía estar bien oculto debajo de la mesa, no pudo evitar intervenir.

—¡Nefer! ¿Cómo te atreves a hacer semejante pregunta?

—No te preocupes, con su natural curiosidad la estaba esperando. No me importa responderla —intentó tranquilizarlo Sobek—. ¿Así que pensaste eso? —dijo, ahora dirigiéndose a Nefer—. Es gracioso, pero, no, no soy el hijo de un sacerdote.

—Entonces, ¿eres un sacerdote? Con veinte años podrías serlo —siguió preguntando Nefer.

La familia hizo amago de volver a levantarse de la mesa. El padre de Nefer, el más culto de la familia, intentaba recordar algún precedente de un sacerdote comiendo en la casa de unos campesinos de Menfis. No logró recordar ninguno. El gesto de terror regresó. Sobek se dio cuenta y alzó una de sus manos en señal de tranquilidad.

—No comencemos otra vez. No tenéis ningún motivo para tenerme miedo. Me considero amigo de Nefer, ¿no os vale con eso?

—Depende de su respuesta —el padre contestó sin pensarlo. Se arrepintió de inmediato.

—Pues no debería. Soy la misma persona que ha entrado hace una hora por la puerta de vuestra casa. Estoy muy honrado de que hayáis permitido compartir vuestros alimentos conmigo. Y eso es independiente de la respuesta que le vaya a dar a Nefer. Él se limita a preguntar porque es un joven muy curioso y valiente, dos cualidades que admiro mucho. La curiosidad es el motor de la humanidad y el futuro será de los valientes.

—Ya sé que hablas muy bien, pero te cuesta mucho responder simples preguntas —Nefer era el único de los presentes que ya no sentía temor hacia Sobek.

—Tienes razón —le respondió, riéndose de nuevo—. Allá va mi contestación. Mi empleo consiste en ser el sumo sacerdote del Templo de la Diosa Neith en Menfis. ¡Y que no se vuelva a levantar nadie de la mesa!

Ni aunque hubieran querido.

Parecía que no les circulaba la sangre por las venas, incluido esta vez a Nefer. Nadie se podía haber imaginado esa respuesta.

—Ahora, ¿podemos seguir comiendo y hablando? —continuó Sobek.

Nada. Sin reacción alguna.

Sobek intentó ponerse en la posición de aquellos campesinos. Supuso que en su vida habrían visto a un sumo sacerdote. Era consciente de que tan solo salían del templo para cuestiones propias de su condición, como celebraciones y algunos cultos. Dudaba mucho que ninguno de su clase hubiera hablado de forma directa con cualquier persona ajena al templo, al faraón y su familia. Y ahora él estaba sentado en la mesa de aquellas humildes personas aparentando normalidad. En realidad, no sabía si su reacción era porque no le creían o justo por lo contrario. Intentó aclarar las cosas y relajar el ambiente, en la medida de lo posible.

—No he mentido. Hace dos meses el faraón Khafre me nombró para este cargo, pese a mi juventud. Poco después, como ya sabréis, falleció. Mi corazón se partió. Por eso salí del templo y, sin darme apenas cuenta, me encontré en la ribera del Nilo. Ese fue el día que me tropecé con Nefer. No esperaba ver a nadie por allí y tan solo pretendía llorar a solas.

—Eso lo recuerdo —ahora Nefer pareció reaccionar—. Me lo contaste aquel día, por supuesto sin decirme quién eras tú o el ser querido por el que estabas triste.

—Pues ahora ya lo sabes.

—Disculpe mi atrevimiento, Su Alteza, pero ¿qué hace un sumo sacerdote sentado a nuestra mesa? —el padre de Nefer también pareció reaccionar.

Sobek sonrió de nuevo.

—Por favor, no me llaméis así. No soy Su Alteza. Ese tratamiento se reserva para los faraones, sus esposas y su descendencia, los príncipes de Egipto. Yo no entro en ninguna de esas categorías. Además, al margen de mi cargo actual, hace tan solo un año era un simple estudiante en un colegio sacerdotal alejado de Menfis. De repente, me comunicaron que me cambiaba de colegio, pero para mi sorpresa, no se trataba de otro sacerdotal. A eso ya estaba acostumbrado. Era el colegio privado que el difunto faraón Khafre tiene en Menfis.

—Jamás había oído hablar de semejante colegio —intervino el padre, que cada vez parecía más relajado por la cercanía que estaba demostrando Sobek—, pero tampoco es extraño que no lo conozca. Ya hace tiempo que dejé de trabajar en el Palacio Real del faraón. Parece que fue ayer, pero ya han pasado dieciséis años.

—Yo tampoco lo conocía, pero lo que más me extrañó era que no se trataba de un colegio sacerdotal. Durante toda mi vida había recorrido multitud de colegios por todo Egipto, pero todos eran sacerdotales, especializados en diferentes disciplinas, como la teología o la astronomía, por poner un ejemplo. Para mí, era algo completamente nuevo, que me fascinó. Algunas enseñanzas de este colegio eran las mismas que ya había aprendido, pero desde un enfoque completamente diferente. Otras materias me eran ajenas por completo, pero me resultaron apasionantes. De hecho, después de mi nombramiento como sumo sacerdote, aún sigo asistiendo a esta escuela, cuando mis responsabilidades me lo permiten.

—¿Por qué nos estás contando todo esto a nosotros? —le preguntó Nefer—. Pertenecemos a círculos muy diferentes.

—Estaba intentando responder a la pregunta que me había formulado tu padre, pero me temo que me he extendido demasiado con explicaciones innecesarias acerca de mi vida, que supongo que no os importará.

—Su relato ha sido fascinante —el padre de Nefer intentaba ganar tiempo, porque no recordaba a qué pregunta se refería Sobek.

Le vino a la mente casi al mismo tiempo que el sacerdote la respondía.

—El motivo de mi presencia en vuestra casa es muy simple. Quería conocer a la familia de Nefer.

—¿Por qué? ¿Qué te pueden importar ellos? —preguntó Nefer, sorprendido por esa extraña respuesta.

Sobek se lo explicó.

El temor regresó a todos los presentes.

Lo desconocido suele asustar a las personas, pero una vez se ha hecho frente a lo desconocido, ese terror se convierte en lo conocido.

23 PUERTO DE ALEJANDRÍA, EGIPTO, 25 DE OCTUBRE DE 1836

Mr. Sloane estaba completamente aturdido. La reacción de Howard Vyse le había pillado desprevenido, no por retornar al barco, eso entraba dentro de lo posible, sino por las formas. Consideraba que no hacía falta salir corriendo de esa manera.

¿O sí?

Lo que observó a continuación le dejó con la boca abierta. El propio Vyse estaba vociferando en la cubierta del barco. Sloane no podía entender qué estaba diciendo, pero, por sus gestos, debía de tratarse de algo importante. De repente, pudo distinguir quién era el destinatario de los gritos.

Aún se sorprendió más.

La Armada Británica había intentado, desde el siglo XVIII, crear un censo de los marinos mercantes para que, en caso de necesidad por un conflicto armado, pudieran requerir de sus servicios. El inmenso poder de la marina mercante británica, por su importancia en su comercio con las colonias británicas en la India y el Lejano Oriente, siempre lo había impedido. «Hasta el año pasado», pensó Sloane. Efectivamente, en 1835 se vieron obligados a ceder ante la pujanza de la *Royal Navy*. En consecuencia, todos los capitanes mercantes británicos estaban censados y esta información estaba en poder de los consulados donde existiera un puerto, como era el caso de Alejandría. El cónsul y el vicecónsul estaban obligados a memorizar esta información, para poder actuar con urgencia en caso de necesidad.

«¿Qué hace el capitán James Wilson a bordo de ese mercante? Que yo recuerde, no es el que comanda de forma habitual», pensó de inmediato Sloane.

De todas maneras, lo que le tenía verdaderamente desconcertado era que James Wilson era considerado uno de los capitanes mercantes más prestigiosos. «¿Cómo tolera que Vyse le esté reprendiendo de esa manera tan tosca? A bordo de su navío, el capitán tiene plenos poderes y nadie osa a hablarle así, y todavía menos a Wilson».

Bueno, estaba claro que nadie no.

«¿Qué diablos estoy presenciando?», pensaba Sloane.

Pronto lo comprendió.

Para su sorpresa, el capitán estaba asintiendo con la cabeza, sin responder a los gritos de Vyse. Sloane miró el reloj situado en la torre principal del puerto. «Hace cinco minutos que el barco debió haber zarpado», se dijo.

«¡Claro! ¡Qué idiota he sido!», pensó, cuando cayó en la cuenta.

En ese momento, dos mozos del barco estaban descargando cuatro voluminosas maletas y una de menor tamaño. Sloane ya las había reconocido. Era el equipaje de Vyse. Ahora tenía todo claro. Había decidido quedarse en Egipto y lo que había presenciado era una discusión con el capitán para que retrasara la hora de partida de su buque y le permitiera desembarcar.

Sloane acudió de inmediato a la pasarela del barco.

—¡Mr. Vyse! —exclamó—. Me alegro de que haya reconsiderado su decisión.

—¡Ni una sola palabra! —le respondió de malos modos.

Sloane supuso que estaría enfadado con él, ya que le había intentado retener en Egipto con subterfugios y mentiras. Sin duda, lo que le había hecho cambiar bruscamente de decisión fue lo que leyó en la nota del coronel Campbell.

—La embarcación está preparada. Tenemos la fortuna de que sopla el *khamsin*, lo que acortará considerablemente la duración de nuestro viaje. Por si no lo sabe, el *khamsin* es un viento egipcio equivalente a nuestro *siroco*, es decir, viento del sur. Vendrá de maravilla para las velas de la faluca.

Vyse se le quedó mirando con cara de asesino. Sloane cayó en la cuenta.

—Claro, usted ya sabrá todo eso. Me había olvidado por un momento que es coronel de la Armada Británica. Lo lamento de verdad.

—Aún lo lamentará más si vuelvo a escuchar su voz en todo el viaje —le respondió secamente.

«Bueno, parece que va a ser una travesía tranquila», pensó Sloane.

Lo que no se podía quitar de la cabeza era la nota del coronel Campbell. «Para provocar esa súbita reacción de Vyse, su contenido debía de ser de suma importancia», pensó.

Desde luego que lo era.

Más que eso.

24 ANTIGUO EGIPTO, AFUERAS DE MENFIS

—¿Es cierto lo que acabamos de escuchar?

—Por supuesto. ¿Para qué os iba a mentir en una cosa así?

Sobek les acababa de explicar que, todos los años, el faraón escoge a veinte niños o jóvenes del pueblo llano y les otorga una plaza en su colegio personal de Menfis, con el objeto de alfabetizarlos. Tener la suerte de ser elegido significaba mucho, ya que, de entrada, una vez concluida su formación, podían acceder a oficios vedados para la clase humilde. Uno de los más deseados era el de escriba al servicio de cualquier miembro de la realeza o autoridad civil de los *nomos* o provincias. Era un enorme salto de clase social que, de otra manera, era imposible de lograr.

—¿Por qué hace eso el faraón? No es que me atreva a dudar de su palabra ni mucho menos, pero en mis numerosos años de trabajo en las cocinas del palacio real, jamás había oído hablar de nada parecido a eso. Es cierto que a nosotros nos dieron algo de cultura en una especie de escuela, pero no nos alfabetizaron —dijo el padre, que seguía receloso.

—Es de reciente creación. De hecho, la escuela lleva el nombre de la esposa favorita de su fundador *«Colegio Reina Khamerernebty»*. Se dice que lo creo tras seguir un consejo del oráculo de Ra.

—¿Qué es un oráculo? —preguntó Nefer.

—Es una pregunta compleja para alguien no iniciado —le dijo Sobek—. Para que me entiendas, un oráculo es una respuesta de los dioses a una pregunta de una persona terrenal. Como las personas no se pueden comunicar de forma directa con los dioses, lo hacen a través de determinados sacerdotes de algunos templos. Existen diferentes oráculos en templos muy concretos y conocidos, pero el más respetado es el de Ra, el Dios de la creación. En el caso del faraón Khafre, se dice que, tras dos años de malas cosechas, acudió al templo de Ra para consultarle al oráculo qué podía hacer por su pueblo. La respuesta le sorprendió. Le dijo que creara esa escuela para dar oportunidades a la gente de clase humilde de prosperar socialmente. Tengo entendido que lleva funcionando unos quince años más o menos y que de ella han salido grandes médicos, astrónomos e incluso algún escriba real, que son posiciones de muy alto rango en la jerarquía social de Egipto.

—¿Es el mismo colegio al que tú asistes en la actualidad? —Nefer continuaba con su enorme curiosidad.

—Sí, así es.

El padre no daba crédito.

—¿Un sumo sacerdote del Templo de Neith se puede sentar al lado de un humilde pescador, por ejemplo?

—Yo lo hago. Es cierto que el colegio tiene diferentes secciones, pero no distinguen entre clases sociales, sino entre las materias que se imparten.

—¿Cuál es el proceso de selección? —Nefer seguía.

—Eso depende de la voluntad del rey. Ya sabéis que este año la elección corresponderá por primera vez al nuevo faraón Baka. Nadie sabe cómo lo hará.

—¿Y de verdad puedes incluir mi nombre en esa lista?

—Ya os he contado que ese era el verdadero motivo de mi visita a vuestra casa. Por mi cargo debo relacionarme a menudo con el faraón, así que no veo ningún inconveniente en sugerirle tu nombre, siempre que toda la familia esté de acuerdo.

El padre continuaba sin tener las cosas nada claras.

—¿Y qué explicación le darás para sugerirle el nombre de Nefer? Ya sabes que somos unos humildes campesinos. ¿Qué relación podría tener usted con nosotros?

—Al faraón no puedo mentirle. Le contaría lo sucedido en la realidad y le hablaría de las excepcionales cualidades de Nefer.

Ahora, la cara del padre pareció cambiar.

—Entonces se descubrirá su estancia en nuestra casa. El faraón lo podría considerar como algo sacrílego. ¡Un sumo sacerdote comiendo en la misma mesa que unos campesinos!

—Es cierto, pero esa no es la cuestión—. Ahora Sobek se dirigió a Nefer—. Lo importante es, ¿quieres estar en esa lista de candidatos?

«Se ha zafado muy hábilmente de responder a mi pregunta», pensó el padre, con cierta preocupación.

Nefer se giró hacia su familia antes de contestar. Estaban todos aterrados.

—¿Qué consecuencias podría tener para todos nosotros si no soy elegido? —Nefer se preocupaba por los suyos.

—¿Sabes cuántas personas hay cada año en esa lista? Unos trescientos niños y jóvenes de todo Egipto. Eso significa que 280 son rechazados. Tan solo veinte consiguen el sueño de su vida. ¿Y qué les ocurre a los 280 restantes? Pues me imagino que seguirán su vida como lo hacían hasta entonces.

—¿Y qué consecuencias tendría el ser elegido?

Sobek se quedó un instante en silencio.

—Se nota que eres un joven muy perspicaz. Haces las preguntas adecuadas. Sí, tienes razón. El ser elegido también comportaría consecuencias en tu relación con tu familia, no te lo puedo negar.

—¿Qué quieres decir?

—Tu padre te lo podría contar, supongo. Todas las personas que, de una forma u otra, entran en el Palacio Real, son automáticamente separadas de sus familias. En unos casos, como el de tu padre, por servicios al faraón y en otros, como podría ser el tuyo en caso de ser elegido, porque dejarías de ser para siempre un campesino y un pescador. Ya no podrías relacionarte con ellos porque pertenecerías a otra clase social.

—¿Para siempre? Mi padre, después de prestar sus servicios en el palacio, le fueron otorgadas tierras, fundó una familia y vivimos como campesinos felices —Nefer no podía creer lo que estaba escuchando.

—El caso de tu padre no es el mismo que el tuyo. Él estaba prestando sus servicios en el Palacio Real como sirviente. Jamás abandonó su clase social humilde, aunque disfrutara de ciertos privilegios. Cuando concluyó su etapa en el palacio, simplemente retornó a sus orígenes. Tu caso no sería el mismo. Tú abandonarías tu clase social en el mismo momento de ser aceptado en el *«Colegio Reina Khamerernebty»*. Te relacionarías con destacados miembros de la sociedad egipcia y ese es un camino sin vuelta atrás.

—¿Cómo de destacados?

—Asisten desde campesinos como tú hasta príncipes de Egipto y sacerdotes. En caso de ser elegido, no te permitirían abandonar el Palacio Real durante tu formación y después te habrán formado en algún empleo al servicio de nobles o incluso de algún miembro de la familia real. ¿Comprendes el motivo de que sea un viaje tan solo de ida?

Nefer tenía un nudo en la garganta. Su madre se puso a llorar.

—Eso es muy duro —acertó a responder.

—Sé que las consecuencias serían muy tristes para la familia, pero ahora no estamos decidiendo eso. Tan solo te estoy preguntando sí querrías estar en esa lista de candidatos, nada más.

—¿Me puedo negar? —preguntó Nefer, intentando disimular una lágrima que intentaba resbalar por su mejilla.

—No, no lo harás —intervino el padre con voz muy firme. Había logrado mantener la compostura y ahora hacía gala de una seguridad impensable hacía unos pocos minutos.

—Pero padre, ¿no has oído al sumo sacerdote? ¡No nos volveríamos a ver jamás!

—Nefer, hijo mío. Me he pasado la vida trabajando de sol a sol. Mis primeros años en el palacio también fueron duros. ¿Y qué he conseguido en la vida? Sí, tengo una familia maravillosa, pero a la que no soy capaz de alimentar en algunas ocasiones. Ya sabes que tu madre está embarazada y pronto la familia aumentará. Tampoco tengo los recursos para poder pagar a un médico que quizá pudiera curar la enfermedad de tu hermano. Te aseguro que cada noche se me parte el corazón. Me gustaría que pudieras tener una vida diferente a la mía.

Nefer no se pudo aguantar y acudió a abrazarse con toda su familia.

—Tu padre tiene razón —dijo su madre—. Debes de intentarlo. Te hemos dado todo lo que hemos sido capaces, pero te voy a confesar una cosa que jamás te había contado. Siempre he sabido que estabas destinado a metas más altas.

—Yo no aspiro a nada. Tan solo quiero estar con vosotros —Nefer ya no hacía nada por esconder su llanto.

—Lamento interrumpir este momento tan emotivo, pero debo de ser completamente sincero en dos cuestiones —intervino Sobek, con un tono de voz solemne. Estaba claro que, fuera lo que fuese a decir, sería importante.

Todos se giraron hacia el sumo sacerdote, pero sin dejar de estar abrazados.

—La primera cuestión es buena —dijo, dirigiéndose de forma particular a Nefer—. Que no puedas volver con tu familia no significa que no la puedas ayudar económicamente. Si eres de los elegidos y después de completar tu formación tienes la fortuna añadida de conseguir un empleo importante, ganarás lo suficiente como para llevar una vida de lujos y que tu familia no pase más penurias. ¡Ah! Y también podrías llevar a tu hermano mayor al mejor médico de Menfis.

Los cinco se miraron. Desde luego debían de reconocer que no habían pensado en ese detalle. Eso les podría dar la vida. A pesar de ello, Nefer seguía sin ver las cosas claras.

—¿Y cuál es la segunda cuestión? —le preguntó a Sobek—. Me temo que ahora viene la trampa. Nada puede ser tan bonito.

—Se trata de la pregunta que no me ha contestado antes, ¿verdad? —intervino el padre.

—Me temo que así es. A pesar de que tengo una relación muy cordial con el faraón Baka, es nuevo y todavía no conocemos cuál será su posición en determinados asuntos.

Todos seguían expectantes.

—Baka no es una persona joven, más bien al contrario. Se ha rodeado de un consejo de sabios de su misma edad, en su mayoría ancianos.

—No lo comprendo —dijo Nefer.

—Tu padre me ha preguntado hace un momento cuál sería la consecuencia que se podría derivar para tu familia cuando el faraón se entere que he estado en vuestra casa, comiendo con vosotros en la misma mesa. Tengo que ser completamente sincero con vosotros. Lo más probable es que, al haber partido de mí la iniciativa, no sucediera nada. Esas eran las reglas con el difunto faraón Khafre, pero ahora reina en Egipto su sobrino Baka. La cuestión es que no os puedo garantizar de una forma concluyente que no pudiera haber algún tipo de represalias. Estoy completamente seguro de que, si Nefer fuera uno de los escogidos, no sucedería nada, ya que Baka lo seleccionaría conociendo las circunstancias. Pero en el caso de no ser elegido, existe una remota posibilidad de que no sea así.

Ahora, toda la familia comprendió qué quería decirles Sobek.

—Lo siento, Sobek. Te agradezco desde lo más profundo de mi corazón tu interés por mí, pero no puedo aceptar con semejante riesgo. La mera posibilidad de que le sucediera cualquier cosa a mi familia convertiría mi futura vida, fuera cual fuese mi posición social, en una constante pesadilla en el inframundo —exclamó Nefer, que se notaba que estaba emocionado.

—¡Sí que lo harás! —exclamó el padre, para sobresalto de Nefer y sorpresa del resto de la familia—. Estoy seguro de que triunfarás. Como tu madre te ha dicho, los dos sabíamos que estabas destinado a metas más altas. Además, piensa que eso también supondría la vida para nosotros.

—Sé que tus palabras buscan reconfortarme, pero piensa que tan solo son veinte plazas frente a trescientos candidatos. Existen muchas más probabilidades de quedar fuera y eso podría suponer vuestra muerte.

Nefer bajó la mirada, pero el resto de la familia no lo hizo.

—Todos juntos, ¡muerte o vida! —gritó el padre con orgullo.

—¡Muerte o vida! —respondió el resto de la familia, para congojo de Nefer, que no sabía dónde esconderse.

25 EN LA ACTUALIDAD, DUBLÍN, IRLANDA, 14 DE OCTUBRE

A Carlota no le salían las palabras. Aquello superaba cualquier cosa que se hubiera podido imaginar.

—¿Qué te parece? —dijo Rebeca, mostrando un orgullo impropio de su carácter.

—Que esta sí que es una verdadera sorpresa —acertó a responder Carlota, que parecía hipnotizada.

Rebeca sonrió de una manera algo enigmática y Carlota lo advirtió, aunque no fue capaz de comprender su significado. «Supongo que será su minuto de gloria y lo estará disfrutando a mi costa», pensó.

—¡No has contestado a mi pregunta! ¿Qué te parece?

—Que definitivamente estás chiflada.

—¡Vamos!

—Todo lo que veo, ¿es de verdad? —Carlota seguía pasmada.

—Depende de lo que entiendas por vedad. Si te refieres a que es la fábrica de chocolate de *Willy Wonka*, por supuesto.

Carlota tenía ante sus ojos lo que parecía una réplica exacta de la fábrica de chocolate, con toda su maquinaria incluida. Parecía que se encontraba en un perfecto estado de conservación y estaba todo muy limpio, pese a su antigüedad.

—Y luego dicen que soy yo la rarita. ¿De dónde has sacado todo esto?

—Ahí está la gracia. No lo he sacado de ningún sitio. Esta es la fábrica original.

Carlota se quedó mirando a su hermana. Por un momento le había parecido lúcida, pero estaba claro que había sido un espejismo.

—Rebeca, siento ser yo la que te lo diga, pero la fábrica de chocolate era parte de la ficción del libro y de las películas. Jamás existió en la realidad. *Willy Wonka* es un personaje de ficción.

—No lo es —le respondió seria. Subió una pequeña escalera hacia lo que parecía una vieja librería, rebuscó entre sus estantes y tomó un libro. Se lo mostró a su hermana—. Aquí tienes la prueba definitiva.

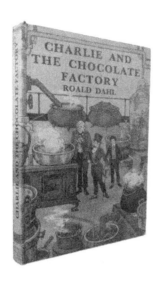

Carlota lo sujetó entre sus manos y lo abrió.

—¡Es el libro original! ¡La primera edición inglesa del año 1964! —exclamó, sorprendida.

—Te lo había dicho. Ahí describe con detalle el interior de la fábrica de chocolate. Como verás, la tienes enfrente de tus ojos.

—¡Por Dios, Rebeca! Hasta ahora la extravagante de las dos era yo, pero reconozco que me has superado. Con esto no puedo.

—¿Te gusta?

—Tengo que admitir que parece un museo en perfecto estado de conservación. ¿En serio vives aquí?

—Sí, claro, ya te lo he repetido varias veces.

—Pues yo también te voy a repetir una pregunta. ¿Cómo has sido capaz de construir todo esto? ¿De dónde lo has sacado?

—Y yo te vuelvo a contestar lo mismo. No lo he sacado de ningún sitio porque ya estaba aquí.

—¿Qué quieres decir con eso?

—Como ya te había contado hace un rato, el ayuntamiento de Dublín, en un principio, decidió crear un parque temático en esta zona. Un año después modificaron el proyecto para convertirlo en un espacio al aire libre y lo renombraron *Chocolate Factory Park*, ya sin referencias a *Willy Wonka*. Pero resulta que ya habían comprado gran parte de la maquinaria tal y como aparece descrita en el libro y en la primera película. Al abandonar el proyecto original, almacenaron todo lo que tienes enfrente de tus ojos en este viejo edificio, que es una de las antiguas naves portuarias del año mil ochocientos y pico. Yo me limité a poner cada cosa en su sitio y a mantener todo en perfecto estado de conservación.

Carlota estaba desconcertada. Más bien alucinada.

—¿Pero funciona?

—¡No, mujer! —respondió Rebeca, riéndose de su hermana—. Se trata de una réplica exacta de la original, pero nunca ha estado en servicio. Su propósito no era ese. Pero, ¡a qué mola! Por lo menos te he dejado *ojiplática*.

—¡Qué alivio! Pensaba que te habías vuelto loca del todo. Afortunadamente, no es del todo, aunque no sabría decir en qué porcentaje.

Rebeca le dio un pequeño empujón cariñoso.

—¿De verdad pensabas que había perdido un tornillo? —le preguntó, mientras seguía sonriendo—. Pues no, no lo he hecho.

—Un tornillo no lo sé, pero quizá sí una tuerca —le respondió—. Aunque todo tenga una explicación más o menos coherente, no pretendas convencerme que vivir en una nave portuaria semiabandonada desde hace dos siglos, que en su interior alberga una fábrica de chocolate extraída de un libro de ficción de 1964, es algo que hace la gente corriente.

—¿Y tú? ¿Acaso te consideras corriente? No me decías hace un rato que «antes muerta que sencilla»

—¡No mes des palmas que me animo!

Ambas hermanas se volvieron a reír. Desde luego el calificativo de «gente corriente» era lo más alejado de la realidad para ellas dos, además desde su mismo nacimiento. Literal.

—Anda, vamos que te voy a enseñar mi pisito de soltera.

Aunque había un ascensor idéntico al descrito en el libro, subieron por unas escaleras hasta la parte superior de la nave. Desde allí se podía observar toda la maquinaria de la fábrica. Carlota tuvo que reconocer que, excentricidades aparte, el conjunto era muy bonito y se notaba que estaba cuidado. Entraron en lo que pretendía imitar la sala de control de la fábrica. También estaba muy lograda, pero, al fondo, ya reconoció los muebles propios de una casa. Anduvieron hasta aquella zona.

—Me dejas sin palabras. No vives como una pordiosera como tu ropa y tu aseo personal parecen indicar. Todo lo que veo es de muy buena calidad. Está claro que te has gastado una pequeña fortuna.

—¿Te refieres a mi atuendo de hoy? —le preguntó, sin abandonar esa sonrisa burlona que ya empezaba a preocupar a Carlota—. Me he puesto mis mejores galas para recibirte.

—¿No me digas que sabías hasta el día que iba a llegar?

La preocupación de Carlota subió varios niveles.

—¡Pues claro! Mi trabajo me costó, pero tenía que saber cuándo venías para estar preparada para la sorpresa.

De repente, Carlota salió corriendo. Había un gran armario ropero en un extremo de la habitación. Lo abrió y observó su contenido.

—¡Idiota! ¡Has hecho que pensara que te encontrabas mal a propósito! —le recriminó Carlota—. Tu vestuario tiene estilo y es de buena calidad, como en el que tenías en Valencia, si descontamos los dos modelos exclusivos de *Lorenzo Caprile* y el *Reem Acra*, que no los veo. Pero tampoco observo nada parecido a lo que llevas puesto ahora mismo. ¿De dónde demonios lo has sacado?

—¿Acaso importa?

Rebeca continuaba con una actitud algo misteriosa. Carlota comprendía que su hermana le había tomado el pelo desde el principio y que lo había conseguido. Eso no era nada sencillo. Carlota era brillante y siempre iba dos pasos por delante de los demás. Pero ahora se sentía como un pequeño bote a la deriva en medio de una gran tormenta llamada Rebeca.

—Veo que vives sola, aunque hay dos camas —observó Carlota—. ¿Has pillado a algún *palomo*?

—¡No cambiarás! —exclamó Rebeca—. Además, ya sabes lo que siempre he dicho. Teniendo chocolate, ¿para qué quiere una el sexo?

—¡Idiota! —exclamó de nuevo Carlota, volviéndose a reír.

Esa frase la repetía mucho Rebeca, pero ya le había demostrado en el pasado que era una simple pose. Eran gemelas y el instinto depredador lo llevaban en la sangre, probablemente heredado de su madre. Rebeca siempre lo negaba diciendo que Carlota era la hermana promiscua de las dos, pero eso no estaba tan claro.

—¿Para quién va a ser la cama? ¡Pues para ti! Ya te he repetido muchas veces que te estaba esperando.

Carlota se aproximó y observó con más detenimiento las dos camas.

—Está claro cuál es la tuya, pero la otra está usada y lleva aquí algún tiempo.

—No la compré ayer, si eso es lo que pretendes decirme.

—No, no es eso lo…

Rebeca la interrumpió.

—Bueno, ya basta de conversación. Deshaz tu maleta y cuelga la ropa en el armario. Aún se nos hará tarde.

—¿Tarde? ¿Para qué?

—Para la sorpresa. ¿Para qué iba a ser?

A Carlota le bastó observar a su hermana durante un segundo para saber que estaba hablando en serio.

—¿Pero la sorpresa no era todo esto? —preguntó de inmediato, para ganar tiempo e intentar deducir qué tramaba su hermana. No le gustaba no controlar lo que sucedía a su alrededor y ahora estaba desconcertada como nunca.

—No. Por decimoctava vez, lo que tú llamas «todo esto» es simplemente mi casa. La sorpresa es otra cosa.

26 ANTIGUO EGIPTO, PALACIO REAL, MENFIS

—Supongo que te estarás preguntando por qué te he hecho llamar ante mi presencia.

—No, el motivo lo sé. Sabía que requeriría mi presencia en el palacio, lo que desconozco es por qué ahora precisamente.

Khamerernebty, tan solo con la breve conversación que habían mantenido hacía unos días, ya se había dado cuenta de que aquella persona, pese a su juventud, era brillante.

—¿Cuál es el motivo por el que crees que te he llamado?

—Estoy aquí porque no sabe de quién fiarse. Recela de toda la gente que le rodea y eso hace que duerma mal. Si me permite el atrevimiento, sus ungüentos y pociones no pueden ocultar el agotamiento ni la preocupación.

La reina se le quedó mirando, intentando evitar que no se le notara la sorpresa por el breve pero contundente análisis del joven.

—¿Eso es todo?

—Alteza, llevo poco tiempo en la capital, pero me ha bastado para darme cuenta que todas las personas cercanas al faraón tienen ambiciones personales. Quieren mejorar su posición social. Algunos las esconden, pero la mayoría ni se preocupa de guardar las apariencias. En vida de su esposo, el faraón Khafre, eso no sucedía, pero todos sabemos que el nuevo faraón no tiene la misma personalidad. Con los máximos respetos a la figura de nuestro rey, todos sabemos que es más débil de carácter que Khafre. No pretendo ofender a Su Alteza Real, pero eso se nota. La gente que lo rodea también lo percibe y están al acecho. En cambio, yo acabo de llegar a Menfis. Soy el sumo sacerdote más joven de todo Egipto, además en un templo importante de la capital. Supongo que piensa que mis ambiciones, si es que las hubiera llegado a tener en algún momento, ya han sido colmadas sobradamente. En otras palabras, que no tengo motivos para conspirar en contra de nadie.

Khamerernebty no pudo evitar sonreír.

—Veo que no me he equivocado contigo.

Sobek permaneció en silencio. En presencia de una reina, según marcaba el protocolo, tan solo debía limitarse a responder cuando era preguntado, aunque Sobek no era mucho de protocolos.

—Has acertado de pleno con el motivo —continuó Khamerernebty—. En cuanto a tu duda de por qué te he hecho llamar ahora, es que tengo miedo.

Sobek se sorprendió, no por la respuesta en sí, sino por la sinceridad de la reina.

—¿Miedo usted? Es una de las personas con más influencia en todo Egipto. Era la *«Señora de las Dos Tierras»*, es decir, del Alto y Bajo Egipto en vida de su esposo, el faraón Khafre. Ahora ostenta el título de reina madre, Khamerernebty I. Todo Egipto la respeta.

—Sí, pero a pesar de eso, delante de mis propios ojos, personas que desconozco han conseguido burlarme. Siempre había pensado que la línea de sucesión de mi esposo estaba claramente establecida. El propio faraón Khafre no tuvo ningún reparo en vida en que se supiera su preferencia. Quería que el único hijo varón que tuvimos en común fuera su sucesor. Yo era la *«Gran Esposa del Rey»* y, en consecuencia, nuestro hijo estaba destinado a ser el próximo faraón. Pero no. Como bien sabes, las cosas no sucedieron así.

—Los procesos de elección del futuro faraón no se basan exclusivamente en las preferencias del difunto. Son más complejas y usted lo sabe. Los dioses deben hablar.

—¿Los dioses dices? Si hubieran sido ellos estaría tranquila, pero estoy convencida que no han tenido nada que ver en este caso.

—Alteza, yo soy un sacerdote. Los dioses siempre tienen que ver.

—¿Y quién los representa en la tierra? Al final, la decisión la toman personas de carne y hueso.

Sobek permaneció en silencio. Debía de reconocer que la reina Khamerernebty tenía toda la razón, pero no se podía permitir compartir esa opinión de forma pública.

—Supongo que los temas divinos son complicados para que puedas expresarte con libertad —dedujo Khamerernebty, ante el silencio del sacerdote.

—Ya sabe qué posición ocupo, además por designación de su difunto esposo. No debo traicionar la confianza que me otorgó para realizar mi labor. Los ritos, oraciones, ofrendas y celebraciones a los dioses ocupan casi todo mi tiempo.

—Sí, pero en la anterior reunión que mantuvimos, a pesar de todo lo que me acabas de contar, te atreviste a alertarme acerca de un compañero tuyo.

—Mi reina, la vi muy confundida y pensé que era mi obligación.

—Pues eso mismo te estoy pidiendo ahora. Dices que me ves agotada y preocupada. Yo te acabo de confesar que tengo miedo. ¿No quieres seguir ayudándome?

—Por supuesto, Su Alteza.

—Eso quería escuchar. Por eso te he convocado ante mi presencia con esta premura, que supongo que es lo que te ha sorprendido.

—Sí. Ya le he dicho que esperaba su llamada, pero no tan pronto. ¿Ha sucedido algo fuera de lo normal desde nuestra última reunión?

—Si te refieres a otras traiciones, no que yo sepa. Y ahí radica precisamente la raíz del problema, en la información. No me fio de lo que me cuenta mi círculo cercano de Menfis.

—Y hace bien —se atrevió a decir Sobek—. Ya sé que mi visión de la sociedad quizá sea un tanto pesimista debido a mi condición sacerdotal. Quizá tienda también a exagerar la parte negativa de las desmedidas ambiciones terrenales de ciertas personas.

—Aunque dudes, estoy segura de que tienes una visión mucho más objetiva que la mía. A fin de cuentas, los constantes halagos y agasajos hacia mi persona estoy segura de que nublan mi entendimiento. Ya no sé qué es verdad ni que es mentira.

—Si me permite el atrevimiento, quizá debería ampliar ese círculo cercano que me nombraba hace un momento.

—¿Qué quieres decir?

—Me pedía ayuda. Ahora se la estoy ofreciendo.

Khamerernebty permaneció en silencio, reflexionando acerca de las palabras que acababa de escuchar. Sobek, mientras tanto, había tomado una pluma y un papiro de la mesa donde estaban sentados. Se puso a escribir.

—Empiece por aquí —le dijo a la reina, mientras le entregaba el papiro.

Khamerernebty lo leyó y no pudo evitar sorprenderse. Levantó su mirada y la cruzó con Sobek.

—Me parece una auténtica locura. ¿Estás completamente seguro?

—De pocas cosas puede uno estar seguro, pero de lo que he escrito en esa nota sí.

Durante unos segundos retornó el silencio a la estancia. La reina había comprendido que Sobek debía conocer la leyenda de que el Palacio Real tenía ojos y oídos en las paredes, por lo que supuso que le había pasado la nota por escrito, en lugar de decírsela de viva voz.

—¿Cuándo? —le preguntó la reina.

—Ya.

—¿Tan urgente crees que es? — Khamerernebty estaba sorprendida por la rotunda respuesta de aquel joven. Y también preocupada.

—Mi oficio hace que sea una persona muy perceptiva. Toda mi vida me han educado para que así lo sea. A pesar de ello, no tiene por qué fiarse de mí intuición para ver la verdadera aura de las personas. Esa es una decisión que debe tomar usted.

Khamerernebty se quedó mirando a los ojos del sacerdote. De repente, hizo un gesto con su mano de manera muy discreta, pero Sobek pareció comprenderlo. Le estaba indicando que se desplazara con ella, en silencio. Salieron de la sala real de recepciones y entraron en una estancia más modesta. Parecía un almacén destinado al servicio del palacio.

Cuando se sintieron alejados de miradas indiscretas, ambos se abrazaron. Si alguien los había estado observando, su teatrillo les había salido de maravilla.

Aquel era el verdadero motivo de su encuentro.

27 EL CAIRO, EGIPTO, 30 DE OCTUBRE DE 1836

Howard Vyse se volvía a encontrar ante la puerta del despacho del cónsul general británico, el coronel Campbell. A diferencia de las anteriores ocasiones, entró sin llamar. No estaba de humor.

—¡Querido Howard! —escuchó exclamar al coronel—. Te iba a decir que pasaras, pero veo que lo has hecho por propia iniciativa. Anda, toma asiento y únete a la reunión. Te estábamos esperando.

El malhumor de Vyse se trasformó en un simple segundo en una monumental sorpresa.

—¿Qué hacen ellos aquí? —preguntó.

—Esperarte, como yo. Anda, toma una silla y siéntate.

Vyse dudó un momento, pero su curiosidad le pudo. Hizo caso al coronel.

—Ya me he enterado de que tu visita al Alto Egipto ha sido todo un éxito y que te has empapado de la cultura egipcia, tal y como pretendías. No sabes lo que me alegro.

—Sí, la verdad es que el viaje ha superado mis expectativas, y eso que eran altas.

—Bueno, cuando terminemos esta reunión, quiero que me cuentes todos los detalles. Me interesan mucho.

Vyse no comprendía nada, pero supuso que era una manera de romper el hielo.

—Es un placer volver a verle —dijo Mr. Caviglia.

—Pues tengo que confesarle que yo no esperaba volverlo a ver —le respondió Vyse de inmediato.

—Lo supongo, pero las cosas no son siempre lo que parecen.

Caviglia no había perdido la sonrisa desde que Vyse entrara en la habitación. Su actitud era muy amable y parecía genuina, lo que tenía despistado al propio Vyse.

—Nosotros llevamos juntos algunos días, aunque no hemos hablado demasiado ¿verdad coronel?

—No —respondió Vyse secamente—. ¿Qué hace usted aquí? Tampoco esperaba volver a verle, y menos en esta especie de reunión.

—Le respondo lo mismo que Mr. Caviglia. A veces las apariencias engañan.

Vyse no sabía qué más decir. Ya le había resultado una sorpresa encontrarse de nuevo con Caviglia, pero la presencia en el despacho de Sloane la comprendía aún menos.

—Bueno, parece que Mr. Caviglia tiene algo importante que comunicarnos —anunció Campbell.

—Así es, coronel. Como ya le había informado, he decidido renunciar con efectos inmediatos al contrato de exclusividad que me une con el pachá, para la excavación arqueológica en la zona de Guiza.

Vyse iba de sorpresa en sorpresa.

—¿Habla en serio? —la pregunta brotó de sus labios de forma automática.

—¿Por qué no lo iba a hacer?

—¿Quizá porque la última vez que nos vimos me prohibió que entrara en Guiza? Me dio la impresión de que estaba muy interesado en esa excavación y que no deseaba compartirla con nadie más. Incluso le hice una propuesta muy generosa que ni siquiera consideró.

—Han pasado ocho meses desde entonces. Las cosas cambian —le respondió.

—Mr. Caviglia me informó de su decisión hace apenas una semana —intervino Campbell, dirigiéndose a Vyse—. Sabía que estabas a punto de concluir tu viaje por el alto Egipto, pero desconocía la fecha exacta de tu regreso a Londres. Por eso tuve que enviar a toda prisa a Mr. Sloane en tu búsqueda. Veo que también estás disgustado con él. No se lo eches en cara, tan solo seguía instrucciones mías.

—No fue sincero conmigo en Alejandría. Ello causó una inoportuna e innecesaria discusión con un buen amigo mío, el capitán Wilson. Eso no se hace. Los caballeros siempre van de cara.

—Te repito que siguió mis órdenes. Si tienes que reprocharle algo, dirígete a mí, que soy el responsable.

Vyse estaba cansado de discutir. Además, como solía suceder, su curiosidad se acababa imponiendo.

—¿Qué hago yo aquí exactamente?

—¡Ese es el Howard que quería ver! —exclamó el coronel, que parecía más distendido—. Lo que sucede es una locura. Al hacerse pública la renuncia de Mr. Caviglia a la excavación en Guiza, he recibido multitud de peticiones de otros arqueólogos para continuarlas. Mi obligación es informar al pachá de las propuestas recibidas. Por eso precisamente estamos reunidos los cuatro en mi despacho.

—¿Para seleccionar una de las propuestas? —Vyse no daba crédito.

—¡No, hombre! —exclamó sonriendo el coronel—. Para ponernos de acuerdo y hacer nosotros nuestra propia propuesta.

—¡Pero si Mr. Caviglia ya disponía del permiso exclusivo y acaba de renunciar! Disculpa, Patrick, pero no entiendo nada. Sabes que soy una persona muy curiosa y te has valido de ello para atraerme de nuevo hasta El Cairo, pero también conoces que no me gusta perder el tiempo ni que trastoquen mis planes.

—Te aseguro que, si me dejas concluir mis explicaciones, lo comprenderás todo. En cuanto a Mr. Caviglia, él tenía sus motivos para renunciar al contrato con el pachá, pero eso no viene al caso ahora.

«¿Cómo que no viene al caso?», pensó Vyse de inmediato.

—Como ya conoces, tengo muy buena relación con el pachá. Al fin y al cabo, les ayudamos en el pasado a quitarse de encima a Napoleón y nos están muy agradecidos. Sé que, si le presentamos una propuesta razonable, es muy posible que resulte la elegida.

—Sigo sin comprender nada. ¿Quién hace la propuesta? ¿Mr. Caviglia? Perdona, pero me suena a chiste.

—No, Mr. Caviglia no la puede hacer por motivos obvios.

Vyse tampoco comprendía de qué «motivos obvios» hablaba Campbell, más allá de su renuncia al contrato. De todas maneras, no quiso interrumpir de nuevo al coronel, que continuó con su explicación.

—La propuesta la haría yo.

Vyse no lo vio venir.

—¿Tú? ¡Si eres el cónsul general británico! Además, ¿qué conocimientos tienes en arqueología o en egiptología en general?

—Por eso estamos aquí reunidos. Aunque hay otras importantes, nadie niega que la excavación en Guiza es la joya de Egipto. Hay que asegurarse de que el pachá seleccione nuestra propuesta. Si mi nombre la encabeza, creo que podremos firmar el contrato con facilidad y rapidez. Además, me he permitido hablar con su ministro Boghos Bey para sondearle. Es importante contar con su apoyo. Me ha confirmado que nos ayudaría en todo lo posible.

—Cuándo dices «nos», ¿a quién te refieres?

—Es evidente que Mr. Caviglia no puede formar parte del nuevo contrato cuando acaba de renunciar al que tenía. Así, mi querido Howard, ¿cuántas personas más ves en este despacho?

Vyse parecía escandalizado.

—¿Tú, Sloane y yo? —preguntó sin salir de su asombro.

—¿Ves algún inconveniente en ello?

—¿Alguno, dices? ¡Veo muchos! —ahora Vyse estaba enfadado y quería que se le notara—. Para empezar, llevo diez meses fuera de mi casa y creo que ya es hora de volver con mi familia en Londres. He aceptado tan solo retrasar mi vuelta unos días por el contenido de la nota que me entregó Sloane antes de embarcar.

Vyse no pasó por alto el gesto de silencio que le estaba haciendo Campbell. Supuso que era en referencia a esa nota. Con toda probabilidad, su contenido debía ser confidencial, pero ello no le iba a impedir seguir con su protesta.

—Conoces mi natural curiosidad y sabías que, en cuanto la leyera, viajaría hasta aquí. Pero eso no supone que quiera permanecer en Egipto más tiempo del estrictamente necesario para que me aclares ciertas cuestiones.

Campbell continuaba con esas muecas estúpidas.

—En definitiva, lo que quiero decir es que no acepto tu propuesta. Hace ocho meses lo hubiera hecho, pero como ha dicho Mr. Caviglia hace un momento, las cosas cambian con el tiempo.

Campbell no sabía cómo parar aquel torrente de reproches y enfado de su amigo. Decidió no darse por enterado.

—La propuesta que se le presentaría al pachá sería firmar un contrato mediante el cual financiaríamos las excavaciones en Guiza a partes iguales entre Mr. Sloane, tú y yo. Todos los hallazgos le pertenecerían al pachá, pero nos reservaríamos un derecho de compra sobre aquello que considerásemos más relevante. Podríamos sacarlo del país y venderlo o donarlo de forma legal a cualquier museo. Creo que mantienes excelentes relaciones con el actual *Principal Librarian* del *British Museum*. ¿Quién sabe lo que podríamos descubrir para ellos? Supongo que sir Henry Ellis estaría encantado de una cosa así. Por otro lado, piénsalo bien. Si no somos nosotros los que controlamos la excavación y sus hallazgos, estos pueden acabar en cualquier rincón del mundo, sobre todo en colecciones privadas y no serían expuestas al público en general para que las pudiera disfrutar. Sé que eso no es lo que te gustaría.

—No pretendas utilizar mi amistad con sir Henry Ellis. Eso es rastrero y no va a hacer cambiar mi opinión. Por otra parte, hay una cosa que me llama la atención y no entiendo. ¿Para qué demonios me necesitas? Con tu fortuna personal bastaría para financiar la operación durante varios años. ¿Y Mr. Sloane? ¿Qué pinta en este asunto? Supongo que también dispondrá del dinero suficiente como para hacer frente a esta aventura, pero, ¿cuál es su papel? Puedo comprender la presencia de Mr. Caviglia, ya que es un reputado egiptólogo y conoce muy bien la zona de Guiza, pero, ¿todo lo demás? ¿Qué me ocultas?

Campbell se dio cuenta de que no iba a convencer a su amigo, así que decidió que había llegado la hora.

—Por favor, caballeros —dijo el coronel, dirigiéndose a Caviglia y Sloane—, ¿me permiten un momento a solas con Mr. Vyse?

Ambos asintieron y abandonaron el despacho del coronel Campbell.

—¿Qué significa todo esto, Patrick? —le preguntó Vyse, nada más oyó cerrarse la puerta a sus espaldas.

—¿Comprendiste la nota que te envié?

—La he estado llamando nota por decir algo, pero creo que un sobre cerrado conteniendo un papel con una sola palabra escrita ni siquiera se podría llamar así.

—¿Pero comprendiste lo que quería decir con esa palabra?

—No, pero sabías que, en cuanto la leyera, vendría a El Cairo para preguntarte por ella. Ese era tu verdadero propósito. Toda una encerrona.

—Te equivocas —le respondió Campbell, bajando el tono de su voz—. Ha sucedido.

Vyse miró a los ojos de su amigo, ahora con un evidente interés.

—¿La tercera? —preguntó.

Campbell se limitó a asentir con la cabeza.

—¿Cuándo? —siguió Vyse.

—Hace una semana.

—¡Qué coincidencia! Es justo cuándo Caviglia renunció a su contrato —no pudo evitar exclamar Vyse.

—¿Coincidencia? —sonrío Campbell—. ¿No me digas que crees en las casualidades? No seas ingenuo.

Vyse no supo cómo interpretar el extraño gesto en el rostro del coronel, pero no le gustó.

—¿Comprendes ahora mejor toda la situación? Hay cosas que no te podía explicar antes —continuó Campbell—. Estamos a las puertas de algo muy grande y te necesito a mi lado más que nunca.

«La tercera», pensó Vyse.

Debía de reconocer que aquello lo cambiaba todo.

28 ANTIGUO EGIPTO, RIBERA DEL NILO, MENFIS

—¿Estás seguro de lo que haces?

—¿Qué pregunta más extraña es esa?

—He puesto mi vida y la de toda mi familia en tus manos. Me parece que merezco una respuesta.

Ahora, Sobek comprendió la extraña actitud de su amigo desde que se encontraran de nuevo en la ribera del Nilo. En lugar de mostrar su habitual alegría, ahora se mostraba taciturno.

—Nefer, te voy a contar una historia que creo que te ayudará. En los principios del mundo no existía la luz, tan solo había una enorme extensión de agua llamada *Num*. El poder de *Num* era tan extraordinario que hizo brotar una isla, que sirvió de soporte a Ra. El Dios Ra tenía el poder de hacer lo que quisiera, tanto que lo que él nombraba tomaba su forma y se volvía real. Así, un día Ra quiso crear el sol y dijo «*al amanecer me llamo Khepri, al mediodía Ra y al atardecer Atum*». Desde ese mismo momento, el sol apareció al amanecer, al mediodía iluminó la oscuridad y por la tarde descendió hasta ocultarse. Se sintió tan satisfecho que, al día siguiente nombró a *Shu*, y los vientos comenzaron a soplar. Continuó con *Tefnut* y las gotas de agua empezaron a caer desde el cielo. A pesar de todo ello, aún no estaba satisfecho, así que nombró a *Geb* y se formó la tierra. Entonces, se dio cuenta de que estaba muy solo y nombró a la Diosa *Nut* y el firmamento se arqueó sobre la tierra. Cuando quiso dotar a su creación de un rio, nombró a *Hapi*, que se convirtió en nuestro Nilo, fertilizando todo su valle. A partir de ese momento, Ra empezó a nombrar a todas las cosas que existen en nuestra tierra, y estas se hicieron visibles. No satisfecho con todo lo que había hecho, nombró a los hombres y a las mujeres y poblaron toda la tierra. También quiso tener una hija y nombró a *Sekhmet*. Pero todas esas personas necesitaban alguien que las guiara, así que se nombró a sí mismo y se convirtió en humano y fue el primer faraón de Egipto. Durante un tiempo todo pareció funcionar bien, pero, un día, los humanos, al ver que el que ellos consideraban un dios era una persona de carne y hueso, dejaron de respetarlo como antaño y se olvidaron seguir sus leyes. Ra, al darse cuenta, se enfadó mucho y convocó a todos los dioses que había creado. Allí estaban *Num, Shu, Tefnut, Geb* y *Nut y Sekhmet*. Todos ellos, al escuchar el mal comportamiento de los humanos, le aconsejaron a Ra que, igual que los había creado, que los destruyera. Ra decidió encomendar esa labor a su hija Sekhmet. La diosa desencadenó una furia cruel y enloquecedora persiguiendo y aniquilando a todos los humanos que se cruzaban en su camino. Los hombres huían despavoridos a ocultarse en cuevas, pero la diosa Sekhmet los perseguía hasta localizarlos a todos, asesinándolos y relamiéndose en su sangre. Cuando Sekhmet le contó a su padre Ra que había cumplido con su misión, sucedió una cosa imprevista. Ra se apiadó de los hombres y decidió terminar con la matanza. Mandó en secreto a mensajeros en busca de todo el ámbar que pudieran localizar. Después, ordenó preparar siete mil jarras de cerveza y mandó que mezclaran ambas sustancias. A la luz de la luna, la cerveza se tornó de un color rojizo. Mandó de nuevo a sus emisarios a verter toda la cerveza en el mismo lugar que se encontraba su hija Sekhmet. Cuando la diosa se preparó para salir de nuevo de cacería, vio la tierra empapada en color rojo. Como no había ningún humano cerca de allí, pensó que era sangre real y, contenta, volvió a relamerla mientras cantaba, bailaba y disfrutaba. Tanta fue la cantidad que ingirió que esa noche no pudo matar ni a un solo humano. Cuando Sekhmet retornó al día siguiente frente a su padre y le dijo que no había podido asesinar a nadie, el Dios Ra decidió cambiarle en nombre por el de Bastet. A partir de ese momento, la cruel Sekhmet se trasformó en la diosa Bastet, conocida por la dulzura, la pasión y el amor.

—¿Todo eso es cierto? —preguntó Nefer, que había escuchado toda la historia con mucha atención.

—Por supuesto. Lo que nos enseña esta historia es que ni siquiera el dios de la creación, nuestro amado Ra, estuvo seguro de sus actos cuando dio forma al universo que conocemos.

—Gracias por compartirla conmigo, pero si pretendías tranquilizarme, no lo has conseguido.

Sobek se le quedó mirando, sonriendo.

—¿Estás seguro de que mañana saldrá el sol?

—Sí, claro. De eso se ocupa el Dios Ra, ¿no?

—Pues confía conmigo igual que lo haces con él. Como en la historia que te acabo de narrar, no puedo estar seguro de nada, pero hago las cosas conforme me dicta mi conciencia.

Nefer se quedó pensativo. Tan solo tenía trece años y algunos conceptos divinos se escapaban a su entendimiento, pero una cosa tenía clara. Confiaba en Sobek, a pesar de que acababa de admitir que no estaba seguro.

—Lo haré —le respondió a Sobek.

—Me alegro de que confíes en mí, pero veo en tu rostro que no ha desaparecido la preocupación.

—¿Cómo quieres que lo haga? Has conseguido incluir mi nombre en esa lista de trescientos, pero tan solo veinte entrarán en el colegio del faraón. No pretendo sonar desagradecido ni mucho menos, pero tenemos que reconocer que las posibilidades son escasas. Es normal que esté preocupado, no por mí sino por mi familia.

—Tu actitud te honra y demuestra una vez más que no me he equivocado contigo.

—Están dispuestos a aceptar una posible muerte tan solo por verme prosperar en la sociedad. Sé que no lo hacen por ellos a pesar de las ventajas que podrían obtener. Siempre hemos sido una familia feliz con lo poco que tenemos y así seguiría siendo si nada de todo esto hubiera sucedido. Lo que te quiero explicar torpemente es que no tenían ninguna necesidad de asumir ese riesgo y, aun asi, lo han hecho. ¡Por mí!

—Te había entendido desde el principio. Tus padres han demostrado ser muy sabios. Aquellos que procuran el bienestar ajeno tienen asegurado el propio.

—Disculpa, no me acostumbro al hecho de que seas el sumo sacerdote del Templo de Neith. Parece que tienes respuestas para todo.

Sobek sonrió.

—Los sumos sacerdotes no lo sabemos todo, pero sí que nos enseñan a mirar más allá de las personas.

—¿No me digas que podéis leer la mente?

—¡Claro que no! —exclamó Sobek, cuya sonrisa se había trasformado en una tímida risa—. Por supuesto que no podemos leer la mente, pero a los aprendices de sacerdotes, durante todos los años de nuestra formación, nos enseñan a agudizar alguno de nuestros sentidos hasta límites que no te imaginas.

—¿Qué quieres decir con eso?

—Que somos muy perceptivos con lo que nos rodea. Es una cualidad que necesitamos para el desarrollo de nuestro trabajo. Piensa que tenemos que estar en contacto con los dioses y eso requiere el refuerzo de ciertas habilidades mentales.

—Perdona, pero sigo sin pillarte ni una sola palabra.

—En resumen, qué me estoy dando cuenta de que hay algo más profundo que te tiene inquieto y que no te atreves a compartir conmigo.

Nefer se sobresaltó de forma evidente.

—¿Estás seguro de que no puedes leer mi mente?

—No me hace falta tener ese poder para advertirlo. Me sobra con mirarte a los ojos.

—¿Fue casual nuestro primer encuentro? —le soltó Nefer, sacándose su preocupación de encima de forma abrupta.

—¿Es eso lo que te tiene preocupado? —le preguntó Sobek aparentando una falsa sorpresa. No dejaba de observarlo ni por un momento.

—Te confieso que sí. En un principio no me di cuenta de nada. Todo sucedió tan rápido que no le presté atención a los detalles. Ahora tengo una visión más amplia y no puedo evitar esa extraña sensación. Siento si te he ofendido con la pregunta —Nefer concluyó con una especie de excusa. No podía olvidar con quién estaba manteniendo esta conversación.

—Conmigo siempre puedes hablar en libertad. Olvídate que soy el sumo sacerdote de Neith. Por otra parte, tu pregunta demuestra una vez más que no me equivoco contigo. También eres muy perceptivo, pero de forma natural. Quizá tú no te des cuenta porque siempre has sido así, pero te aseguro que no es normal.

—¿Es eso un sí?

—No. En realidad, es un no, pero eso no importa. En este caso, lo significativo no es la respuesta sino la propia pregunta.

—Hoy hablas muy raro. Me cuesta entenderte.

—Te cuestionas situaciones que te resultan no naturales y te haces las preguntas adecuadas. Tienes tan solo trece años y una capacidad de análisis muy por encima de los niños o jóvenes de tu edad. Eso quería decir que es lo importante. Cuando seas mayor esa capacidad irá en aumento y te harás preguntas más relevantes. Solo entonces hallarás las respuestas que buscas.

Nefer se quedó pensativo por un momento.

—Comprendo lo que me quieres decir en relación con el presente —dijo Nefer, después de un pequeño silencio—. Me estás insinuando que tú también te hubieras preguntado lo mismo. Hasta ahí soy capaz de llegar. En cuanto al futuro, no quiero pensar en ello. Tengo sensaciones enfrentadas.

—No debes temer al futuro.

—Para ti es fácil decirlo. Con tan solo veinte años has alcanzado el sumo sacerdocio del segundo templo en importancia de la capital de Egipto. Estás en la cumbre de tu vida ¿Qué significado podría tener para ti el futuro? Ya lo estás viviendo. En cuanto a mí, tú lo has dicho. Tengo tan solo trece años y no sé qué ocurrirá con mi vida ni con la de mi familia dentro de un mes. Eso es el futuro para mí.

—Aunque ahora quizá no lo comprendas, yo no estoy viviendo mi futuro, aunque puedo entender lo que dices. El futuro siempre viene detrás de nosotros, acechándonos con sus incertidumbres. Aunque a veces tiendan a confundirse, hay que saber distinguir entre el significado de las incertidumbres que nos rodean y el propio miedo. Siempre he pensado que el futuro será de los valientes.

—Los valientes también son los primeros que mueren.

—¿Te das cuenta? —sonrió Sobek—. Estamos manteniendo una conversación de adultos y tú no lo eres todavía.

—Tú estás intentando mantener esa conversación. A mí me cuesta seguir tus pensamientos.

—No. Comprendes mejor las cosas de lo que tú mismo te crees.

Nefer hizo un gesto de indiferencia con sus hombros.

—Lo que tú digas. Si no lo quieres llamar miedo, pues te diré que estoy cagado con las incertidumbres del futuro.

Sobek no pudo evitar reírse.

—¡Bah! —exclamó Nefer—. Veo que no voy a sacar nada en claro de todo esto, pero gracias por responder con sinceridad a mi pregunta. Tenía una extraña sensación contigo.

Sobek no había dejado de observarlo desde el principio de la conversación. Nefer no le había defraudado ni un ápice. «Me temo que hoy no he sido sincero del todo contigo, pero dentro de poco lo comprenderás todo», se dijo Sobek, que no había perdido esa pequeña sonrisa.

Nefer también estaba muy atento a los detalles y, esta vez, pareció ser él el que le leyera la mente a Sobek. «Bueno, supongo que ya me enteraré de lo que sucede cuando llegue el momento adecuado», pensó, a su vez.

29 EL CAIRO, EGIPTO, 10 DE NOVIEMBRE DE 1836

—Llevo diez días en El Cairo y no te has dignado ni a citarme, después de la reunión que mantuvimos el mismo día que llegué.

—Veo que no te hace falta una cita para que acudas a mi despacho.

—Como comprenderás, el otro día me dejaste con un montón de interrogantes en la cabeza. Con todo el tiempo libre, he estado pensando mucho acerca de ellos y hay una pregunta fundamental que no deja de rondarme la cabeza.

—Venga, lánzala.

—¿Por qué yo?

El coronel Campbell se permitió una tímida sonrisa.

—Te voy a confesar una cosa y no quiero que salga de este despacho. La respuesta a tu pregunta es que, para la tarea que tenemos por delante, no me fio de nadie más.

Howard Vyse se sorprendió.

—No te comprendo. Como ya te dije, con tu patrimonio personal te bastaba para organizar esta expedición arqueológica, pero propones que firmemos un contrato conmigo y con un extraño como Mr. Sloane.

—Mr. Sloane no es un extraño.

—¿Qué quieres decir?

—Veo que también te ha engañado a ti —le respondió Campbell, manteniendo esa ligera sonrisa—. Mr. Sloane no es lo que aparenta ser. Su fachada oculta mucho más.

—¿A qué te refieres?

—Su puesto de vicecónsul en Alejandría es una mera tapadera. Ya habrás observado que siempre parece estar en el centro de todas las cosas. Ese es su verdadero trabajo.

Vyse volvió a sorprenderse.

—¿Está al tanto del «asunto discreto»?

—Creo que no, pero no lo podría asegurar. En cualquier caso, nosotros no se lo vamos a decir. Volviendo a tu pregunta original, Mr. Sloane formará parte del contrato con el pachá por «sugerencia» de nuestro gobierno. No ha sido una decisión personal mía.

—Pero ¿sabe algo de arqueología o de egiptología?

—Te contesto lo mismo que antes. Creo que no, pero tampoco lo podría asegurar. De todas maneras, él no estará al cargo de nada. Aunque, como firmante del contrato, tendrá sus privilegios, ni siquiera se establecerá en Guiza de forma permanente.

Vyse aprovechó que el coronel se lo había puesto fácil.

—¿Cómo se organizará la expedición? Después de diez días aún estoy a oscuras.

—Es algo en lo que llevo pensando bastante tiempo. Sabía que, tarde o temprano, acabaría descubriéndose el asunto que nos ocupa, por lo que debía de estar preparado para ese momento. Gracias a dios que no habías abandonado Egipto. Por un pelo.

—¿Me estás insinuando que pretendes que dirija la excavación? Aunque poseo amplios conocimientos de egiptología, todos son teóricos. Jamás he hecho labor de campo.

—No, Caviglia seguirá al frente de la excavación.

—¡Pero si acaba de renunciar! No soy idiota y de la conversación que mantuvimos hace diez días, una de las pocas cosas claras que deduje es que, de una manera u otra, tú eras el responsable de la renuncia de Caviglia a su contrato con el pachá. ¿Y ahora me dices que continuará al frente de la excavación?

—Es el que mejor conoce la zona, eso no lo podemos negar. Pero existe un matiz importante. Él seguirá «de una forma técnica» al frente de la excavación, pero tú supervisarás todos sus trabajos y le darás las consignas que consideres necesarias. Ya te he dicho que tan solo me fio al cien por cien de ti. A pesar de ello, no estarás solo. He conformado el mejor equipo del que se puede disponer en El Cairo ahora mismo. Todos ellos te ayudarán en lo que necesites y estarán bajo tus instrucciones directas, no de Caviglia. Mr. Hill, al que ya conoces, estará a tu lado y te asesorará en las dudas que te pudieran surgir. También te acompañarán dos de mis mejores hombres como supervisores y capataces de las excavaciones.

—¿La mano de obra está asegurada? Me pareció entender que era uno de los principales quebraderos de cabeza de Caviglia.

—En el contrato que he propuesto al Mohammad Alí Pachá de Egipto queda muy clara esa materia. Se compromete de manera personal a enviarnos hombres en edad de trabajar. La idea es no tener que depender tanto de los jefes locales como pasaba con Caviglia, ya que no se toman interés y, en numerosas ocasiones, envían a mujeres y niños que sirven para bien poco en las labores más pesadas de las excavaciones. De todas maneras, en Egipto, siempre hay problemas con el personal. Está mal que yo lo diga porque soy el cónsul general británico en el país, pero, sin pretender generalizar, los egipcios suelen ser unos vagos que no tienen ningún interés en trabajar y menos en Guiza. Tendrás que aprender a lidiar con esas situaciones.

—Quizá su desidia se deba a que es un trabajo duro y no se les ofrezca el suficiente dinero.

El coronel Campbell sonrió.

—Supongo que siempre se les puede pagar más, pero te aseguro que ese no es el problema principal. De hecho, quizá en lugar de resolver un problema, te crees uno nuevo.

—¿A qué te refieres?

—No es infrecuente que los hombres jóvenes, que son la mano de obra que más nos interesa, en cuanto cobran, no aparezcan a trabajar hasta que se han gastado todo el dinero. Si les ofreces un sueldo más elevado, me temo que tardarán más tiempo en regresar.

—Yo no soy egipcio y, en consecuencia, no pienso supervisar la excavación con criterios egipcios, sino británicos. Las personas que falten sin justificación a cualquier jornada de trabajo, no los quiero en Guiza. Si el pachá no nos puede garantizar mano de obra estable y responsable, ese contrato que le has propuesto no servirá de nada.

—¿Mano de obra estable y responsable? —rio Campbell—. ¿Pero dónde te crees que estás? ¿En Londres? En Egipto eso no te lo puede garantizar ni el pachá ni su dios. Hay que aprender a convivir con lo que hay.

—Pues no lo entiendo. El pachá debería ser el primer interesado en que la excavación obtuviera resultados, ya que todo lo hallado le pertenecerá y, si queremos quedarnos con alguna pieza, deberemos acordar un precio. Además, él no arriesga ni un solo penique con la operación, ya que nosotros corremos con todos los gastos. En consecuencia, en cuanto más rápido se progrese, mejor para él también.

El coronel Campbell se levantó de su sillón y se sentó junto a Vyse, en una de las sillas de invitados. Apoyó su mano en una de sus rodillas.

—Mira, Howard. El concepto de «tiempo» difiere mucho entre el mundo occidental y el oriental. Vienes de un prolongado viaje por el Alto Egipto y supongo que algo habrás notado. Los egipcios jamás han tenido prisa por nada. Sus ciclos vitales vienen marcados por la crecida del Nilo, que siempre se produce en las mismas fechas, por ello ese concepto les es ajeno. Los que no viven en los asentamientos a la ribera del Nilo son nómadas del desierto y allí se vive a otro ritmo. ¿Te crees que les importa el tiempo? Así ha sido durante miles de años y ahora lo llevan en su sangre. Forma parte de su carácter forjado generación tras generación. En consecuencia, jamás le pidas a un egipcio que se dé prisa en algo porque, con total seguridad, conseguirás justo el efecto contrario o que desconfíe de ti, y no sé cuál de las dos cosas es peor. Te aseguro que pueden llegar a ser muy violentos.

—¿Acaso me estás preparando para una estancia prolongada en Guiza?

—No pretendía darte esa impresión, pero nada se puede descartar. Es posible que todo vaya sobre ruedas y logremos nuestro objetivo con rapidez, pero también lo es que suframos más retrasos de los deseados. Tan solo quería que supieras a qué te vas a enfrentar. La mentalidad británica está bien, pero aquí tiene una utilidad práctica digamos un tanto limitada, por emplear una expresión suave.

Vyse asintió con la cabeza. Como buen militar le gustaba planificar las cosas con antelación, pero comprendió que quizá debería ser más flexible en el futuro.

—Cuéntame más acerca de la expedición que has planificado. Si me voy a meter en esta aventura, quiero saberlo todo. No deben existir secretos entre nosotros.

—Claro. De la mano de obra ya hemos hablado. En cuanto a su número, dependerá de las necesidades que tengamos en cada momento, pero no nos faltará. En cuanto al organigrama general, tú, como supervisor, estarás al frente. Caviglia será el director técnico y, como tal, se encargará de dirigir la mano de obra en las excavaciones. Tú tendrás un equipo propio, encabezado por Mr. Hill y por los dos capataces que te asignaré. También tendrás a tu disposición a Mr. Sloane, aunque no a jornada completa. No sé en qué te podrá ayudar, pero supongo que ya lo averiguarás. Por último, he logrado convencer a un joven británico llamado Perring para que se una a la excavación. Ese será tu equipo asesor inicial. Todos ellos responderán ante ti y no ante Caviglia. Si te hace falta más personal no tienes más que pedirlo.

—¿Perring? ¿No se referirá a John Shae Perring?

—Sí. ¿Lo conoces?

—No personalmente, pero he oído algo acerca de él. Parece que es un prometedor ingeniero y egiptólogo. Desconocía que estuviera en Egipto.

—Ni yo hasta hace unos días. Afortunadamente, vino a visitarme al consulado y le convencí para que se uniera al equipo. A pesar de su juventud, tendrá poco más de veintidós años, me causó muy buena impresión. Te vendrá bien tener un ingeniero a tu lado. En cuanto al equipo de seguridad, estará al frente alguien a quien ya conoces, mi *janissary* Selim. Como verás, me desprendo de mis mejores hombres y te los cedo para el éxito de nuestra misión.

—¿Un equipo de seguridad? ¿Para qué es necesario?

Campbell sonrió.

—Se nota que no tienes experiencia en excavaciones en Egipto. Para empezar, la mayoría del pueblo nos ve como extraños y se limitan a tolerarnos. En su gran parte son ignorantes que no saben ni lo que tienen a su alrededor. Ese grupo no nos supone ningún problema. Los que incorporemos en Guiza trabajarán por dinero, cumplirán con más o menos empeño las funciones que se les encomienden y volverán por las noches con sus familias. Pero no todos son así. Ten en cuenta que el contrabando de antigüedades todavía supone una importante fuente de ingresos para algunos desalmados. A pesar de que empleamos todos nuestros medios para impedirlo, es como ponerle puertas al mar, en este caso al desierto.

—¿Estás queriendo decir que es posible que nos roben hallazgos? —preguntó Vyse, que ni se lo había planteado.

—¡Y tanto! —le respondió el coronel—. Y lo peor no es eso. Mucha gente está dispuesta a matar por ello. Por eso, dividiremos nuestro asentamiento en Guiza en cuatro zonas claramente diferenciadas y separadas entre sí. La primera será para la mano de obra que venga de poblados lejanos y no pueda regresar por las noches a su casa. La segunda tendrá algunos lujos más y será para Mr. Hill y Mr. Perring, junto a todo el personal cualificado que contratemos, como los *janissary* que consigamos de aldeas cercanas o los supervisores y capataces de las obras. No nos interesa que compartan espacio con el resto del personal. La tercera zona será para almacenar las antigüedades que vayáis encontrando y la cuarta estará reservada para los directores y socios de la expedición, en este caso Mr. Caviglia, Mr. Sloane, tú y yo. Estas dos últimas zonas estarán vigiladas de forma permanente por el *janissary* Selim y sus hombres armados y nadie podrá entrar sin su control.

—¿En serio son necesarias todas estas medidas? Pensaba que la logística de una excavación convencional consistía en un pequeño asentamiento de tiendas de campaña y ya está.

—Estamos hablando de Guiza. Es un insulto llamarla «excavación convencional». Toda medida de protección es poca y espero no haberme quedado corto.

—Hasta nos proteges a nosotros creando una zona separada. Nos alejas incluso del personal cercano a ti, como Hill, Perring o los miembros de tu propio consulado. ¿Por qué?

Campbell hizo un gesto con la cabeza que Vyse no supo interpretar.

—Esto no debería contártelo, pero como habíamos quedado que no tendríamos secretos entre nosotros, lo voy a compartir. Eso sí, ni palabra a nadie. Y cuando digo a nadie, quiero decir a nadie. ¿Lo entiendes?

—Sí —respondió un extrañado Vyse.

—Hace tiempo que sospecho que existe una red organizada de tráfico de antigüedades.

—Bueno, me acabas de contar que eso es algo usual en Egipto.

—Sí, pero lo que no es usual es que opere con apoyos desde este mismo consulado.

—¿Tienes un topo? —preguntó sorprendido Vyse.

—Más bien una madriguera al completo. En otras circunstancias le daría menos importancia. Al fin y al cabo, el dinero es un poderoso aliciente para cualquiera, británicos incluidos. Pero esta excavación es diferente a todas las demás.

—Supongo que por el «asunto discreto» —murmuró Vyse.

«Si solo fuera por eso...», pensó el coronel Campbell.

—¿Cuándo iniciaremos la expedición? —preguntó Vyse, viendo la preocupación reflejada en el rostro de su amigo.

—Comenzó hace una semana.

—¿Qué?

—Ya te lo explicaré.

—No, lo vas a hacer ahora —Vyse estaba entre asombrado y enfadado a partes iguales.

Campbell se lo dijo.

—¿En serio? ¿Caviglia? —preguntó Vyse, que ahora estaba sorprendido.

—¿Quién mejor que él? —le respondió el coronel con una calma impropia de la situación.

—Entonces, presumo que tenemos el contrato con el pachá firmado y ha aceptado los términos de nuestro acuerdo.

—Aún no.

—¿No? —preguntó un incrédulo Vyse, que era un carrusel de emociones—. Entonces, se supone que no podemos...

—Mañana mismo partirás a Guiza. Ya está todo preparado —le interrumpió el coronel.

—¿Y cuándo pensabas decírmelo? También tengo que hacer mis arreglos.

—No te preocupes por eso, ya están hechos.

Vyse se quedó mirando fijamente al coronel Campbell.

«¿Qué está sucediendo aquí? Hay algo importante que se me escapa», pensó Vyse de inmediato, pero no acertaba a deducirlo. En apenas un minuto había pasado de la incredulidad y el enfado hasta la preocupación, con paradas en el asombro y la sorpresa.

«No está mal, teniendo en cuenta que aún no he comenzado a trabajar», se dijo Vyse, intentando darse unos ánimos que no tenía.

Desde luego se esperaba un comienzo diferente y eso que aún no sabía casi nada.

30 ANTIGUO EGIPTO, PALACIO REAL, MENFIS

—Su Alteza, supongo que si he vuelto a ser convocado al Palacio Real es que hay novedades.

—Sí.

—¿Procedió cómo le indiqué en la nota que le dejé?

—Sí.

—Si me lo permite, ¿cuál ha sido el resultado?

—Sorprendente.

—Interesante.

La reina Khamerernebty había citado al sumo sacerdote de Neith. En esta ocasión, estaban manteniendo esta escueta conversación en una de las despensas del Palacio Real, lejos de miradas indiscretas.

—¿Por qué dices que es interesante mi respuesta?

—Por dos cosas. La primera es evidente, le dije que debía de actuar ya y me ha hecho caso. La segunda es que me acaba de decir que sus gestiones han sido sorprendentes. Me alegro de que el resultado de ello haya sido satisfactorio para usted.

Khamerernebty pareció asombrase.

—¿Cómo sabes que lo ha sido? No creo habértelo dicho.

—Sí que lo ha hecho. Sé que no confiaba en él y, en consecuencia, era una de las últimas personas a las que hubiera acudido en busca de ayuda. Si no es por mi nota, dudo mucho que jamás se hubiera puesto en contacto con él. Si el resultado de todo ello ha sido sorprendente para usted, eso es que ha sucedido lo contrario a lo que esperaba. Eso es bueno.

Khamerernebty se quedó mirando a aquel joven.

—Creo que debes ser más comedido —le dijo—. Estas demostraciones de sabiduría no son muy bien recibidas por algunas personas en Menfis.

—Pero por usted sí, que es lo que me importa. Necesitaba ayuda y ahora la tiene. No la desaproveche. Él le puede ayudar mucho más de lo que cree.

—Me va a costar acostumbrarme.

—Pues va a tener que hacerlo y rápido. Convendrá conmigo en que es imposible que el visir del Bajo Egipto no estuviera al corriente de la confabulación, aunque lo negara de forma vehemente en la última reunión que lo convocó, incluso atreviéndose a retarle. Su desmedida ambición nubla su entendimiento. Jamás tuvo que actuar así. Si yo me di cuenta de su impostura, supongo que Su Alteza también lo haría.

—Por supuesto. Lo conozco desde hace muchos años. Fue una persona muy cercana a mi esposo, el faraón Khafre, por eso me llevé una profunda decepción al escuchar sus palabras. Pensaba que estaba de mi parte, a pesar de conocer sus más que evidentes defectos mundanos.

Sobek asintió con la cabeza.

—Si lo piensa bien, me atrevería a decir que tan solo había cuatro personas por debajo del faraón Khafre con el poder suficiente para llevar a cabo de forma discreta ese golpe palaciego. La primera era el visir del Bajo Egipto, Setka. Parece que estamos de acuerdo en que no es de fiar. ¿Cuál es la segunda persona lógica en la que pensar?

—Sí, lo sé. Nikaure, el otro visir, el del Alto Egipto. Pero para mí, era el más claro candidato a ser uno de los líderes del grupo de confabuladores.

—Sorpresa, ¿verdad?

—Ya lo he reconocido. Pero tenía mis motivos para dudar de él.

—¿Acaso porque la esposa de Nikaure es Nikabebti?

¡Pues claro!

—Ya llegaremos ahí. Ahora centrémonos en la tercera persona con más influencia. La tenemos muy cerca de aquí.

—¡Ese desgraciado! Se permitió mentirme en mi cara sin ningún disimulo.

—Sí, lo observé igual que usted. Debehem, el sumo sacerdote del Templo de Ptah, también resulto una desilusión. Diría que incluso algo más que eso —observó Sobek.

—Debehem es el miembro más antiguo del colegio sacerdotal de Egipto y su director principal. Entre sus dignidades figuran ser *Pontífice de Menfis*, *Primer Profeta del Templo de Ptah*, *Jefe de los Artesanos* y unos cuantos títulos más. Impresionante, ¿verdad? Pues todo ello se lo debe a mi difunto esposo Khafre. Toda su carrera la hizo a su lado, para luego acabar traicionando su memoria — Khamerernebty expulsaba por su boca palabras como brasas de fuego.

—Hay gente que ama la traición por sí misma. Encuentra algún tipo de belleza en ella. Ya sé que es difícil de entender, pero Debehem es uno de ellos.

—¿Qué pretendes con todo esto? —le preguntó la reina a Sobek, con los ojos inyectados en sangre de la furia que sentía— ¿Qué acabe ciega de rabia?

—No, que acabe lúcida de sabiduría. Aún nos queda un pequeño camino por recorrer hasta alcanzar la meta, pero enseguida terminamos —continuó Sobek—. Ahora llegamos a la cuarta persona, pero este caso es diferente a los anteriores, ¿verdad? A nadie le supone ninguna sorpresa. Que Neferhetepes, suma sacerdotisa del Templo de Hathor, sea una de las conspiradoras era algo con lo que ambos contábamos. No en vano es la hermana del actual faraón Baka, como le sucede al visir Setka. Está claro que la familia trabaja unida.

—Desde luego. Supongo que ella debe estar en el centro de esta tela de araña que no he sabido ver a tiempo. Por eso dudaba del visir Nikaure. Su esposa Nikabebti es sacerdotisa de Hathor y muy amiga de Neferhetepes.

—Su Alteza, permítame el atrevimiento. Se equivoca en ambas cosas —dijo Sobek, con una tranquilidad impropia de un sacerdote llevando la contraria a la reina Khamerernebty.

—¿En qué me equivoco? —saltó de inmediato.

—Que ni la suma sacerdotisa Neferhetepes es el centro de la tela de araña ni Nikabebti es tan amiga de Neferhetepes como piensa, a pesar de que sea sacerdotisa de su templo.

Khamerernebty se quedó mirando a Sobek de una manera muy extraña.

—¿Cómo puedes estar más enterado que yo de este tipo de cuestiones? ¡Tienes tan solo veinte años!

—Muy sencillo, sacando partido de ello. Es cierto que tan solo tengo veinte años e incluso sé que aparento alguno menos. Hasta ahora, la gente no me ha prestado mucha atención y he pasado desapercibido. Se sorprendería de lo que uno escucha cuando su presencia ni siquiera es percibida. La invisibilidad es una cualidad muy efectiva y poco valorada.

—Entonces, según tú, ¿quién es la araña madre?

—Su Alteza, usted misma se acaba de contestar a su propia pregunta.

Khamerernebty se quedó un momento en silencio.

—¡No puede ser! —exclamó, cuando cayó en la cuenta de lo que había dicho.

—De madres va la cuestión, ¿verdad?

—¡La reina Hetepheres II! —exclamo con vergüenza, reconociendo su ceguera.

—¿Quién sino la madre del faraón Baka podría unir a Setka y Neferhetepes en favor de su hermano y aprovecharse de la desmedida ambición del sumo sacerdote de Ptah? Ella es la que ha tejido toda la tela. Lo preocupante es que deben de llevar tiempo con sus actividades clandestinas. Un golpe palaciego tan limpio como este no se improvisa en dos días. Además, hemos nombrado tan solo a las principales figuras, dejando de lado a todos los hijos del faraón Khafre, por ejemplo. No se puede descartar nada ni a nadie.

—O sea, que nos enfrentamos a una especie de hermandad secreta o como se hagan llamar, de la que tan solo conocemos a algunos cabecillas, sin saber su extensión real.

—Me temo que así es, Alteza. Pero ahora tiene una ventaja muy importante sobre ellos. Desconocen que han sido descubiertos y jamás se imaginarán que usted contratacará con Nikaure y su esposa, que los creerán de su lado. Ahora le toca mover ficha a usted y tejer su propia tela de araña.

—¿Y si Nikabebti, la esposa de Nikaure, ya ha sido captada por esa hermandad secreta? Al fin y al cabo, es una sacerdotisa del Templo de Hathor.

—Su Alteza, hace poco le conté a un niño de las afueras de Menfis la historia de la creación del universo por el dios Ra y le nombré a una de las hijas que tuvo con la diosa Nut, llamada Sekhmet. Como sabrá, empezó siendo muy cruel con los humanos para luego convertirse en una de las diosas del amor. Aunque la ciudad de Dendera se la pretenda apropiar de

Hathor, pertenece a todo Egipto y es la diosa de la alegría, la feminidad, pero también del amor, como Sekhmet cuando Ra la trasformó en la diosa Bastet. Sea valiente y trasforme usted las cosas también. Si el amor triunfa, estoy convencido de que Su Alteza también lo hará. La luz que emana del amor es más poderosa que la oscuridad que brota de la traición.

Al nombrar la palabra amor, Khamerernebty no pudo contenerse más y se volvió a abrazar con Sobek.

Aquello estaba siendo muy duro para ambos.

Pero era necesario.

31 GUIZA, EGIPTO, 11 DE NOVIEMBRE DE 1836

Vyse tuvo que reconocer que aquello era imponente. Estaba impresionado de verdad.

—¿De dónde ha salido todo esto? —le preguntó a Mr. Hill.

—Caviglia se ha encargado.

Howard Vyse acababa de llegar a Guiza por segunda vez en su vida. Lo que estaba observando no tenía nada que ver con lo que vio en su anterior viaje. Aquello era todo un asentamiento preparado para cientos de personas, con sus correspondientes tiendas de campaña. También le llamo la atención su proximidad a las pirámides. No es que estuviera exactamente bajo sus pies, pero ocupaba gran parte de la planicie frente a ellas. En la anterior ocasión, el pequeño campamento de Caviglia se encontraba junto a la Esfinge.

Una vez hecha la parada para observar todo el conjunto, continuaron andando hacia las tiendas de campaña. De inmediato salió a su encuentro el *janissary* Selim. Se presentó ante Vyse y Hill.

—Me alegro mucho de volver a verlos.

—Yo también me alegro de que estés con nosotros —dijo Vyse dirigiéndose al *janissary*—. La última vez que ambos estuvimos aquí, si no llega a ser por tu ayuda, igual ni hubiéramos podido entrar.

—Han pasado nueve meses de aquello, pero lo recuerdo muy bien —le respondió Selim—. ¿Qué tal el viaje?

—Bien, aunque hemos tenido que dar un pequeño rodeo. Pensaba que las aguas del Nilo ya habrían vuelto a su cauce.

—Y así es, pero aún quedan pequeñas zonas inundadas, entre ellas algunas pozas entre El Cairo y Guiza. No se preocupen por eso, porque las aguas están en retirada y hasta septiembre del año que viene no volveremos a tener ese problema.

—Eso no lo veremos. Esperamos haber concluido nuestros trabajos mucho antes.

El *janissary* pareció no creerle.

—No lo dé por hecho, Mr. Vyse. Aquí, en el desierto, el concepto del tiempo es diferente.

«Lo mismo que me dijo ayer Campbell», pensó Vyse. «¿Casualidad?».

—Tengo instrucciones de coronel de acompañarlos a sus aposentos para que dejen su equipaje. Además del rodeo que han dado, hoy sopla algo de *jamsin*.

—También lo hemos notado. ¿Siempre es así? No lo recuerdo de nuestro anterior viaje.

—Ni mucho menos. No es la época del *jamsin*, que suele ser entre los meses de marzo y mayo. Lo que hoy han experimentado no es nada comparado con cuando sopla de verdad. En ocasiones te abrasa la piel y la arena que levanta puede producir lesiones, sobre todo en los ojos.

—Menos mal que hoy soplaba flojo, porque llevamos arena hasta en los oídos.

—Acompáñenme a sus tiendas. Allí disponen de pequeñas jofainas con agua para su aseo personal. Además, tienen que atender a la visita que les espera.

—¿Qué visita? —preguntó Vyse, extrañado.

—¿No sabía nada? El ministro Boghos Bey y su séquito le espera en la explanada.

—¿A mí? —seguía preguntando Vyse, que no comprendía nada—. ¿Por qué no lo ha atendido Mr. Caviglia? Nosotros acabamos de llegar de viaje.

—¿Mr. Caviglia dice? —ahora el que preguntaba sorprendido era Selim—. No ha acudido todavía a Guiza. Según él mismo me dijo, no tiene previsto venir hasta dentro de cinco días.

La sorpresa iba por barrios. Ahora le tocaba a Vyse.

—No entiendo nada, El coronel Campbell afirmó, justo ayer, que Mr. Caviglia había comenzado las operaciones hacía una semana.

—Sí, eso es cierto. Él ha planificado este campamento y nos envió todo lo necesario, pero lo levantamos nosotros. Él no ha pisado Guiza desde hace tiempo, como tampoco lo han hecho ni el coronel Campbell ni Mr. Sloane.

—¿Mr. Perring tampoco ha llegado?

—No. Se encuentra en El Cairo haciendo acopio del material que necesitará para su trabajo. Supongo que acudirá en los próximos días.

Vyse, ahora, comprendió mejor las cosas, aunque le preocupaba la presencia del ministro.

—¿Y qué es lo que quiere Boghos Bey? —le preguntó a Selim.

—No lo sé, señor. Como comprenderá, no trata con subordinados.

—Bueno, acompáñanos a nuestras tiendas. Además de asearnos, tendré que cambiarme de ropa para atender a Bey.

El *janissary* les hizo un gesto con la mano, para que le siguieran. Tanto Vyse como Hill lo hicieron a una distancia prudente, para poder hablar sin ser escuchados.

—Supongo que conoce que no tenemos el contrato firmado con el pachá —le dijo Vyse.

—Sí, estoy informado por el coronel.

—A pesar de ello, el coronel Campbell se ha atrevido a montar este asentamiento. Se supone que aún no tenemos permiso. ¿No obedecerá la visita del ministro a todo esto? ¿Vendrá a expresar las quejas del pachá o, aún peor, a ordenar que lo desmontemos?

—Me temo que eso lo tendrá que averiguar usted mismo —le respondió Hill, mientras se separaba y se encaminaba a otro grupo de tiendas.

«Es cierto», recordó Vyse. «Hill está en la zona dos del campamento y yo estoy en la cuatro. Además, en esta sección voy a estar solo. Ahora que lo pienso mejor, quizá sea una ventaja. Desde luego gozaré de más tranquilidad».

Vyse entró en la tienda que le habían asignado y dejó su equipaje en los austeros muebles, pero no lo deshizo. Tan solo se limitó a asearse lo más rápido posible y cambiarse de ropa. Supuso que al ministro le disgustaría esperar en exceso.

«¿No tienen los egipcios un concepto tan diferente del tiempo a nosotros?», pensó con maldad. «Ahora estamos en el desierto y nos debemos de regir por sus normas. Que espere un poco más».

—Se entretuvo mirando a su alrededor. Tuvo que reconocer que la tienda estaba mucho mejor de lo que se esperaba. Era amplia y la tela parecía de calidad. «Supongo que será resistente si tiene que soportar ese temido viento *jamsin*». Se sentó en la cama. Estaba claro que no era el *Hotel El Cairo*, pero pensó que para estar en el desierto no estaba nada mal. Además, disponía de total privacidad y le sobraba espacio. En cuanto al resto del mobiliario, una vez inspeccionado el armario y la cama, vio un escritorio y una silla, con un tintero y una pluma. Se notaba que eran nuevos. También observo, en el extremo opuesto de la tienda, la presencia de una pequeña mesa redonda de madera y cuatro sillas, también de reducido tamaño. «¿Qué utilidad pueden tener?», se preguntó Vyse. «¿Mantener reuniones en mi propia tienda?». Apenas un segundo después de esos pensamientos, cayó en la cuenta. En esa zona del campamento tan solo se iban a alojar Campbell, Sloane, Caviglia y él. Quizá ese fuera el sentido de las cuatro sillas.

Después de inspeccionar la resistencia de los anclajes de la tienda, consideró que ya había hecho esperar lo suficiente al ministro y se dispuso a acudir a su encuentro. Tan solo entonces cayó en la cuenta de un pequeño inconveniente. Jamás lo había visto y no conocía su aspecto.

—Perdone —se dirigió al guardia armado que vigilaba el acceso a sus tiendas—. Tengo entendido que me está esperando el ministro Boghos Bey, pero no lo he visto jamás. ¿Me podría explicar cómo reconocerlo?

El soldado se cuadró ante la presencia de Vyse, pero no puedo evitar que se le escapase una pequeña sonrisa.

—Le aseguró que lo hará, mi coronel. No tiene pérdida. Simplemente acuda a la explanada de las pirámides.

Vyse decidió no seguir preguntando y hacer caso al soldado, aunque no había comprendido a qué venía esa tímida sonrisa. Cuando sobrepasó el campamento y llegó justo enfrente de la Gran Pirámide, comprendió el motivo de la hilaridad del soldado.

Aquello no se lo esperaba.

El espectáculo era difícilmente descriptible. Alejados apenas cien metros de la zona número uno de su campamento, donde se alojaban los trabajadores, pudo observar cuatro o cinco enormes tiendas de campaña que le recordaron al estilo de las *jaimas* árabes. Las tiendas que conformaban su campamento eran del tipo militar, las típicas que se usaban en terrenos áridos como el desierto, cubiertas por los cuatro costados con sólidas telas y de planta cuadrada. Sin embargo, lo que tenía frente a él no se parecía a eso. Se trataba de mástiles que sujetaban unas telas que parecían de origen animal. Era cierto que presentaban unos ornamentos con colores muy vistosos que le daban al conjunto un aspecto festivo muy peculiar, pero a los ojos de un occidental acostumbrado a la sobriedad militar, aquello suponía un fuerte contraste.

Sumido en sus pensamientos, no se dio cuenta de que alguien se le había aproximado.

—¿Es usted el señor Howard Richard Vyse? —dijo, con un acento árabe muy marcado.

—Sí —se limitó a responder, aún deslumbrado por aquel despliegue de medios de las *jaimas*.

—Sígame, por favor.

Vyse obedeció a aquella persona. A medida que se aproximaban, pudo advertir que eran cinco el número de *jaimas*. Cuatro no tenían paredes, tan solo eras mástiles y unas telas que servían de protección frente al sol, pero la central estaba completamente cubierta. Su sorpresa fue aún mayor cuando observó músicos y bailarinas, cuyos movimientos parecían desafiar las leyes de la física.

—¿Es su primera vez? —escuchó a sus espaldas.

—No, ya estuve en Guiza este enero pasado —respondió de forma automática, sin girarse a mirar a su interlocutor. No podía quitar el ojo a esas danzas.

Escuchó unas risas indisimuladas.

—Sí, está claro que es su primera vez.

Parecía que había malinterpretado el sentido de la pregunta. Era evidente que no se refería a Guiza sino a las bailarinas. El tono jocoso de la respuesta pareció hacer reaccionar a Vyse. Se giró y se encontró a una persona de mediana edad, gruesa, más alto que él y vestido con una túnica cuyo colorido desafiaba a los toldos de las *jaimas*.

—¿Ministro? —preguntó Vyse, sorprendido.

—Nadie me llama así —sonrió el desconocido—. Me puede llamar Bey.

—Disculpe que le haya hecho esperar. Por lo que veo, debe llevar aquí muchas horas —dijo, al mismo tiempo que señalaba todas las *jaimas*—. Hemos tenido ciertas dificultades en nuestro camino desde El Cairo y nos lo hemos tomado con calma. Si hubiera conocido su visita con antelación nos hubiéramos apresurado.

—No me ha hecho esperar. Conozco el estado de ese camino, por eso hemos llegado hace una hora, para intentar coincidir con usted.

«¿Apenas una hora?». Pensó Vyse, sin poder evitar mirar todo el montaje que había a su alrededor, bailarinas incluidas. Aquello no era posible. Sin embargo, cayó en la cuenta de una cuestión que no se le había ocurrido.

—Disculpe, Bey. Acaba de decirme que ha intentado coincidir con la hora de mi llegada. ¿Cómo la podía saber si yo me enteré que venía a Guiza ayer mismo?

El ministro sonrió y le tomó de una mano, mientras le dirigía hacia una gran alfombra que servía de apoyo a unos cojines de piel muy trabajada.

—Ande, tome asiento —le dijo a Vyse, que le obedeció de inmediato.

—¿Sabe lo que decían nuestros ancestros? —continuó Bey—. Que en los palacios reales las paredes tenían ojos y odios. Y tenían razón. Lo mismo le digo del consulado británico en El Cairo. Las paredes también tienen ojos y oídos, créame.

En un principio, Vyse pensó que era una forma de eludir la pregunta, pero la duda le duró tan solo un segundo. Le creyó. La prueba la tenía delante de él.

En ese momento, dos hermosas jóvenes se acercaron con un servicio de lo que parecía ser té. Iban engalanadas con coloridas faldas, como las bailarinas que había visto antes. Vyse no pudo evitar mirarlas. Aquel entorno parecía sacado de algún cuento de *«Las mil y una noches»*, la famosa compilación medieval de cuentos tradicionales orientales.

—Sé lo que está pensando —dijo Bey.

Vyse no tenía ni idea a qué se podía referir el ministro, pero consideró que, por si acaso, era mejor anticiparse.

—Ya sé que nos hemos permitido el atrevimiento de instalar el campamento sin disponer del contrato firmado por Su Alteza Muhammad Alí Pachá de Egipto. Le pido humildemente que nos disculpe si hemos ofendido a...

Bey le interrumpió con un exagerado gesto de indiferencia con sus manos.

—¿Sabe? Cuenta una antigua leyenda familiar que dos amigos viajaban juntos por el desierto y en un punto determinado del camino discutieron y uno abofeteó al otro. El otro, ofendido, sin decir palabra escribió en la arena la siguiente frase: *«hoy mi amigo me ha abofeteado»*. Siguieron el camino y llegaron a un oasis donde decidieron parar. El que había recibido la bofetada cayó al agua y empezó a ahogarse. Entonces fue salvado por su amigo. Cuando se recuperó, tomó una daga y grabó en una piedra: *«hoy mi amigo me ha salvado la vida»*. Intrigado el amigo le preguntó por qué después de abofetearle escribió en la arena y ahora lo escribía en la piedra. Sonriendo, el otro amigo le respondió que cuando un amigo nos ofende, debemos escribir en la arena para que el viento del olvido y el perdón terminen por borrarlo. Sin embargo, cuando recibimos un gran don, lo debemos grabar en la piedra de la memoria del corazón, allí donde ningún viento pueda borrarlo.

Vyse estaba confundido.

—Es un relato muy bonito, pero ¿qué quiere decirme con él? —preguntó a la defensiva. Debía de reconocer que no se imaginaba así al ministro de comercio, asuntos exteriores y secretario personal del pachá, quizá la segunda persona con más poder en todo Egipto.

—El coronel Campbell y Su Alteza son grandes amigos. El pachá no se enfada por ofensas menores como esta, sino que le está muy agradecido por todo lo que hace por nuestro país. Una cosa ya ha sido borrada por el viento del desierto, sin embargo, la otra, Su Alteza la tiene grabada en el corazón. ¿Me comprende? En cuanto a sus preocupaciones por el contrato, olvídese de ellas. El pachá está de viaje y lo firmará en cuanto retorne.

Estas últimas palabras de Bey hicieron que Vyse se relajara por primera vez desde que entrara en las *jaimas*. Esperaba una reunión tensa y aquello se parecía más a una fiesta.

—Me alegro —acertó a decir Vyse.

—Además, permítame un consejo. Jamás pida perdón sin tener muy claro por qué lo hace. En Egipto se considera un signo de debilidad y usted, que es todo un coronel del ejército británico, no me lo parece.

—Tomo nota —Vyse seguía desconcertado y no le salían más que frases cortas.

—Antes de eso, cuando entramos en mi *jaima*, le estaba diciendo que sabía lo que estaba pensando. ¿Lo recuerda?

—Sí, claro.

—¿Le gusta lo que ve?

—¡Cómo no me va a gustar! Esta es una vida que parece muy placentera. Algo así sería inconcebible en Inglaterra.

—A eso me refería. Mi familia procede de un asentamiento cerca de Siwa, que es un oasis en el desierto occidental de Egipto. Mis padres fueron la primera generación familiar que abandonó el desierto para establecerse en una ciudad. Aún resuenan en mis oídos las maldiciones de mis abuelos. Le decían a mi padre que quién olvida sus raices olvida su vida. Pero el progreso acaba pasándole a uno por encima casi sin darse cuenta. No crea ni por un instante que yo vivo así. Ahora lo hago en una población cercana a la capital, en una casa que mis abuelos hubieran llamado palacio, pero en el sentido despectivo del término.

Vyse sintió algo de vergüenza. Era cierto que había pensado que Bey vivía en lujosas *jaimas* en el desierto, rodeado de aquellas bailarinas tan exóticas. Le había leído la mente.

—Ahora hemos prosperado —continuó Bey—, pero no hemos olvidado nuestras raices ni nos avergonzamos que, hace tan solo dos generaciones, fuéramos unos pobres e incultos camelleros, nómadas en el árido desierto. Eso lo llevamos grabado a fuego en nuestro corazón.

—Son pensamientos muy nobles —Vyse no sabía qué más decir.

—Una vez al mes, junto con toda mi familia, abandonamos nuestra casa y nos dirigimos hacia el desierto. Allí montamos nuestras *jaimas* y pasamos una noche completa en contacto con la arena de nuestros antepasados. Es algo mágico. Por eso estoy aquí. Hoy es una de esas noches y la quería compartir con mi familia, en su compañía. Esta noche será nuestro invitado.

—¿Conmigo? —preguntó Vyse, cuyo asombro no conocía fin—. Supongo que se tratará de algo íntimo, por todo lo que me acaba de contar. Yo no soy nadie para compartir esa experiencia con su familia, aunque se lo agradezco.

—¿Dice que no es nadie? Se equivoca por completo. Usted está destinado a abrir la boca de nuestro último rey.

«¡La tercera!», pensó Vyse al mismo tiempo que un escalofrío recorría su columna vertebral. Aquello jamás se lo podía haber imaginado. «¿Cómo lo puede saber?».

Ahora ya no era desconcierto lo que sentía sino verdadero terror.

32 EN LA ACTUALIDAD, DUBLÍN, IRLANDA, 14 DE OCTUBRE

—¡Exijo una respuesta ya!

—-No te alteres que no te favorece. Cuando frunces el ceño se te forman unas arruguitas que...

—¡Deja de decir tonterías! ¿Qué hacemos aquí?

—¿Tú qué crees? Mira a tu alrededor.

Carlota, pese a su aparente enfado, hizo caso a su hermana.

—El ambiente es aún peor que hace unas horas. La única diferencia apreciable es que ahora vistes normal y no como una indigente.

Las hermanas Rebeca y Carlota habían regresado al *pub* *«The Cat & the Horse»*, pero Rebeca se había negado a decirle el verdadero motivo de su vuelta.

—Disfruta de tu IPA y relájate.

—¿De mí qué? Estoy bebiendo cerveza, por si no lo has notado, como todo el mundo en este extraño *pub* y en media Irlanda, supongo.

Rebeca sonrió.

—La IPA es un tipo de cerveza. Es el acrónimo de *India Pale Ale*. ¿No le notas su sabor amargo? Es su principal característica. Ello se debe a su alto contenido en lúpulo. Aunque se suele beber en verano, ya que su amargor luego produce un efecto refrescante, a mí me gusta todo el año. Además, aunque te cueste creerlo, la elaboran en este *pub* con la receta original que trajo John Jameson a finales del siglo XIX. Tan solo se puede beber aquí. No la comercializan.

—¿Jameson? ¿Eso no es una marca de *whisky*?

—De «*whiskey*» irlandés, sí. De hecho, fue el fundador de la destilería Jameson unos veinte años antes de los hechos que te he contado. Dicen que consiguió la receta directamente de la *East India Company* antes de que se disolviera. Esa última parte no sé si será cierta, pero si lo fuera, estarías degustando una auténtica rareza. Hazte la idea que te estás bebiendo un trocito de historia.

—No, si ahora resultará que has inventado la historia líquida. Y luego dicen que la rarita soy yo. Está claro que unos cardan la lana y otros se llevan la fama.

Rebeca no había abandonado esa extraña sonrisa.

—¡No me puedo creer que no te hayas dado cuenta! Estás perdiendo facultades. Como se enteren en tu trabajo, te despiden.

Carlota miró a su hermana como si fuera un elefante rosa.

—¿De qué me tengo que dar cuenta?

—Aparte de mi apariencia, ¿qué más observas diferente a nuestro alrededor?

Después de fijarse unos segundos más, Carlota cayó en la cuenta.

—¡No me digas! —exclamó.

—No es lo que tú te crees.

—¡Venga! Al final resultará que tenía razón desde el principio —exclamó Carlota, que ahora se reía.

Hacía unas horas se habían tomado la pinta de cerveza en una mesa con dos sillas. Sin embargo, ahora estaban sentadas en una esquina del *pub* en otra mesa idéntica, pero esta vez con tres sillas a su alrededor. «Una silla más significa una persona más y supongo que será un hombre», pensó Carlota. «Eso sí que es una sorpresa».

—Hola, Rebeca —dijo un recién llegado, interrumpiendo los pensamientos de Carlota—. Aquí estoy, como habíamos quedado.

Carlota se quedó mirando a aquel individuo. Un primer examen visual le confirmó que debía ser un indigente, por su lamentable vestimenta y olor a cerveza. Supuso que era uno de los amigos que Rebeca había hecho en el *pub*, en la sección de los delincuentes.

—Toma asiento —le respondió Rebeca, dándole un pequeño abrazo.

«Yo no lo toco ni con un palo», pensó Carlota.

—Te presento a mi hermana, Carlota Penella.

—Yo soy John Ryan Clarke, pero todo el mundo me conoce como Ryan. Es un placer conocerte por fin. Tu hermana me ha hablado mucho de ti.

«¡Ah! ¿Sí?», siguió pensando Carlota, que no sabía qué responder. Había algo que no le cuadraba en aquella persona. En una décima de segundo, su entrenado cerebro pareció cobrar vida. «¡Claro! Es lo mismo que observé en mi hermana hace un rato. Su aspecto exterior no coincide con sus educadas maneras», pensó.

—¿No piensas saludar a Ryan? —le preguntó Rebeca, que parecía divertida con la situación. Estaba claro que había dejado descolocada a su hermana. Disfrutaba cada segundo de su turbación porque era muy difícil sorprender a Carlota.

—Sí, claro. Disculpa, Ryan —respondió, dándole la mano. De momento se reservaba para otra ocasión lo de los besos y abrazos, que era lo característico en ella.

Los tres se sentaron en la mesa y Ryan se pidió una pinta de cerveza.

—¿Por qué Penella? —pregunto.

Carlota estaba tan desorientada que no comprendió la pregunta. Tuvo que ser Rebeca la que le respondiera.

—Ya sé que mi apellido es Mercader, pero te aseguro que somos hermanas gemelas. Es una larga historia.

Ryan asintió con la cabeza, comprendiendo que no deseaba dar más explicaciones.

Carlota se dio cuenta de que su hermana estaba disfrutando a su costa y consideró que ya era hora de poner fin a esa incómoda situación.

—Se nota que eres una buena persona, Ryan. No resultas creíble ¿A qué viene que frecuentes esta parte del *pub* y vayas vestido así? —le preguntó.

Ryan se quedó mirando a Carlota, devolviéndole la sonrisa.

—Te equivocas.

—Te aseguro que eso sucede muy pocas veces.

—Pues esta es una de ellas. Soy un asesino que salió de la cárcel hace unos tres meses. Comencé a frecuentar este local al mismo tiempo que tu hermana. Una noche, el *pub* estaba lleno y la coincidencia hizo que tuviéramos que compartir mesa. Ahí nació nuestra amistad.

«¿Coincidencia? Jamás he creído en casualidades», pensó Carlota.

—No tienes cara de asesino —le dijo.

—¿Y qué cara se supone que deben tener los asesinos?

Rebeca estaba disfrutando tanto de la conversación que ni siquiera intentó intervenir. Ella ya conocía la desgraciada historia de Ryan Clarke.

—No lo sé —le respondió Carlota, que seguía confundida—, pero no la tuya. Se nota que eres una persona educada y disciplinada. Me atrevería a decir que eres o fuiste militar. También eres católico y matar es uno de los pecados más graves.

—¡Caramba! —exclamó Ryan—. Has conseguido sorprenderme y eso que tu hermana ya me había advertido.

—Entonces ¿tengo razón?

—Lo de militar y católico lo has deducido correctamente, pero eso no me excluye de haber matado a una persona. Supongo que lo de católico lo dirás por la medalla de *Our Lady of Knock* que luzco en el pecho. Bien visto. En cuanto a lo de militar, serví durante muchos años como sargento en el NSDS.

—¿Eso qué es? Me suena a serie de televisión.

—Esa era NCIS —aclaró Ryan—. El NSDS es el acrónimo de *Naval Service Diving Section*. Es una unidad de élite perteneciente a la armada irlandesa.

—Hablas en pasado, ¿qué sucedió? —preguntó Carlota, que ahora parecía interesada.

—El NSDS, como todas las unidades militares de élite, tiene unas normas muy estrictas. Te sorprenderías de lo que cuesta ser admitido. Para que te hagas una idea, más de mil quinientos militares de otras ramas del ejército han solicitado su ingreso desde su creación. Tan solo han sido admitidos ciento cincuenta. Cada año intentar entrar cincuenta personas, pero la tasa de admisión no supera el 10 %. Las pruebas de acceso se llevan a cabo en las heladas aguas del puerto de Cork y son durísimas. Tiene su sentido, porque es una fuerza de reacción rápida, lista para actuar las veinticuatro horas del día. Pero también tienen normas estrictas acerca del comportamiento de sus miembros.

Comprenderás que, después de ser condenado por el asesinato de mi esposa, fui licenciado con deshonor. Sin embargo, por mis servicios prestados al país y por haberme concedido en el pasado la *Distinguished Service Medal*, que es una de las condecoraciones más altas del ejército irlandés, me asignaron una pequeña pensión vitalicia. De eso vivo ahora. No me puedo permitir ropa elegante, por eso visto gracias a instituciones de caridad, y me gusta ahogar mis penas en alcohol. Esa es mi triste historia. ¿Me crees ahora?

—¿Te creyó Rebeca? —le preguntó Carlota, que se sentía abrumada por la situación.

—Dice la verdad —le respondió Rebeca—. Ya sabes que se me da muy bien descubrir cuándo alguien miente. Ryan no lo hace.

—¡Caramba! ¿Y cómo un militar de élite como tú, que además pareces buena persona, ha terminado así?

—Como antes ha dicho Rebeca cuando le he preguntado acerca de vuestros diferentes apellidos siendo hermanas gemelas, es una larga historia. No me apetece recordarla.

—Si te he ofendido, lo siento —acertó a decir Carlota—. Ha sido una pregunta improcedente que sobraba. Si mi hermana te cree, yo también lo hago.

—Disculpadme —dijo Ryan, que ahora parecía abatido—. Ha sido un placer conocerte, Carlota. Nos vemos otro día por aquí.

Se levantó de la mesa y abandonó el *pub*. Ni siquiera se había terminado su pinta de cerveza.

—Me parece que he estado un tanto impertinente con tu novio —dijo Carlota, cuando se quedaron solas—. Lo siento de verdad, no lo pretendía, pero es que sigue sin parecerme un asesino. Además, me da la impresión que he estropeado tu sorpresa.

Rebeca sonrió.

—Sí, esta era mi sorpresa. Pensaba que congeniaríais mejor entre vosotros. Ryan es mi mejor amigo en Irlanda, pero no somos pareja.

—¡No me tomes el pelo! Al principio lo había tomado por un simple indigente, lo confieso, pero después lo observé con más detenimiento. Detrás de toda esa mugre y del aspecto de no haberse duchado en una semana, se esconde un cuerpazo. No lo parece, pero estoy seguro de que está en plena forma física. Además, aunque sucio, tiene un bonito pelo, una cara bien formada y, sobre todo, unos ojos verdes cuyo color se asemeja al mar Mediterráneo en un día de tormenta. Es decir, todo un *pibonazo* al que tan solo le falta pasar por un tren de lavado. Créeme, ya sabes que yo tengo buen ojo para eso.

—¡Carlota, que pareces una adolescente en celo! —exclamó Rebeca, que empezó a reírse.

—¿Lo has probado ya?

Rebeca, en estos momentos, estaba ya en pleno ataque de risa, incapaz de responder.

—¿Acaso te he preguntado algo gracioso? Para mi vergüenza, te tengo que confesar que nunca me he liado con ningún irlandés. Por ejemplo, con franceses, ingleses y alemanes sí. Son más fáciles encontrar por España, pero...

—Jamás cambiarás —le interrumpió su hermana, que estaba haciendo verdaderos esfuerzos por no llorar de la risa.

—¡No te hagas la tonta! No has contestado a mi pregunta.

Rebeca ya estaba llorando.

—¡Oye! —exclamó Carlota—. ¡Qué tengo interés de verdad!

33 ANTIGUO EGIPTO, AFUERAS DE MENFIS

—¿Qué son esos golpes en la puerta? —preguntó Nefer.

—¿A qué viene esa cara de espanto? Parece que hayas visto a la muerte —le respondió su padre, con un gesto de incomprensión.

«No la he visto, pero quizá lo haga en unos segundos», pensó Nefer, aterrorizado.

—¡Abran en nombre del faraón antes de que derribemos la puerta! —escucharon gritar desde el exterior de la casa.

—¿Lo veis? —saltó Nefer—. ¿Os habéis olvidado la comida con el sumo sacerdote del Templo de Neith de hace un mes?

—No, claro que no, pero qué tiene que ver eso con…

—¡Estábamos avisados! —exclamó Nefer, fuera de sí—. Ahora nos llevarán presos.

—¡Vamos a derribar la puerta! —escucharon.

—¡No hace falta! —gritó el padre—. Ahora les abro.

Quitó el pequeño hierro que impedía abrir la puerta desde el exterior y les franqueó el acceso a la vivienda.

—Somos soldados del faraón y portamos instrucciones —dijo el que parecía el jefe. Eran cuatro.

—Somos una humilde familia dc campesinos. ¿Qué desean de nosotros? —les preguntó el padre, que era el único que parecía mantener la compostura.

—¿Son la familia de un tal Nefer?

—Sí, yo soy su padre —dijo, mientras se giraba—. Mi esposa y mis tres hijos. El que está debajo de la mesa es Nefer.

—¿Qué haces ahí? —le preguntó uno de los soldados—. Haz el favor de levantarte y unirte al resto de tu familia.

Nefer se dio cuenta de que estaba haciendo el ridículo y obedeció a los soldados.

—Me temo que tengo que darles esta nota de mis superiores. Contiene instrucciones que tenemos que cumplir —dijo, mientras alargaba su mano para entregarle el papiro enrollado al padre.

—Lo siento, no sabemos leer —le respondió—. Como ya le he dicho, somos una familia de humildes campesinos.

Los soldados se quedaron mirando entre ellos. Parecía que estaban considerando si se habían equivocado de familia, pero habían identificado a Nefer, que tampoco era un nombre muy habitual en Menfis.

El jefe retiró el brazo.

—Está bien —dijo—. Si no saben leer, lo haré yo por ustedes.

Desenrolló con cuidado el papiro y lo puso frente a sus ojos.

—*«Por orden del faraón Baka, rey de los egipcios y gobernante del Alto y Bajo Egipto, mando arrestar a un tal Nefer, cuyas señas aparecen indicadas en la parte inferior, para que sea conducido de inmediato ante la presencia del visir Setka».*

—¿Arrestan a mi hijo de tan solo trece años? ¿Por qué motivo? —preguntó el padre.

—Nosotros somos simples soldados que nos limitamos a cumplir órdenes. Como comprenderán, no nos informan de las intenciones del gran visir Setka.

La familia se abrazó y comenzaron a brotar las primeras lágrimas. Nefer sintió como el brazo de su hermana pequeña se aferraba a su pierna.

Los soldados estaban observando la escena.

—Les damos un minuto para que se despidan de su hijo —dijo el jefe.

—¿Eso significa lo que creo? —le preguntó el padre al soldado.

—Yo no soy nadie para responderle, pero no es frecuente ver órdenes de este tipo. Los arrestos los suele ordenar el gobernador de la ciudad y él se ocupa de todo. Una orden en la que tengamos que entregar al preso al mismísimo visir del Bajo Egipto es algo fuera de lo común. Comprendo su preocupación y no soy nadie para inmiscuirme en los asuntos de su familia, pero yo me prepararía para lo peor.

—¿Lo peor?

El jefe de los soldados bajó la cabeza.

—Ninguna persona que hayamos conducido jamás ante el visir ha vuelto con su familia. Eso es lo que quería decir con la palabra «peor». No me pregunte más.

—¡Por favor! ¡Si tiene tan solo trece años! —exclamó la madre—. Cualquier cosa mala que haya podido hacer debería ser disculpable. ¡Es un niño!

—Señora —le respondió el jefe—. Yo, con la edad de su hijo, ya era militar y responsable de mis actos. Me temo que Nefer ya no es ese niño que usted cree.

—¿Sobek es conocedor de todo esto? —preguntó el padre.

El soldado pareció extrañarse.

—¿Quién es Sobek? No conozco a nadie con ese nombre, salvo al Dios Cocodrilo, claro.

—También es el nombre del sumo sacerdote del Templo de Neith en Menfis.

Los cuatro soldados volvieron a mirarse entre sí. Todos levantaron los hombros en señal de desconocimiento.

—Le repito, no conocemos a nadie con ese nombre. Además, ¿qué podría tener que ver un sacerdote con este arresto? Ellos no disponen de ese poder que está en manos de las autoridades civiles y militares, pero no de las religiosas. Esa no es su labor.

Nefer vio en los ojos de su padre que se estaba planteando no obedecer la orden. Si ya estaba asustado, ahora ya sentía verdadero terror. No lo podía permitir. Si él tenía que cargar con la culpa de lo sucedido con Sobek, con una persona presa era suficiente. Su familia sería capaz de salir adelante sin él, con más penurias y apreturas, pero por lo menos con vida y libertad.

—Adelante, pueden llevarme con ustedes —dijo Nefer, soltándose del grupo y dando un paso adelante en dirección a los soldados.

—¡Pero hijo! —exclamó su madre—. Debe tratarse de un error y estos soldados podrán comprobarlo si hablan con...

—Todos sabemos que no es un error, no nos engañemos más —le interrumpió Nefer—. Además, es mejor así Conocíamos las consecuencias y las aceptamos. Me he podido equivocar en la vida, pero siempre ha sido pensando en todos vosotros. Quiero que sepáis que nunca os olvidaré, ni en esta vida ni en la otra.

Nefer se entregó a los guardias.

No quiso ni girarse para ver a su familia por última vez, a pesar de que los podía escuchar. Era desgarrador.

«La cabeza siempre bien alta. Ya no soy un niño», pensó.

34 GUIZA, EGIPTO, 12 DE NOVIEMBRE DE 1836

—¡Coronel! ¡Despierte!

—¿Qué pasa? ¿Ha sucedido algo? —preguntó Vyse asustado, levantándose de un brinco de la cama. Miró a su alrededor, todavía medio dormido. Estaba desorientado.

—¿Dónde estoy? ¿Qué es esto? —preguntó, frotándose los ojos.

—Coronel, soy su *jenissary* Selim y está en su tienda en Guiza.

Ahora pareció vislumbrar algo del exterior de la nube que le envolvía y empezó a recordar, aunque todavía no muy claramente.

—¿Le ha pasado algo al ministro Bey?

—Salvo que han levantado su campamento y se han marchado hace dos horas, que yo sepa, nada más.

Vyse se sorprendió por el comentario de Selim. Percibió un ligero tono irónico.

—Pero ¿qué hora es?

—Por eso me he permitido despertarlo. Son las once y Mr. Hill me ha comunicado que habían quedado hace una hora para inspeccionar las pirámides. Me he preocupado y he venido a tu tienda. Afortunadamente, tan solo estaba dormido.

—¿Afortunadamente? ¡Por Dios, Selim! Yo jamás me duermo ni llego tarde a una cita. No es propio de caballeros.

—Bueno, es comprensible después de lo de ayer. Los egipcios estamos más acostumbrados que los occidentales a ese tipo de fiestas. Supongo que sería su primera vez.

Vyse cada vez se acordaba con mayor claridad lo sucedido anoche.

—Recuerdo la invitación del ministro a compartir la velada con su familia. Cenamos todos juntos a la luz de las estrellas del desierto.

—¿Eso es lo que recuerda?

—Bueno, también las danzas de las bailarinas. ¿Cómo pueden ejecutar semejantes movimientos? Me parece algo fascinante, casi diría que hipnótico.

Selim sonrió.

—Desde niñas los aprenden. Forma parte de nuestra cultura milenaria. En las celebraciones de nuestros antepasados, la danza siempre formaba una parte esencial. Se puede remontar lo lejos que quiera. Por ejemplo, a los faraones que construyeron las pirámides que tenemos aquí mismo, en Guiza. Ellos disponían de bailarinas en sus palacios y tenían sus aposentos particulares en el interior de los propios palacios. Cuando los faraones fallecían, también era un motivo de alegría porque se iban a encontrar con sus dioses y harían el tránsito a la vida eterna. En esas ceremonias, las funerarias, también se bailaba. Su origen se podría decir que fue religioso, ya que, en sus principios, se consideraba que era algo sagrado. Supongo que, como egiptólogo, conocerá que la diosa de la danza era nada más y nada menos que Hathor, una de las grandes. En su templo principal de la ciudad de Dendera, aún se conserva un relieve con una poesía que muchos conocemos: *«es para bailar que el rey de Egipto, Faraón, ha venido. Es para cantar que ha venido, tú, su dueña, mira como baila; esposa de Horus, mira como salta. El hijo de Ra, Faraón, tiene las manos limpias y los dedos puros. Tú, su dueña, mira como baila la esposa de Horus, mira como salta».*

—No sabía que tuvieras un conocimiento tan profundo de tu cultura. No te ofendas, pero siempre me han dicho que, en general, el pueblo egipcio es bastante ignorante.

—No le negaré que los hay, pero no olvide que yo no soy un egipcio cualquiera. Soy un *janissary*. Nosotros siempre fuimos y seremos diferentes.

Vyse percibió orgullo en su tono de voz.

—No pretendo llevarte la contraria ni mucho menos, pero esas danzas de anoche no me parecieron ni religiosas ni sagradas precisamente. Estaba pensando en otro calificativo, pero por respeto a lo que me estás contando, me lo voy a guardar para mí. Aun así, me resulta difícil creer que no tengas ojos para observar esa delicadeza y encanto de las bailarinas egipcias. Creo que la belleza no conoce de fronteras entre oriente y occidente —dijo Vyse.

—Nuestra historia también explica eso. Con el tiempo, la danza también estuvo presente en celebraciones civiles, como en la recolección de las cosechas o vendimias. Entonces su tono era claramente festivo y no religioso. Incluso llegó un momento en que los nobles hacían exhibición de sus bailarinas como signo de poder social. Pero, a pesar de todo ello, lo importante es que la danza es nuestra cultura y forma parte de la identidad de nuestro pueblo. No le negaré que, desde aquellos tiempos hasta ahora, las cosas han evolucionado, pero lo que los occidentales ven como algo frívolo, los egipcios lo vemos como una manera de estar en contacto con nuestra cultura milenaria, con nuestros antepasados, en definitiva, con nuestras raíces.

—Sí, algo recuerdo que me comentó el ministro Bey de eso. Creo que me dijo que quién olvida sus raices olvida su vida.

—Sabias palabras de una sabia persona. No se olvide usted de ellas. No debe juzgar la cultura y los hábitos egipcios con su mente occidental. Nunca los entendería ni sería entendido. Ahora, se dispone a emprender una gran misión en Guiza. Estoy seguro de que la imprevista visita del ministro y su invitación a compartir la velada con su propia familia tiene mucho que ver con su trabajo. Aunque quizá no lo comprenda ahora, le estaba ayudando mostrándole el camino.

Sin «quizá». Vyse no comprendió a su *janissary*, no sabía si a causa de los restos de esos maravillosos licores hechos a base de dátiles y hierbas del desierto o simplemente porque su mente occidental se lo impedía. «Aún pretenderán que me arrepienta de ser británico», pensó. En cualquier caso, era muy tarde y estaba haciendo esperar a Mr. Hill, y eso sí lo entendía perfectamente su mente occidental.

Cuando Selim abandonó su tienda, se aseó y se vistió lo más rápido que pudo y acudió al encuentro con Mr. Hill. Lo halló sentado en la arena, en la explanada de las pirámides, cerca de donde el ministro Bey había montado sus *jaimas*. Parecía en estado de trance. Vyse pensó que con uno de los dos bastaba, ya que él, aunque no estaba en trance, su cerebro todavía no estaba en su sitio.

—Un chelín por sus pensamientos —dijo Vyse, para romper el hielo. Eran las once y media y había quedado con Mr. Hill a las diez de la mañana. Era un retraso inexcusable.

—No los valen —le respondió, girándose hacia el coronel—. Ya me ha contado Selim que la noche fue larga.

—Si solo fuera eso... ¿Ha visto alguna vez a las bailarinas egipcias en acción?

Mr. Hill sonrió.

—¿Cree que llevando tanto tiempo en el país uno se puede resistir a ese espectáculo? ¡Por supuesto que las he visto! No solo en actos puramente festivos, sino también ceremoniales y fúnebres.

—Sí, eso me ha contado el *janissary* cuando ha venido a despertarme. Por cierto, disculpe mi vergonzoso retraso. Como caballero británico soy una persona puntual y me produce bochorno el...

—No se excuse, tiene un motivo más que justificado— le interrumpió Mr. Hill— Por lo que me está contando, deduzco que fue una reunión cordial. Podría no haberlo sido. Recuerde que aún no tenemos la autorización del pachá para las excavaciones.

—Sí, desde luego que fue cordial. Quizá demasiado cordial y por eso tengo la cabeza que me estalla. Me dijo que, para acampar en el desierto como hemos hecho nosotros, no hace falta pedir permiso a nadie. Otra cosa es para llevar a cabo una expedición arqueológica, pero como aún no hemos empezado con eso, no pasa nada.

Mr. Hill se quedó mirando al coronel, con cara de extrañado.

—Señor, las excavaciones empezaron la semana pasada.

—¿Qué? —Vyse se sorprendió visiblemente—. ¡Pero si Caviglia no llega hasta dentro de tres días!

—Eso no le ha impedido organizar el campamento y ordenar a los trabajadores las funciones de cada uno. De momento, el capataz Jack está al cargo de las operaciones. Es uno de los hombres de confianza del coronel Campbell.

—¿Por qué no se me ha informado?

—Llegamos ayer por la tarde, cuando su jornada de trabajo ya había concluido. Yo me enteré cuando me crucé en mi tienda con Jack y me contó todo. En ese momento, usted ya se encontraba en la fiesta del ministro. ¿Cuándo quería que le informara?

—Disculpe si el tono de mi pregunta ha sonado a reproche. No lo pretendía. Lo único que me preocupa es que le dije al ministro que tan solo habíamos acampado, sin nombrarle el inicio de las operaciones.

—Por eso no se preocupe —le respondió Hill—. ¿Acaso cree que Boghos Bey no lo sabe? Su trabajo consiste en conocer todo lo que sucede en su país. Piense un poco, incluso estaba informado del día y la hora exacta de nuestra llegada a Guiza, cuando nadie del consulado se lo había comunicado.

Vyse recordó las palabras del ministro la noche anterior y no pudo evitar estremecerse. Su nivel de conocimiento asustaba.

—Bueno, ¿empezamos nuestra inspección a la Gran Pirámide? Ha pasado poco más de diez meses desde que penetrara por primera vez. ¿No tiene curiosidad por los avances que hayan podido hacer en este tiempo?

—¡Claro! —exclamó Vyse, intentando despertar a su cerebro—. Pongámonos en marcha.

Cuando llegaron a la base de la Gran Pirámide, se toparon con la primera sorpresa.

—¿Qué hace aquí? —preguntó Vyse a una persona que estaba sentada en la entrada superior de la Gran Pirámide. Era de tez oscura y llevaba una tela en la cabeza, lo que dificultaba verle la cara.

—Tengo órdenes de proteger e impedir la entrada a la pirámide —respondió.

Su terrible acento lo delató. Vyse lo reconoció de inmediato de su primer viaje a Guiza. Era Giachino, el ayudante de Caviglia que no les quería permitir el paso. En aquella ocasión tuvo que ser el *janissary* Selim el que lo intimidara para que pudieran acceder.

—Mire, Giachino. No sé qué hace aquí ni quién le habrá dado las órdenes, aunque supongo que habrá sido Mr. Caviglia. Llevo una mala mañana, así que o se aparta por las buenas o le aparto por las malas, usted decide.

Mr. Hill también se sorprendió, pero no por la presencia de Giachino sino por la actitud del coronel Vyse. No había cambiado su tono de voz ni había gritado, pero sus palabras habían sonado a una amenaza tan clara que no le hubiera extrañado nada que la cumpliera en unos segundos. Sus ojos echaban fuego. Mr. Hill no podía permitir un incidente de esas características en público, además en su primera inspección a la Gran Pirámide. Intentó poner paz cuando, para su espanto, observó que el coronel Vyse desenfundaba una especie de fusta de madera y se dirigía hacia aquel lacayo de Caviglia.

—¡Tranquilo, no hace falta utilizar la violencia! —exclamó Giachino, cuando Vyse estaba a apenas dos metros de él con la mano en alto—. Ya me voy.

—Supongo que lo habrá contratado Caviglia y estará siguiendo instrucciones suyas, pero le voy a dejar una cosa muy clara —le dijo Vyse, con la furia todavía reflejada en su rostro—. Como lo vuelva a ver por aquí, lo mando arrestar por los soldados a las órdenes del *janissary* Selim. No estoy aquí para perder el tiempo con tonterías ¿Me ha comprendido?

Y tanto que lo hizo. Cuando escuchó la palabra *«janissary»* no se esperó a escuchar lo siguiente. Salió corriendo como alma que lleva el diablo.

—Ya veo que la diplomacia no es lo suyo —apuntó Mr. Hill, sin poder evitar una tímida sonrisa.

—A pesar de ser militar, no me gusta emplear la violencia a no ser que comprenda que es la única manera de resolver un problema. Además, ya sabe que esta no es mi mejor mañana. Creía que era difícil empeorarla.

En ese momento, Vyse no sabía lo equivocado que estaba. Todo es susceptible de empeorar.

Visitaron durante un par de horas la Gran Pirámide y la segunda. Cuando salieron de ambas, Vyse estaba pálido.

—Mr. Hill, le agradecería que me dejara un momento a solas.

A su ayudante le bastó ver la expresión en el rostro del coronel Vyse para cumplir su voluntad. Aquella mirada en su rostro no supo cómo interpretarla, pero sintió miedo. Se fue sin decir palabra.

Mr. Vyse se alejó de las dos grandes pirámides y se acercó a la tercera, dando un paseo para ver si conseguía tranquilizarse. Lo que había visto en las dos primeras lo había sorprendido.

La tercera pirámide era de menor tamaño y, a su alrededor, se adivinaban tres pirámides de menor tamaño, casi sepultadas por la arena del desierto.

Se aproximó con cautela, como si aquella mole de piedras de granito le pudiera hacer algún daño.

No le cupo ninguna duda.

Sin saber muy bien el motivo, se apresuró a regresar al campamento con premura. Ya se había pasado la hora de comer, así que ordenó a Selim que le sirviera algo en su tienda. Aunque no tuviera hambre, no sabía si por los excesos de ayer o por las sorpresas de hoy, se sentía débil y tenía que obligarse a ingerir alimentos. Estaba en el desierto y no podía permitirse enfermar.

Después de dar cuenta de la frugal comida, se dirigió al escritorio que había en un extremo de su tienda. Extrajo un pequeño diario y comenzó a escribir en él. En todas las excavaciones arqueológicas, el pachá de Egipto obligaba a llevar un diario con el detalle de las actividades y un inventario de los hallazgos que se habían producido cada día. En cualquier momento, uno de sus ministros o subalternos podía acudir a la excavación para comprobar su marcha, observar los hallazgos y revisar el diario y el inventario. Si algo no estaba en regla, el pachá podía rescindir el contrato.

Pero ahora Vyse no estaba escribiendo en uno de esos documentos oficiales. Era su diario personal que debía llevar por instrucciones del coronel Campbell. Nada tenía que ver con los otros, ya que su existencia tan solo debía ser conocida por ambos.

Lo que le quedó muy claro es que debia partir a El Cairo mañana mismo.

El asunto no permitía ninguna demora.

35 ANTIGUO EGIPTO, MENFIS

—¿Sabes quién soy?

Nefer estaba arrodillado en el suelo, en presencia de una persona de unos cuarenta años, con una más que prominente barriga y sentado en una silla dorada, pero no demasiado ornamentada. Había sido conducido hasta el edificio donde se encontraba, que, por su estilo, debía de tratarse de algún pequeño palacio en el centro de Menfis.

—¿Es usted el gran visir Setka? —se aventuró Nefer.

—Pareces un joven muy listo. ¿Sabes también el motivo por el que te he hecho llamar?

Nefer sintió un nudo en el estómago. Se le daba fatal mentir y, en las actuales circunstancias, delante del mismísimo visir del Bajo Egipto, se unía su torpeza natural con cierto miedo reverencial a la persona que le estaba preguntando.

—No, señor —respondió Nefer.

—Pues deberías conocerlo. Estás aquí por una acción tuya.

Nefer estaba haciendo verdaderos esfuerzos, pero recordó las enseñanzas de su padre, *«la cabeza siempre muy alta»*.

—Es usted el que ha mandado arrestarme. Supongo que tendrá que ser usted también el que me diga el motivo y no yo.

Setka sonrió.

—Para ser el hijo de un campesino de apenas trece años de edad, desde luego tienes valor para dirigirte a mí en ese tono. Pero no te falta razón. Tan solo he ordenado que te traigan a mi presencia, no estás arrestado.

—Sus soldados me han traído por la fuerza, arrancándome de toda mi familia. ¿Qué diferencia hay?

—Siento si mis guardias te han dado esa impresión. Supongo que están acostumbrados a hacer su trabajo con rudeza. En realidad, te he mandado traer porque quería saber si eres como me habían contado. Ya veo que lo que dicen de ti es cierto.

—Si me lo permite —Nefer tampoco quería tensar la cuerda en exceso, no fuera que se rompiese—, ¿a quién le puede interesar el carácter del hijo de un campesino de trece años, como usted acaba de decir?

—Lo mío es pura curiosidad. Al que le interesas de verdad es al faraón Baka. Él ha sido el que me ha hablado de ti.

Nefer se sobresaltó.

—¿Al faraón? —preguntó sorprendido.

—Sí, al faraón, ¿no tienes oídos? Le tienes que agradecer que te haya seleccionado de entre muchos candidatos para asistir como aprendiz a su colegio personal en el palacio. La verdad es que no sé qué puede haber visto en ti, pero te convertirás en una persona formada y saldrás de la vida de miseria que llevabas hasta ahora. Quién sabe, incluso puede ser que llegues a visir —dijo Setka, riéndose abiertamente.

«En esa vida de miseria era feliz», pensó Nefer, pero las palabras de Setka, además de tranquilizarle, le habían abierto los ojos.

—No solo al faraón. También debo de agradecérselo a Sobek —replicó Nefer.

—¿A quién?

—Es el sumo sacerdote del Templo de la Diosa Neith.

—¡Ah! —exclamó Setka—. Yo no me relaciono con sacerdotes más allá de lo estrictamente necesario, es decir, cuando los necesito. Una vez me he servido de ellos, los olvido. No me interesan lo más mínimo. Con sus constantes intrigas, intentan minar nuestra autoridad como visires reales, representantes directos del faraón en Egipto. No me fío de ninguno.

«Pues, aunque no lo sepas, estoy aquí por uno de ellos, cerdo engreído», pensó divertido Nefer, que ya se había relajado del todo, pero no podía olvidar el trato recibido por los soldados del visir en su casa, enfrente de su familia. A la vista de lo que ahora conocía, aquello había sido completamente innecesario. El visir se podía haber explicado mejor en la nota que contenía aquel papiro enrollado. La despedida también hubiera sido triste, pero de diferente manera. Ahora, su familia podría pensar que estaba muerto o, en el mejor de los casos, encerrado en una oscura celda.

—Debo llevarte al Palacio Real con el resto de los elegidos. Allí permaneceréis cuatro años como mínimo. Vuestro futuro dependerá de vuestra inteligencia y destreza.

—Si Su Excelencia me permite una pregunta —comenzó Nefer del modo más educado que se le pudo ocurrir. Ni siquiera sabía cuál era el tratamiento para dirigirse a un visir real—. ¿Ha llamado ante su presencia a los veinte elegidos?

—¡No, por favor! —exclamó el visir, haciendo un gesto de hastío—. Tan solo a ti.

—¿Por qué?

—Haces demasiadas preguntas, niño. Quizá algún día llegues a averiguarlo, aunque lo dudo mucho —concluyó el visir, mientras se retiraba de la estancia.

—Los mismos soldados que le habían llevado frente al visir se dirigieron hacia él. Lo tomaron por los brazos y lo volvieron a montar en el carro de trasporte.

—¿Sabíais que no se trataba de un arresto y no le dijisteis nada a mi familia? —les echó en cara Nefer.

—Nosotros solo cumplíamos órdenes —le respondió el jefe de la guardia—. Como ya os dijimos, el gran visir jamás comparte con nosotros sus intenciones.

Nefer lo creyó.

El trayecto entre el palacio del visir y el Palacio Real de Menfis fue muy corto, apenas cinco minutos. Al llegar, fue llevado a una sala.

Ahí se llevó la primera sorpresa de la noche.

Se suponía que el faraón había seleccionado a veinte jóvenes para ser formados, pero en aquella estancia se encontraba solo. Esperó sentado durante un buen rato, hasta que alguien apareció por un extremo de la sala.

—Has llegado muy tarde, pensábamos que no ibas a venir —dijo una mujer—. El resto de tus compañeros ya están en sus aposentos.

—Disculpe, señora —le respondió Nefer, que no sabía cómo dirigirse a ella, ya que no se había presentado—. Vengo del palacio del visir.

—¿Del visir Setka? —preguntó sorprendida—. ¿Se han equivocado los guardias y te han llevado allí?

—No ha sido un error. El visir me quería conocer.

A aquella señora le cambió la expresión de su rostro. No comentó nada más acerca del «incidente», pero Nefer tomó nota mental. Algo no había sucedido como estaba previsto.

—Vamos, te voy a llevar a los baños. Me temo que no llegarás a tiempo para la cena.

—¿A los baños? ¿A esta hora? —preguntó Nefer extrañado. Lo de la cena no le importaba, ya que en su casa tan solo comían dos veces al día; un buen desayuno para coger fuerzas para el campo y una comida tardía. No cenaban, como la mayor parte de los miembros de su clase social.

—¿No pretenderás entrar así en los aposentos del palacio?

«¿Así?», pensó Nefer mientras se miraba.

Aquella señora le indicó que la siguiera mientras continuaba hablando.

—Como comprenderás, mientras estés en el Palacio Real, las normas diarias de higiene serán diferentes a las que estabas acostumbrado hasta ahora. Vas a estar en contacto con miembros de la realeza y eso requiere cierto nivel de pureza. Debes lavarte con abundante agua cristalina por las mañanas, después de levantarte y antes de acostarte. También antes de entrar en la zona de enseñanza y al salir de ella. Por supuesto, también antes y después de cada comida.

Nefer contó mentalmente. «¡Diez veces diarias como mínimo!», pensó asombrado. En su casa de aseaba con agua turbia cada varios días.

—Y eso no es todo —continuó aquella señora viendo la cara de asombro de Nefer—. Mañana depilarán tu cuerpo excepto la cabeza. Esto no es un templo de sacerdotes *sem*, que están obligados a depilarse hasta el pelo. Tú podrás conservarlo, eso sí, con otro aspecto. En cuanto a tu salud bucal, serás examinado. Los campesinos como tú suelen llegar al palacio con los dientes en mal estado debido a ese pan que consumís, confeccionado con esa harina tan arenosa. También estarás obligado a mascar natrón, para evitar infecciones e impurezas. En cuanto a tus manos, también pasarán un examen de limpieza y desinfección y te harán la manicura de forma habitual.

—¿Tan mal aspecto tengo? —acertó a decir Nefer, arrollado por las estrictas normas sanitarias que le estaba detallando aquella mujer.

—No es eso —rio—. Todos venís con un aspecto muy parecido y tú no eres una excepción. Ten en cuenta que desde que has entrado por la puerta del palacio, has dejado de ser un *rekhyt*.

—¿Un qué? —preguntó Nefer, que no tenía ni idea del significado de esa expresión.

—Esa es la palabra por la que se conoce al pueblo llano. Ahora ya no formas parte de él. Aquí te formarán y te darán una educación que permitirá que, quizá, puedas alcanzar a ser un *pat*, que son la clase gobernante del país y sus ayudantes.

—No conocía que teníamos un nombre.

—No es despectivo, no te lo tomes a mal, es simplemente descriptivo.

«No sé qué es peor», pensó Nefer.

Sin darse cuenta, habían llegado a una estancia circular completamente blanca. En el centro había un mueble con unas jofainas enormes y un plato de idéntico tamaño.

—Ahora te dejo —dijo la señora—. Aséate todo el cuerpo. Cuando termines, arroja tu *shenti* al cesto y abre el arca de madera de arce que está a su lado. Allí encontrarás todo lo necesario para vestirte. Recuerda que, además de un nuevo *shenti*, dentro del palacio debes llevar tu torso cubierto por una saya blanca de lino. Tampoco puedes continuar sin cubrirte los pies. Junto al arca encontrarás diversas sandalias de cuero. Busca un par que sea de tu talla y te las pones. En diez minutos volveré a por ti.

Nefer jamás había visto nada ni siquiera parecido a aquello. Se quitó su *shenti* o faldilla y se quedó desnudo. Se aseó como nunca en su vida. No quería empezar con mal pie. Después, abrió el arca de arce, que desprendía un olor aromático que impregnaba todas las prendas de su interior. Tomo otro *shenti* y se lo ajustó a su cintura con la ayuda de un cinturón de cuero. Extrajo una de las túnicas y se la puso. No sabía si era de su talla, ya que jamás había llevado una, pero le pareció que le quedaba bien. En cuanto al calzado, como siempre había ido descalzo, se entretuvo en buscar un par de sandalias que se acoplaran a su pie sin que le molestaran en exceso. Se sorprendió por su tacto suave, a pesar de estar confeccionadas con cuero. Jamás había visto unas de esas, ni siquiera las de Sobek eran así. Se solía utilizar la tela extraída de los juncos del Nilo o incluso papiro, pero el cuero estaba reservado a las altas dignidades.

En ello estaba cuando escuchó unos pasos en la estancia. Se giró.

—¡Caramba! —dijo la señora—. ¡Menudo cambio!

—Disculpe mi torpeza con las sandalias. Jamás había visto unas de estas y no sé cómo se sujetan. Se me salen del pie —dijo Nefer, algo turbado. Todo aquello era nuevo para él.

—No sientas vergüenza. Las acabamos de recibir en el palacio y son un modelo nuevo y diferente a las que puedas haber visto con anterioridad. Tan solo tienes que tomar las tiras de cuero que sobresalen y anudártelas por encima del tobillo.

Así hizo Nefer, que estaba en una nube.

—Ahora, sígueme —le dijo la señora.

Y aquí vino la segunda gran sorpresa de Nefer.

El Palacio Real.

No era como él se lo imaginaba. Desde el exterior tan solo se apreciaban sus sólidos muros y nada más. Daba la impresión de ser un gran edificio y poco más. Pero nada más lejos de la realidad.

—Sorprendido, ¿verdad? —dijo la señora, viendo la cara de Nefer—. No te preocupes, les ocurre a todos la primera vez.

—Es impresionante. Pensaba que el Palacio Real era un edificio muy lujoso, pero esto es otra cosa. Parece una ciudad dentro de una ciudad.

—No se me ocurriría describirlo mejor —le respondió la señora.

Lo que tenían frente a ellos era una inmensa plaza porticada descubierta, decorada con colores muy vivos. Detrás de ella se alzaban multitud de construcciones individuales de diferentes tamaños y estilos. Algunos de ellos parecían palacios, aunque otros eran más modestos dentro de la grandeza. También se podía observar, en la distancia, lo que parecían ser jardines. A pesar de ello, todo el conjunto desprendía una gran armonía y belleza.

—¿Cómo puede caber todo esto aquí adentro? Desde el exterior no parece tan grande.

—Estás observando la última construcción del gran arquitecto Imhotep, encargada por el faraón Djoser. Poco después fallecería. Supongo que su nombre no te sonará de nada, pero ya lo aprenderás.

—¿Cuándo podré ver a Sobek?

—¿Quién es Sobek?

—Un sacerdote que me ha ayudado a estar aquí.

—No sé qué responderte a esa pregunta. Esto es el Palacio Real del faraón y no un templo. A pesar de ello, es cierto que aquí residen algunos sacerdotes menores para el servicio privado del faraón, pero ninguno se llama así.

—¿No conoce al sumo sacerdote del Templo de la Diosa Neith?

Aquella señora se limitó a levantar los hombros.

Nefer decidió no continuar preguntando acerca de Sobek. Nadie parecía conocerlo, a pesar de ser el sumo sacerdote del segundo templo en importancia de Menfis.

«Se supone que debería ser una persona conocida por todos, pero no es así», pensó Nefer. «Es cierto que es joven y supongo que llevará muy poco tiempo como sumo sacerdote». Recordó que le dijo que, a pesar de su posición, intentaba acudir a la escuela del faraón cuando sus obligaciones se lo permitían.

«Igual nos encontramos mañana».

Aun así, le resultó extraño.

36 EL CAIRO, EGIPTO, 12 DE NOVIEMBRE DE 1836

—¿Me había llamado, señor?

—Sí, Selim. Quiero que organices un viaje a El Cairo. Deseo partir mañana pronto, con los primeros rayos del sol. Me gustaría regresar el mismo día, si no se me hace muy tarde —le informó Vyse.

—Mi coronel, son las siete de la tarde. ¿No le parece muy precipitado para organizar una cosa así? Ya conoce el mal estado del camino hasta El Cairo —le respondió con prudencia el *janissary* Selim.

—Por eso quiero que lo organices tú en persona, pero no hace falta que me acompañes. Tampoco necesitaré una gran comitiva, con dos o tres soldados será suficiente.

Selim no parecía muy convencido.

—Te aseguro que no te pediría una cosa así si no se tratara de un asunto urgente —insistió Vyse.

—Lo que usted ordene, coronel —le respondió Selim, que se disponía a abandonar la tienda de campaña.

—Una última cosa, Selim. Quiero que en la comitiva de mañana nos acompañe Giachino.

Ahora, el *janissary* sí que se sorprendió de verdad.

—¿Se refiere al ayudante de Mr. Caviglia?

—Sí. Lo quiero lejos de Guiza. No deseo que forme parte de esta expedición.

—Pero Mr. Caviglia es el encargado de contratar a los trabajadores. ¿No le supondrá un enfrentamiento con él?

—Ese choque se va a producir de igual manera, con Giachino en Guiza o en El Cairo, así que me importa muy poco la opinión de Mr. Caviglia —le respondió. Su voz sonaba suave, a pesar del contundente mensaje que contenía.

Selim pareció entenderlo y se dispuso a abandonar la tienda de Vyse.

—Casi se me olvidaba, Selim. Hay otra cosa importante que debes saber. Quiero que ejecutes lo que te voy a contar y que no me preguntes nada, ¿lo tienes claro?

—Por supuesto, mi coronel.

Vyse le dio las órdenes y pudo ver la cara de sorpresa en el *janissary*, pero no dijo nada y, ahora sí, abandono la tienda.

Vyse estaba muy cansado, no solo porque había dormido mal la noche anterior sino también porque estaba muy preocupado y eso lo alteraba bastante y le producía más cansancio todavía. Debía de resolver este problema cuánto antes. Pensaba que las cosas habían quedado muy claras, pero era evidente que no era así. «Más vale una única discusión, aunque sea muy fuerte, que diez pequeñas», pensaba. «Y si no consigo lo que quiero, regreso a Londres de inmediato, diga lo que diga Campbell. Todo tiene un límite».

Tenía la cabeza envuelta en preocupaciones y eso no le permitía conciliar el sueño, a pesar del cansancio. «Solo falta que el imbécil ese me impida dormir», pensó.

—Coronel, es la hora —escuchó.

—¿La hora de qué? —respondió, con la mente aún desconectada del resto de su cuerpo.

—Son las siete de la mañana. Como convinimos ayer, está todo preparado.

Se incorporó de la cama y se quedó mirando a su interlocutor. Era Selim. Ahora pareció reaccionar.

—En diez minutos tiene prevista su partida —le contestó.

Por lo visto, se había quedado dormido por segundo día consecutivo. Era algo insólito en él, acostumbrado a levantarse con el alba, pero hoy era diferente. Se encontraba bien y con ganas de marcharse a El Cairo. Los dos días que había estado en Guiza, sin ninguna duda, lo habían alterado.

Después de prepararse, salió de su tienda y vio que el *janissary* ya lo tenía todo dispuesto.

—¡No tiene ningún derecho! —escuchó que alguien le gritaba—. Cuando se entere…

—Si no se calla de inmediato, le pego un tiro aquí mismo —le interrumpió Vyse, llevándose la mano a su cintura—. Llevo dos días malos y no estoy para estúpidos sermones. No quiero escuchar ni una palabra suya hasta que lleguemos a El Cairo, ¿me ha comprendido?

Giachino cerró su boca de inmediato. Tan solo con ver la expresión en el rostro del coronel Vyse, comprendió que era perfectamente capaz de cumplir lo que decía.

El viaje de retorno a El Cairo fue más sencillo que el de ida, ya que no soplaba el temido viento *jamsin*. A las doce del mediodía ya estaban entrando en la capital. Se dirigieron de inmediato al consulado general británico.

Esta vez llamó a la puerta del despacho del coronel Campbell. El trayecto desde Guiza le había servido para reflexionar y ello había calmado su furia inicial. Ahora tan solo estaba enfadado, que no era poco.

Escuchó desde el interior del despacho un «adelante». Hizo un gesto a los soldados de su comitiva para que se esperaran en el exterior y entró. Campbell se llevó una buena sorpresa al ver a Vyse. Estaba claro que algo había sucedido y, por la expresión en el rostro de su amigo, nada bueno debía de ser. Cuando observó a su acompañante, Giachino, todavía se sorprendió más.

—¿Qué hace él aquí? —preguntó, a modo de bienvenida.

—Yo también me alegro de verte —le respondió Vyse—. Esa no es la pregunta correcta, sino ¿qué hacía en Guiza?

Campbell se dirigió a Giachino.

—Por favor, déjanos solos.

—Los soldados están fuera y te esperan. No te separes de ellos —le dijo Vyse, con la misma expresión de determinación que lo había asustado en Guiza.

—¿Soldados? —preguntó Campbell, que parecía alarmado.

—¿Te importa que continuemos la conversación en el *«Café París»*? Ha sido un viaje muy pesado y me apetece un té con algunas pastas.

—No, claro que no.

Campbell conocía de sobra a Vyse. No recordaba que su amigo tomara té hasta las cinco de la tarde.

Una vez en el *«Café París»*, el cónsul ya no se pudo aguantar.

—¿Qué ocurre, Howard? Apenas hace dos días que te fuiste a Guiza a prepararte para las excavaciones.

—Te lo voy a resumir en una sola frase. O me cuentas lo que de verdad está sucediendo en Guiza o me vuelvo a Londres de inmediato.

Campbell se le quedó mirando con una expresión de total desconcierto.

—¿A qué te refieres? —le preguntó.

—No debería ser yo el que contara nada sino tú, pero por deferencia a nuestros años de amistad, te lo explicaré de una forma muy abreviada. No lo pienso repetir, así que estate atento.

—De acuerdo —respondió Campbell, que no sabía qué pensar. Su amigo parecía muy alterado.

—Anteayer por la tarde, cuando llegué a Guiza, me encontré con dos sorpresas. La primera era un gran campamento ya montado y la segunda la presencia del ministro Boghos Bey, que me estaba esperando porque conocía la hora exacta de mi llegada.

Ahora Campbell se alarmó de verdad.

—¡Pero si eso lo decidimos tú y yo el día anterior por la tarde!

—Eso mismo le dije yo. Bey tiene personas que trabajan para él en tu propio consulado, por eso estamos tomando un té en el «Café París» y no en tu despacho.

—¡Eso es imposible!

—¿Por qué? ¿Te crees que eres el único en Egipto con una red de informadores?

—No es eso. Es que no comenté tu viaje a Guiza con nadie. Tan solo lo sabíamos las personas involucradas.

—Pues háztelo mirar. De todas maneras, ese es tu problema y ya estás avisado. No he venido a El Cairo por eso. Quiero saber qué es lo que sucede en Guiza, pero esta vez sin trampas.

—Te juro que no sé a qué te refieres, Howard.

—Ordena llamar a Caviglia y atrévete a decir eso mismo en su presencia.

—No puedo. Caviglia está en Alejandría haciendo acopio de material para la excavación. Se supone que hoy sale su faluca por el Nilo con destino a El Cairo. Llegará en tres días y luego tiene previsto acudir de inmediato a Guiza. Ese era el plan original desde el principio. ¿Qué ha sucedido desde entonces? ¿Se ha enfadado el ministro por haber instalado el campamento antes de firmar el contrato? Siento no haberte informado de ese detalle, pero consideré que no tenía importancia. No era un tema propio de la excavación, sino de simple logística. Ahora le enviaré una nota de disculpa al pachá y haré especial hincapié en que tú no tenías conocimiento de ello.

—Bey ya sabía que estábamos acampados allí. Te acabo de decir que conocía hasta la hora de mi llegada y me estaba esperando. Me trató con cordialidad y me invitó a pasar la velada junto con su familia. Se podría decir que fue una visita de cortesía, nada de reproches. Además, no te molestes en mandarle una nota al pachá. Está de viaje y en cuanto vuelva firmará el contrato. No debes de preocuparte por eso. Debes de preocuparte porque yo esté aquí.

La sorpresa de Campbell iba en aumento.

—Lo siento, Howard. Si se supone que debo entenderte, no lo estoy haciendo.

—Llevaba casi once meses sin visitar Guiza. Ayer mismo hice una inspección de las pirámides con Mr. Hill. ¡Por Dios, Patrick! Excepto porque han retirado arena y algunos escombros, todo sigue igual. No se han hecho trabajos en su interior. También me acerqué, esta vez solo, a la tercera pirámide. ¡Me has engañado! Y la cosa no acaba aquí. Giachino, el hombre de confianza de Caviglia con el que acabo de venir de Guiza, me confesó que tenían instrucciones precisas de él. Les había ordenado no trabajar en las pirámides, sino en los alrededores de la Esfinge.

—No tenía ni idea de todo eso. Igual es una simple cuestión de precaución. Caviglia sabe que no tenemos autorización del pachá para iniciar la excavación.

—¿Y lo está haciendo en la Esfinge? ¡Tampoco tiene autorización para eso y no le ha importado!

—De verdad, no sé qué decirte, Howard.

—¡Ese es el problema! No eres tú quién controla esta excavación. Sigue Caviglia al frente actuando por su cuenta, sin informar a nadie. Además, no alcanzo a comprender el motivo. Si todo sigue igual que antes, ¿por qué renunció a su contrato en exclusividad que ya le permitía hacer todo eso sin interferencias nuestras? Está muy claro que me estás ocultando información y eso rompe el acuerdo al que habíamos llegado, ¿recuerdas? Nada de secretos entre nosotros. Además, no te permito que insultes nuestra mutua inteligencia ni abuses de nuestra amistad. No me vuelvas a engañar. Te repito la frase que te he dicho hace un momento en tu despacho. O me cuentas toda la verdad o me vuelvo a Londres de inmediato.

—Se trata de Mr. Hill —dijo al fin Campbell.

—¿Qué sucede con él?

—Es miembro de la Iglesia católica.

Vyse no daba crédito.

—¿Y eso qué me importa? ¡Por mí como si es budista! —exclamó.

—Conoce todo el tema de la tercera pirámide. De hecho, fue iniciativa suya.

—¿Qué? —preguntó Vyse, ahora sin comprender las palabras de Campbell.

—Él fue el que me alertó.

Vyse se quedó mirando a su amigo. Por la expresión de su rostro, parecía que no le estaba mintiendo, pero no comprendía nada.

—Bueno, vale, admito que pueda trabajar para el Papa de Roma. ¿Y qué tiene que ver eso con la excavación en Guiza? Ya sabes que nuestras familias pertenecen a la Iglesia Anglicana y no veo ningún inconveniente en trabajar con un católico. Como comprenderás, ya lo he hecho en anteriores ocasiones, como supongo que tú también. Además, estamos hablando de una excavación arqueológica en Egipto donde la mayoría de trabajadores son musulmanes. ¿Dónde está el problema?

Campbell se lo contó.

Vyse se quedó mirando a su amigo con cara de absoluto asombro. Aquello no podía estar sucediendo.

—¿En serio te crees esas patrañas? ¡Por favor, Patrick! Ya tenemos cierta edad para creernos esos cuentos.

—Lo importante no es lo que tú y yo creamos, sino lo que ellos crean.

Vyse se quedó pensativo durante un instantc.

—¿Quién conoce este tema? —preguntó.

—En Guiza, Mr. Hill y tú, y en el resto de Egipto tan solo yo. Y así debe seguir.

Vyse, a pesar de que había creído las explicaciones de Campbell, sabía que algo no terminaba de encajar. Para su sorpresa, su enfado inicial se había trasformado en curiosidad.

«Es una completa locura, pero ¿y si no lo fuera?», pensó.

37 ANTIGUO EGIPTO, PALACIO REAL, MENFIS

Era un manojo de nervios.

Hoy era el primer día que iba a asistir a la escuela. No sabía que se iba a encontrar y eso que ya llevaba diez días en el palacio. Durante este tiempo había comenzado a acostumbrarse a las rutinas diarias. Eran muy estrictas y no comprendía el sentido de alguna de ellas, pero para eso se suponía que estaba allí, para aprender.

Estos días los había empleado en pasear y hablar con alguno de sus futuros compañeros en la escuela. Dormían en una enorme habitación y, por primera vez en su vida, disponía de un espacio para él solo. Los primeros días extrañó el calor de sus padres y sus hermanos, ya que en su casa dormían todos juntos, pero ya se había acostumbrado. Además, había encontrado el lugar preciso para llenar su extrema curiosidad. No pasaba un día sin que se llevara sorpresas y aprendiera algo nuevo.

Lo primero que le sorprendió es que no existía una única escuela, sino tres, situadas en edificaciones diferentes dentro del recinto del Palacio Real. La primera de ellas era conocida como «La casa de la vida». Le habían contado que se trataba de una especie de almacén de papiros donde solo podían acceder los escribas y algunos sacerdotes. Allí se concentraba toda la sabiduría escrita de Egipto. También pudo observar, desde el exterior, la llamada «Casa Jeneret». En esta ocasión, era de acceso exclusivo a mujeres, con la excepción de los príncipes de Egipto, que también podían entrar. Estaba bajo el control de la esposa favorita del faraón, la conocida como «Gran Esposa Real» y allí se educaba a las jóvenes de la alta sociedad egipcia en labores tan diversas como la música, la danza, la confección de vestidos e incluso disponían, para sorpresa de

Nefer, de talleres en los que aprendían oficios relacionados con las clases bajas, como alfarería o carpintería.

La tercera escuela la iba a conocer en unos minutos, pero ya había podido averiguar algo acerca de ella. Lo primero que le sorprendió es que le habían contado que asistían tanto mujeres como hombres. Nefer creía haber entendido que tan solo era masculina, ya que el faraón seleccionaba a veinte jóvenes varones cada año. «Si el faraón tan solo escoge hombres para su escuela, ¿de dónde salen las mujeres?», se preguntaba. Para su sorpresa, el saber que iba a compartir espacio con mujeres le produjo cierta turbación, ya que no se lo esperaba.

—Vamos, es la hora —escuchó una voz que se alzaba sobre la estancia.

Todos acudieron a la gran sala blanca para asearse y cambiarse de vestimenta. Era el ritual matutino, pero, a diferencia de los días anteriores, hoy no iban a disponer de tiempo libre. De la sala blanca acudirían todos juntos a la escuela.

Nada más entrar, se llevó una monumental sorpresa. La estancia que albergaba la escuela era enorme y no habían sido los primeros en llegar. La sala ya estaba casi completa. Una mirada rápida le llevó a contar unas noventa mesas con sus correspondientes sillas. Ellos tan solo eran veinte. «Supongo que seremos los novatos y los que ya están sentados serán los veteranos, que se alojarán en otra edificación diferente a la nuestra», pensó Nefer. Se imaginaba que, siendo tanta gente, compartirían el espacio y le resultó extraño que cada uno dispusiera de una mesa individual. Pero todo ello, por curioso que le pudiera parecer, no era lo que había causado su sorpresa.

Sobek estaba sentado en la primera fila.

Estos días no había vuelto a preguntar por él. Después de que ni el visir ni la señora que lo había atendido el día que llegó al palacio conocieran quién era, decidió que, si lo tenía que volver a ver, cosa que no tenía demasiado clara, debería ser en la escuela.

Y allí estaba.

Ni siquiera se giró para mirarle, pero su simple presencia reconfortó a Nefer. No le había engañado. Era cierto que existía, cuestión que también se le ocurrió dudar, y asistía a las clases tal y como le había dicho.

—¿Qué haces ahí parado? —escuchó a sus espaldas—. Ocupa tu mesa como los demás.

Nefer salió de sus pensamientos. Vio que todos sus compañeros ya se habían sentado y tan solo quedaba un espacio en la última fila. Antes de llamar más la atención, acudió a la mesa y se sentó en su silla.

No parecía suceder nada. Nefer observó que nadie miraba a nadie. Todos tenían sus ojos posados sobre la mesa, como esperando que algo ocurriera, pero lo único que se escuchaba era un atronador silencio.

Hasta que se rompió.

Se escucharon unos pasos al fondo de la estancia. Nefer se atrevió a levantar la mirada. Se trataba de un anciano, de unos sesenta años de edad más o menos, con una barba blanca del tamaño de su hermana pequeña. Nadie parecía reaccionar hasta que el recién llegado dio un golpe en su mesa con una vara de madera que llevaba en su mano.

De repente, aquella estancia pareció cobrar vida. Todos se levantaron al escuchar el ruido causado. Nefer también lo hizo, como un acto reflejo.

—Me llamo Dyehuty y seré uno de vuestros preceptores en esta escuela. Muchos de vosotros ya me conocéis, pero me dirijo ahora a los recién llegados. Mi labor será enseñaros la historia de nuestro pueblo, que se remonta a tiempos inmemoriales. Aprenderéis el origen de algunas de nuestras costumbres cotidianas y otras que ni siquiera sabéis que existen.

Hizo un pequeño descanso, levantando su mirada hacia sus alumnos, sobre todo los situados al final de la estancia.

—Os lo veo en vuestras caras. Quizá mi apariencia y mi edad os pueda causar cierto respeto, pero no me debéis temer. Cuando termine cada clase, cualquiera de vosotros puede aproximarse a esta tarima y preguntarme lo que consideréis oportuno. Si os lo tomáis en serio, vosotros seréis el futuro de Egipto. Ese fue el deseo del faraón Khafre cuando fundó esta escuela y también lo es del actual, nuestro faraón Baka.

Silencio.

—Bueno, voy a empezar por lo elemental, ya que es la primera clase de nuestros veinte nuevos alumnos. Muchos de vosotros ya conoceréis lo que voy a explicar, pero consideradlo como un recordatorio.

Nefer ya mostró interés por la historia de su país cuando conoció a Sobek. Su padre le contó algo, pero aquel profesor profundizó mucho más. Se enteró que los primeros pobladores de la ribera del Nilo se establecieron hacía más de cuatro mil años. Al principio eran simples asentamientos sin conexión entre ellos. En un principio, los primeros habitantes se establecieron, sobre todo, en lo que hoy conocemos como Bajo Egipto, aunque pronto se expandieron hacia el sur, coincidiendo con la aparición de la metalurgia y la utilización racional de las crecidas del Nilo, con la construcción de los primeros diques de contención del agua. Nefer no tenía ni idea que, hacía tanto tiempo, sus antepasados ya tuvieran esos conocimientos tan avanzados. Entonces, comenzó a aparecer una cierta organización social, aunque aún no existía la figura del faraón. Con el dominio de la agricultura y de la metalurgia del cobre, el oro y la plata, se empezó a desarrollar un incipiente comercio que sirvió de unión entre los diversos pueblos.

Las enseñanzas de aquel anciano tenían enganchado a Nefer, hasta el punto que, cuando concluyó su clase, su mente aún seguía volando, imaginándose aquellos tiempos remotos.

—¿Te has dormido?

Nefer salió de sus pensamientos. La pregunta provenía de una niña de unos siete años, que estaba sentada justo delante de él.

—No, no. Me gusta mucho la historia y estaba pensando en todo lo que nos acaba de contar el preceptor Dyehuty.

La niña se rio.

—¿He dicho algo gracioso? —le preguntó Nefer.

—Dyehuty, ¿no lo entiendes? Todos nos reímos la primera vez que escuchamos su nombre.

—¿Por qué?

—¿De verdad no lo sabes? Es el dios de la sabiduría. ¿No te hace gracia que nos dé clases?

Nefer estaba confundido.

—Pero no es un dios de verdad, ¿no? —le preguntó Nefer. Con su aspecto no descartaba que pudiera serlo.

—No, tonto —rio la niña—. Tan solo se llama igual que él, por eso nos hace gracia—. ¿De dónde has salido?

Nefer se quedó observando a aquella niña. Tenía una cara pecosa muy poco habitual. «Dentro de unos años será muy guapa», pensó. Por otra parte, lo que le interesaba era hablar con Sobek antes de que se marchara de la sala.

—Disculpa, ¿te importa que continuemos la conversación mañana? Antes me gustaría hablar con una persona.

—Pero si eres nuevo. ¿A quién conoces?

—A Sobek.

—¿A quién?

—A aquella persona que se está levantando ahora mismo —dijo Nefer, señalándolo—. Está en la primera fila. Si no me doy prisa se irá y no podré hablar con él.

De repente, la niña empezó a reírse.

—No te preocupes por eso. Ahora vendrá hacia nosotros —dijo.

—¿Cómo puedes estar tan segura? —le preguntó Nefer, que no comprendía la actitud de aquella niña.

—Porque lo hace siempre. Hoy es el primer día y solo tenemos una clase, así que ya hemos terminado. Cuando eso sucede, me recoge para irnos juntos a casa. Soy su hija.

Nefer se quedó pasmado, sin reaccionar por un momento. Recordaba que Sobek le había contado que tenía un hijo y una hija, pero no que asistieran a la escuela.

—Veo que ya os conocéis —escuchó Nefer a sus espaldas. Era la voz de Sobek.

Nefer estuvo tentado de darle un abrazo, pero sabía que era algo absolutamente inapropiado.

—Es muy divertido. ¿Es amigo tuyo? —dijo la niña dirigiéndose a su padre, mientras ella sí que le abrazaba.

—Sí, nos conocimos hace algunos meses. Asistirá a las clases como tú y yo. Anda, sal al jardín con tus amigas. Déjame que hable con Nefer un momento. Ahora mismo nos iremos a casa.

—¡Qué nombre más bonito tienes! —exclamó, mientras salía de la estancia corriendo.

—Por lo visto, le has caído bien a mi hija —dijo Sobek, para romper el hielo.

—No he sabido nada de ti en mucho tiempo. Además, cuando preguntaba por ti, nadie parecía saber quién eras. Ya me empezaba a cuestionar si existías de verdad o eras el Dios Cocodrilo.

Sobek se rio.

—Ya ves que soy de carne y hueso, como tú.

—Tan solo quería darte las gracias. Como no soy ninguna persona especial ni tengo ningún don destacable, siempre supuse que no sería uno de los elegidos. Veinte entre trescientos, ¡casi nada! Pero aquí estoy. Supongo que habrás tenido algo que ver en la decisión del faraón.

—Bueno, eso no te lo voy a negar.

—Pues podrías haberte puesto en contacto conmigo y habérmelo dicho. Todo este tiempo he estado acudiendo a la ribera del Nilo por si aparecías, pero no lo hiciste. Pensaba que te habías olvidado de mí. Por eso me llevé un gran susto cuando vinieron los soldados del faraón a mi casa para llevarme ante el visir.

—¿Qué? —preguntó Sobek, sorprendido.

—Sí, cuando vinieron a recogerme para...

—No, no —le interrumpió Sobek—. ¿Dices que te condujeron ante el visir? ¿Ante Setka?

—Sí, creo que se llamaba así. Primero el sobresalto de los soldados y luego el temor que sentí ante semejante personalidad.

Sobek parecía intranquilo y no respondió.

—¿Sucede algo? —preguntó Nefer.

—No lo sé y eso es lo que me preocupa.

—La señora que me atendió el primer día que llegué del palacio también se sorprendió cuando se lo conté. ¿He hecho algo malo?

—¿Te atendió una señora? —le preguntó Sobek, cuyo desconcierto parecía cada vez mayor—. ¿Te importaría describirme a esa señora que te atendió?

Nefer lo hizo.

Sobek se quedó con la boca abierta. Literal.

—¿Qué es lo que pasa? —preguntó ahora Nefer.

—Muchas cosas que no comprenderías, porque ni yo mismo lo hago. Para empezar, hay una persona responsable de hacerse cargo de los recién llegados a la escuela. Se llama Bomani y te aseguro que es un hombre.

—Entonces, ¿quién era esa señora?

—Ese es el problema. No puede ser casualidad que la misma noche de tu llegada te recibiera el visir Setka y «esa señora». Me temo que las cosas se pueden complicar.

—¿A qué cosas te refieres? —preguntó Nefer, que ahora sí que ya no entendía nada.

—Veo que le has caído bien a mi hija. Conócela mejor y haz amistad con ella —dijo Sobek, mientras se marchaba de forma apresurada.

«¿Qué es todo esto? ¿Por qué tengo que hacerme amigo de su hija?», se preguntaba un desconcertado Nefer.

Aunque ahora no lo comprendiera, todo tenía su sentido.

38 EN LA ACTUALIDAD, DUBLÍN, IRLANDA, 15 DE OCTUBRE

—¿Has sabido algo de Tote?

—Ya sabes que decidí desaparecer. Ello implicaba no mantener ningún contacto con personas de mi pasado. Eso os incluía a todos, sin excepción.

—Pero Tote y yo somos tus únicos familiares vivos. Ahora te has puesto en contacto conmigo y no con ella. ¿Qué crees que pensará cuando se entere?

—No tengo ninguna intención de que se entere.

Carlota se quedó desconcertada con esa respuesta tan extraña de su hermana.

—¡Qué dices! ¡Estás chiflada! ¿Y qué pretendes que haga yo cuando vuelva a España y me la encuentre?

—No creo que te pregunte por mí. Últimamente, nuestra relación no pasaba por el mejor momento.

—Tú no estás bien de la cabeza. Desde que desapareciste, no hay semana que no se pase por mi casa de la Malvarrosa. Me consta que ha pedido favores a compañeros policías de los servicios de información españoles. Ha comprobado todas las salidas del país, revisado los listados de todas las compañías aéreas y marítimas y ninguna «Rebeca Mercader» figura en ellos y te recuerdo que Irlanda es una isla. Incluso comprobó en las empresas de alquiler de vehículos, también sin ningún resultado. Ordenó intervenir tu antiguo móvil, pero ya sé que te lo dejaste en España. Se ha puesto en contacto con la Interpol, que tampoco conocen tu paradero ni tienen ninguna pista sobre ti. Han puesto un «chivato» en todas tus cuentas bancarias y tus tarjetas de crédito por si efectuabas cualquier movimiento. Saben que no has tocado ni un solo céntimo de ellas desde que desapareciste. Y eso es tan solo lo que yo sé, porque, conociéndola, seguro que te ha buscado por otros medios también. ¿Sabes lo que he tenido que hacer para justificar mi ausencia, estos días que voy a pasar contigo en Dublín? Tuve que inventarme una operación de inteligencia inexistente. Dejé mi móvil en casa porque no me fiaba de que intentara intervenirlo también y viajo con otra identidad. ¿Te parece que, con todo lo que te acabo de contar, cuando vuelva a España no le podré decir nada?

—Hay una solución muy sencilla para todo eso.

—¿Cuál?

—No volver.

—¿Te había dicho en algún momento que estás chiflada? —rio Carlota, arrojándole a la cabeza un cojín estampado con una imagen de *Willy Wonka*.

—No lo digo en broma. El suicidio de Almu me hizo reflexionar y creo que cambió mi vida para siempre.

—¿Reflexionar? ¿Durante los pocos segundos que te perdí de vista? Desapareciste de inmediato. No te dio tiempo ni a mirar la hora. Además, es imposible que no tuvieras todo esto preparado de antemano y a conciencia. Y no me refiero a tu extravagante casa chocolatera. Ni siquiera una mente como la mía hubiera sido capaz de planificar semejante chaladura. Me refiero al hecho de ser capaz de huir de España sin que, ni la policía, ni el CNI, ni la Interpol sean capaces de localizarte.

Rebeca se llevó la mano a la boca, pretendiendo fingir un bostezo de aburrimiento.

—Desaparecer fue muy sencillo. Sois unos pardillos. Yo creo que, cuantos más medios técnicos tenéis, más tontos os volvéis. El plan más eficaz siempre es el más simple.

—¿«Simple» dices? No tienes móvil, no has tocado tu dinero, lo que implica que dispones de otra identidad a cuyo nombre tendrás cuentas bancarias con fondos suficientes para vivir, haber comprado y mantener la propiedad de esta nave industrial abandonada en un rincón de Dublín, a la que nadie presta atención porque pertenece a un proyecto olvidado desde hace muchos años. Evitas moverte por el centro de la ciudad, para que las cámaras biométricas de seguridad que la policía irlandesa tiene instaladas no puedan captar tu imagen, y que los sistemas de reconocimiento facial te identifiquen. Y paro aquí por no aburrirte más, pero podría seguir. Lo siento bonita, pero no cuela. Eso requiere un entrenamiento específico, recursos que se supone que no dispones y saber cosas que se supone que también desconoces. Y eso es cualquier cosa menos simple.

—Te equivocas por completo, bonita —le replicó Rebeca, imitando el tono de voz de Carlota—. Mi identidad siempre ha sido la misma, no tengo otra. En cuanto a que no dispongo de móvil, míralo por ti misma —dijo, mientras lo sacaba del bolso y se lo mostraba a su hermana—. Me paseo por el centro de Dublín cuando me da la gana y no me importan las cámaras biométricas esas. De hecho, me sorprende que no hayas advertido que hay una en el trayecto del *pub* a casa y que paso por delante de ella casi todos los días. Mi desaparición tan solo requirió ser más lista que vosotros, lo que, sea dicho de paso, tampoco es para tirar cohetes. Algún día puede que te cuente cómo lo hice y te abochornaré de lo tontos que sois.

Carlota la miraba con cara de incredulidad, pero prefirió no hacer ningún comentario porque, en el fondo, la consideraba capaz de eso y mucho más, aunque jamás pensaba reconocerlo.

Ante el silencio de Carlota, Rebeca continuó con su explicación.

—También te equivocas con respecto a Almu. Era mi amiga más antigua y a la que más he querido, sin contaros a ti y a Tote, que sois mi única familia. Nos criamos juntas, fuimos al mismo colegio y después a la misma universidad a estudiar el mismo grado, Historia. Incluso coincidimos en la misma clase, con los mismos profesores y los mismos amigos. No éramos muy dadas a asistir a las fiestas universitarias, pero a las pocas que fuimos también lo hicimos juntas. Tú puedes ser mi hermana gemela, pero Almu siempre fue mi alma gemela. Era una persona un poco insegura y yo era su apoyo en la vida y lo sabía. Además, Almu no tenía ningún apoyo en su casa, todo lo contrario. No podía contar con su familia porque era la oveja negra para ellos. Apenas se veían y se olvidaban incluso de felicitarle por su cumpleaños. Era muy vulnerable emocionalmente. A pesar de todo, de ser la persona que más la conocía, le fallé. Justo cuando tenía que estar a su lado, resulta que estaba preocupada por otros asuntos menores de mi propia vida. Es una losa que siempre tendré que soportar sobre mi conciencia.

—No pretendía abrir ese melón otra vez, lo siento —Carlota se había dado cuenta de que su hermana estaba a punto de venirse abajo. Sus húmedos ojos la delataban.

—El melón siempre estará abierto. Era el ángel de la guarda de Almu y fracasé.

—¿Así te sentías? ¿Un ángel para ella? Quizá Almu fuera tu mejor amiga, pero también era muy apreciada por todos. Aunque tímida y algo retraída, era imposible no quererla. No puedes cargar tú sola con esa losa. Además, tú eres agnóstica y eso significa que no alcanzas a comprender el concepto de «ángel».

—Desde un punto de vista religioso puede ser así, pero ahora no estamos hablando de eso. ¿Sabes quién fue Alphonse de Lamartine?

—Ni idea, pero supongo que la señorita historiadora me iluminará —le respondió Carlota, que intentaba quitarle hierro a la conversación.

—Entre otras muchas cosas, fue un gran poeta francés que vivió a caballo entre los siglos XVIII y XIX. A pesar de haber vivido en una época muy convulsa en su país, fue una de las grandes figuras del romanticismo. Se le atribuye una cita que define perfectamente mi estado: *«a menudo, el sepulcro encierra, sin saberlo, dos corazones en el mismo ataúd»*.

Carlota siempre se hacía la dura, la pragmática y la vitalista en el grupo de amigos comunes, pero tuvo que reconocer que esa frase golpeó su corazón con verdadera intensidad, tanto que no fue capaz de responder a su hermana.

—Me siento como un ángel caído —continuó Rebeca—, pero no en el sentido religioso de la expresión. La tradición cristiana los considera como ángeles expulsados del cielo por no seguir las consignas divinas. En cambio, yo me siento como un ángel expulsado de la tierra por no seguir las consignas de la vida.

Carlota sentía que debía de detener todo este torrente. «Ya basta de tonterías», pensó. Estaba llegando a un punto que empezaba a dudar de la salud mental de su hermana. Existe una delgada línea roja que separa la genialidad de la locura.

—Escucha, Rebeca. Detén tu cerebro y bájate un momento. No debes recorrer ese camino porque no te va a llevar a ningún lugar.

Rebeca se quedó mirando a su hermana con una expresión de alivio.

—¿No querías saber el motivo por el que te había hecho venir precisamente ahora a Dublín? Pues es este. Yo no puedo cambiar de rumbo sin tu ayuda. Te necesito aquí, a mi lado, conmigo. No puedes abandonarme ahora.

Carlota no estaba segura de lo que quería decir su hermana, pero se abrazaron sin encontrar el momento de separarse.

«Rebeca jamás se ha comportado así», pensó. «¿Me tengo que preocupar?».

Desde luego.

39 ANTIGUO EGIPTO, PALACIO REAL, MENFIS

—Parece mentira que ya haya pasado un año.

—Me sigues pareciendo igual de tonto que el primer día.

Nefer no pudo evitar reírse. Como le había sugerido Sobek, durante este tiempo se había hecho amigo de su hija. Al principio le pareció algo estúpido. ¿Para qué tenía que confraternizar con esa pecosa? Para su sorpresa, la experiencia había sido muy divertida. Aquella chiquilla tenía algo especial que hacía que la diferencia de edades, catorce contra ocho, no se notara en exceso. De hecho, en numerosas ocasiones, Nefer tenía que reconocer que ella era la que parecía tener catorce.

—En tan solo un año he aprendido a leer y escribir. ¿Te parece que un tonto puede conseguir eso? —le replicó Nefer.

—Yo, cuando tenía seis, ya sabía.

—¡Eso no es justo! Tú llevas recibiendo una buena educación desde que naciste. Yo, hasta hace un año, lo más cerca que había estado de un papiro era en forma de planta, junto al Nilo. Tan solo sabía pescar y poco más.

—En una cosa te doy la razón. Sabes hacer algo que yo no sé. No tengo ni idea de cómo se pesca.

Nefer sonrió.

—¿Sabes qué intenté que tu padre aprendiera? La cosa no acabó demasiado bien —recordó.

—¡No lo sabía! ¡Cuéntamelo todo!

Nefer lo hizo, sin omitir detalle.

—Ahora comprendo por qué mi padre me lo había ocultado —dijo la hija de Sobek, riéndose—. ¿Tienes más anécdotas divertidas con él?

—Sí, pero ya te las contaré en otra ocasión. Apenas faltan dos minutos para que comience el nuevo curso. ¿No pretenderás que lleguemos tarde el primer día?

—Aún recuerdo cuando entraste por primera vez en la escuela —dijo, mientras comenzaban a andar hacia la sala, cruzando el jardín—. Nunca se me olvidará esa cara de atontado mirando al infinito.

—¿Sabes que hablas muy bien para ser tan joven? ¿No me estarás engañando y tendrás catorce como yo? —le respondió Nefer en tono de broma. Aunque la niña fuera muy alta para su edad, ni de broma aparentaba esa edad.

—¿Tantos? ¡Igual ya estaría hasta casada! ¡Qué asco!

—¡Entra de una vez! —exclamó Nefer, riendo ante la espontaneidad de aquella chiquilla—. Me parece que este año me sentaré lo más alejado de ti que pueda.

—¡Listillo! Solo los novatos no tienen un sitio establecido. Los veteranos, y tú ya eres uno de esos, aunque no lo parezcas, tenemos nuestras mesas asignadas de antemano.

—No lo sabía. Entonces, no conocemos si nos tocará cerca o lejos.

—Mejor dices que no lo conoces tú. Yo ya me he preocupado de que nos pongan cerca. Es la ventaja de tener un padre y al mismo tiempo alumno como el mío. Estaré justo detrás de ti, para vigilarte de cerca.

—¿Cómo lo haces? —Nefer estaba genuinamente sorprendido, y eso que ya la conocía lo suficiente como para saber que era capaz de eso y más. No debería asombrarse, pero lo hacía.

—Además, tendrás a tu izquierda a la misma persona que el año pasado.

—¿A Nikabebti? Pues espero llevarlo mejor este año. Para un campesino, haber tenido al lado a una sacerdotisa de Hathor no fue nada fácil. Cada vez que me hablaba no podía evitar ponerme colorado.

—¿Porque es guapa?

—¡Oye! ¡Qué está casada con el visir del Alto Egipto! ¡Claro que no era por eso! Ni se te ocurra hacer ese tipo de comentarios en público, que pueden ser malentendidos y me causarías un problema.

—Te gusta Nikabebti, te gusta Nikabebti... —empezó a repetir.

Nefer, a pesar de todo, no pudo evitar reírse. Aquella niña le recordaba a él mismo cuando tenía su edad.

Entraron en la estancia que albergaba el colegio, pero ya serios y en silencio. Nefer observó que la hija de Sobek tenía razón. Los veteranos tenían un papiro con su nombre escrito, depositado encima de su mesa. Los novatos ni siquiera estaban en la sala. Supuso que entrarían los últimos, como sucedió con él el año pasado.

—Sígueme.

—¿No me digas que también sabes la mesa exacta que nos corresponde?

—No te lo quería decir, pero este año la distribución la ha hecho mi padre.

—¡Tramposa!

—Mira justo delante de ti y dime a quién ves.

Era Nikabebti.

—Ni se te ocurra... —empezó a decir Nefer.

En ese momento, la sacerdotisa de Hathor se levantó para saludar a la pareja que acababa de llegar a su lado, con una leve inclinación de la cabeza. Los contactos físicos estaban prohibidos entre sacerdotes y el resto del pueblo, excepto para los miembros de la corte real del faraón.

—Hola, Nikabebti —dijo la chiquilla—. Otro año juntos. ¡Qué casualidad!

Nefer se la hubiera comido en ese mismo instante. Otra vez no pudo evitar ponerse colorado, aunque de vergüenza, sentimiento que no conocía la hija de Sobek.

—Hola también, Rekhetre —continuó saludando la chiquilla, en este caso a la joven que estaba sentada a la derecha de Nefer.

«¡Rekhetre!», pensó espantado Nefer. «¡A esta niña la mato!»

No le faltaban motivos. Nefer iba a pasar todo el curso sentado junto a una sacerdotisa de Hathor y a una princesa de Egipto. Rekhetre era la hija más joven del faraón Khafre. A diferencia de Nikabebti, con la que competía en belleza, estaba todavía soltera ya que era bastante más joven.

Después de la presentación, Nefer se vio obligado a saludar a Rekhetre. Como no sabía cómo hacerlo, ya que durante el pasado año había evitado relacionarse con esa clase de personas, se limitó a imitar el gesto de Nikabebti, inclinando la cabeza. Desconocía si era lo correcto, pero la princesa le sonrió. Nefer tenía catorce años. Ya no era un niño y era vulnerable a la belleza, por lo que, muy a su pesar, se volvió a poner colorado.

«¡Vaya curso me espera! Casi cien alumnos, de los cuales más de setenta son varones, y me voy a sentar junto a tres mujeres», pensó, al mismo tiempo que decidía cómo se iba a comer a la descarada hija de Sobek, si en guisado con cebolla o trinchada a fuego lento.

—Hola, Nefer. Veo que has encontrado con facilidad tu mesa para este curso —le dijo Sobek, acudiendo a su encuentro.

—¿Es cierto que las has asignado tú?

—No —le respondió— Este año lo ha hecho ella —ahora señalaba a su hija—. La verdad es que me ha liberado de un trabajo que no me gusta. Siempre supone un compromiso asignar las mesas. Aunque ya sepas que en esta escuela tratamos a todos por igual, sea cual sea su procedencia, todos los años hay conflictos. Es inevitable que los alumnos quieran sentarse junto a los hijos de personalidades y no junto a campesinos como tú, ya me entiendes. No es nada personal, sino que se consideran más importantes por la mesa que ocupan. Es pura vanidad.

Nefer se acercó a Sobek, para evitar ser escuchado.

—¿Tú has visto dónde voy a estar sentado este curso? Tu hija detrás de mí, una sacerdotisa a mi izquierda y una princesa a mi derecha. No sé lo que es la vanidad, pero sí que conozco la vergüenza.

Sobek se rio.

—Creo que has hecho buenas migas con mi hija y ya la debes conocer un poco. Tiene un peculiar sentido del humor. De todas maneras, te vendrá muy bien para madurar. El año pasado tan solo te relacionaste con tus veinte compañeros novatos. Aunque destacaste con muy buenas calificaciones académicas, fallaste en una de las enseñanzas fundamentales de esta escuela. Las relaciones sociales no deben limitarse a tu círculo de amigos. Debes estar preparado para tratar con sacerdotisas y princesas, por ejemplo. Eso también forma parte del aprendizaje en esta escuela. Tienes que salir de tu grupo de amigos y abrirte a otros y también a otras —le dijo, guiñándole un ojo—. ¡Menudo bellezón es Rekhetre! Si ya tiene cola de pretendientes, no me imagino dentro de dos años, cuando tenga edad de casarse.

—¡Pero ni siquiera sé cómo dirigirme a ella! ¡Y con Nikabebti hablé lo justo el año pasado! —Nefer continuaba protestando, con poco éxito—. No sé ni siquiera cuál es el protocolo que debo emplear con ellas. Eso no se enseña en esta escuela.

—Tranquilo por eso, todo tiene un motivo. En el interior de estos muros, a diferencia de lo que ocurre en el exterior, todos somos iguales. No te cohíbas ni te preocupes por los tratamientos. Aquí no importan. Trata de relacionarte con ellas olvidándote de quiénes son. En la escuela simplemente son compañeras tuyas. Déjate llevar y disfruta de este año, que presumo que va a ser muy intenso.

—¿Por qué dices eso? Primero intentas tranquilizarme y luego me pones nervioso.

—Me voy a la mesa que mi hija me ha asignado este curso —dijo Sobek, sin responderle a su pregunta, pero con una sonrisa en el rostro—. Me temo que este año me ha enviado hacia atrás, cerca de los veinte novatos. No creas que eres el único a quién le gusta fastidiar.

Sobek se despidió y se marchó hacia el fondo de la sala.

Nefer tampoco pudo evitar sonreír. De inmediato vio a alguien acercarse por detrás.

—¿De qué estabas hablando con mi padre?

—¿Y a ti qué te importa? Son cosas de hombres.

—¿A que lo adivino? Te ha dicho que te relaciones conmigo, con Nikabebti y con Rekhetre.

—¡Nos has escuchado! —exclamó Nefer—. No dejas de ser una tramposilla.

—No lo he hecho, pero te voy a confesar una cosa que no debería y es el motivo por el que sé qué te ha dicho mi padre.

Nefer escuchaba con curiosidad. «¡A ver qué sorpresa se saca esta vez de esa cabecita rubia!», pensó.

—Es cierto que yo elegí estar detrás de ti, pero las elecciones de las mesas de Nikabebti y Rekhetre fueron cosa de mi padre. Solo se me ocurre un motivo para ello, por eso supongo lo que te acaba de decir: que te abras a otras personas. ¡Pero ni se te ocurra olvidarte de mí! —le advirtió.

«¡Caramba!», pensó Nefer. Conocía a Sobek de sobra como para saber que todo lo que hacía tenía un motivo, aunque ahora mismo lo desconociera.

—Me temo que olvidarte a ti es imposible, aunque quisiera —le respondió Nefer, sonriendo—. Ahora debemos callarnos. Acaba de entrar el preceptor Dyehuty y no lo vamos a escuchar.

—¿Y eso qué más da? La primera clase es igual todos los años. Un recibimiento a los veinte novatos, la breve historia de Egipto que ya conocemos y luego se acabó.

—¡Shhh! —exclamó Nefer, dirigiéndose un dedo a sus labios en señal de silencio.

La hija de Sobek, como siempre, tenía razón. Dyehuty dio la bienvenida a los nuevos y repitió, casi palabra por palabra, lo que Nefer ya había escuchado el año anterior. Cuando concluyó con su explicación, dio por terminada la jornada diaria.

—¿No notas que te falte nada? —le preguntó la hija de Sobek, nada más abandonó la sala el preceptor Dyehuty.

Nefer se miró a sí mismo y a su alrededor. Todo parecía en orden.

—¿Y tu pluma? —continuó preguntándole, mientras salía corriendo a toda velocidad hacia el exterior de la estancia.

Nefer miró a su alrededor. Nikabebti ya se había marchado, pero, para su espanto, Rekhetre seguía allí. Además, parecía que le estaba mirando.

—Quizá se te haya caído de la mesa. Su inclinación hace que, si no la dejas del modo apropiado, se pueda resbalar y acabar en el suelo —le dijo.

—Gracias, ahora miraré —acertó a contestarle.

—También puede que se la haya llevado tu pequeña amiga, que siempre ha sido un torbellino —continuó Rekhetre, ahora sonriendo, mientras terminaba de recoger su mesa y se disponía a salir de la sala—. En ese caso, me temo que tendrás que perseguirla y te advierto que corre bastante.

Nefer le hizo un gesto de agradecimiento con la cabeza. Por hoy consideró que ya había cumplido lo de «socializar con otras clases». Era la primera vez que hablaba con una princesa de Egipto y había tenido suficiente con las tres palabras que le había dirigido.

Antes de salir corriendo a buscar a aquel torbellino, como la había definido Rekhetre, consideró hacer caso al consejo de la princesa. Podía tener razón. El curso pasado, sobre todo al principio, se le había caído la pluma de la mesa con cierta frecuencia si no tenía la precaución de dejarla apoyada en el tintero.

Se agachó. Allí no parecía haber nada.

De repente, algo llamó su atención. No era la pluma, parecía un pequeño papiro enrollado que se encontraba detrás de una de las patas de su mesa. Por eso no lo había visto la primera vez que miró.

«Mío no es», se dijo Nefer. «Hoy no he escrito nada».

Pensó que podría ser de Nikabebti o incluso de Rekhetre, ya que eran las dos personas más cercanas a su mesa. Decidió recogerlo del suelo y preguntar mañana a quién de las dos le pertenecía.

«Parece hecho adrede», pensó con maldad. «Así me obligan a dirigirme a ellas y ser yo quién inicie una conversación, cosa a la que nunca me he atrevido». De repente, le asaltó una duda. ¿Quién le había avisado de que le faltaba la pluma? Cayó en la cuenta de la trampa. «¡Maldita chiquilla!», pensó de inmediato. «Seguro que ha dejado ese papiro ahí para que me vea obligado mañana a preguntar ¡Pues no le voy a dar ese gusto! Por una vez, voy a ser más listo que ella y no se saldrá con la suya».

El papiro estaba enrollado y una pequeña cinta lo ataba para ocultar su contenido. Con todo el cuidado que pudo, desató la cinta para no dañarla. Aunque estaba seguro de que se trataba de otra broma más de la hija de Sobek, en el improbable supuesto de que no lo fuera, debía conservar la cinta para volver a enrollar el papiro y atarlo de nuevo, y así parecer que su contenido no había sido leído.

Quitó la cinta y extendió el papiro encima de su mesa. Se dispuso a leerlo, con una sensación de alegría al haber pillado su truco. Cuando terminó de hacerlo, lo volvió a leer. Así varias veces, hasta que lo volvió a depositar sobre la mesa.

«¿Qué significa esto?», pensó Nefer, que ya no estaba divertido.

Ahora parecía aterrado.

40 GUIZA, EGIPTO, 14 DE NOVIEMBRE DE 1836

—Mr. Vyse, lo esperábamos ayer por la tarde.

—Esa era mi intención, Selim, pero me surgieron unos imprevistos en El Cairo que debí resolver y ya era tarde para regresar. He preferido hacerlo hoy por la mañana. ¿Alguna novedad?

—No, señor. Durante el día de ayer no sucedió nada fuera de lo ordinario. Mr. Caviglia sigue sin hacer acto de presencia.

—El coronel Campbell me dijo que estaba de viaje desde Alejandría y que no llegaría al campamento hasta pasado mañana. ¿Tampoco ha aparecido Mr. Sloane?

—No, coronel. Supongo que si Mr. Caviglia se está desplazando desde Alejandría, igual lo hacen juntos. Ya sabe que él tiene su trabajo allí.

—Es cierto, no se me había ocurrido. Ahora voy a asearme un poco del viaje y a cambiarme de ropa. Por cierto, ¿le importaría avisar a Mr. Hill que requiero de su presencia en media hora? En la explanada de las pirámides.

—Ahora mismo lo hago —le respondió el *janissary*, mientras se alejaba en dirección a la tienda de Hill.

Durante el viaje hasta Guiza, Howard Vyse había tenido tiempo de sobra para pensar en lo que le había contado el coronel Campbell justo ayer. Había considerado cómo abordar su relación futura con Mr. Hill, ya que no solo sabía lo de la tercera pirámide, sino que había sido el instigador de todo. En un principio, pensó que era absurdo ocultarle información. Con toda probabilidad, Mr. Hill supiera más que él mismo. Quizá pudieran avanzar más rápido si ponía las cartas sobre la mesa y colaboraban sin secretos. ¿Pero quién le garantizaba a Vyse que Hill no se iba a guardar información y no compartirla? No podía estar seguro de ello. Por otra parte, aunque no lo pareciera, Vyse disponía de una ventaja importante sobre Hill: que no sabía que el coronel Campbell se lo había contado todo. En consecuencia, seguiría pensando que Vyse desconocía para quién trabajaba y cuál era su objetivo con aquella excavación.

La decisión fue sencilla de tomar.

Mr. Hill, con puntualidad británica, se presentó en la explanada de las pirámides. Vyse ya estaba allí.

—Me alegro de volver a verle. Espero que haya aclarado todos sus asuntos en El Cairo.

—Desde luego —respondió Vyse intentando ocultar una sonrisa de maldad—. No pienso acatar las instrucciones de Caviglia y así se lo he hecho saber al coronel Campbell.

Mr. Hill pareció no reaccionar a las palabras de Vyse y su rostro permaneció impasible.

—Ya suponía que eso era lo que le iba a decir al cónsul. ¿Cuál ha sido su reacción? ¿Qué le dijo acerca de Giachino?

—En realidad no le dejé mucha capacidad de maniobra. Si no aceptaba mi posición jerárquica por encima de Caviglia en esta excavación, no hubiera vuelto a Guiza. Quizá desconozca que, antes de partir ayer, di unas instrucciones muy precisas al *jenissary* Selim. Si no regresaba en dos días, debía de enviar todo mi equipaje a El Cairo. Antes de abandonar Guiza lo dejé todo preparado. Si eso hubiera sucedido, ahora estaría embarcando rumbo al puerto de Alejandría para abandonar Egipto de inmediato.

—¡Caramba! —exclamó Mr. Hill—. ¡Menudo choque de caracteres! Me cuesta imaginar cómo tuvo que ser su discusión con el coronel.

—Hay una cosa que jamás he soportado y es la falta de fidelidad de los hombres de los que soy responsable. Es una enseñanza que aprendí a fuego en el campo de batalla. Caviglia puede ser el arqueólogo jefe de esta excavación, ya que yo no tengo ninguna experiencia en ello, pero no debe olvidar que se encuentra bajo mi directa supervisión. Yo doy las órdenes que él ejecuta y eso debía de quedar muy claro antes de que haga acto de presencia en Guiza. Y así ha sucedido. El coronel Campbell me respalda en todo y así se lo hará saber a Caviglia cuando su faluca llegue a El Cairo, lo que sucederá en dos días.

—¿Nada más? —preguntó Mr. Hill.

—¿No le parece suficiente? Para mí era un tema de vital importancia. No soporto a Caviglia, así que ahora que ha quedado completamente claro quién manda aquí, espero que nuestra relación sea menos tensa. No se discute conmigo, se acatan mis órdenes y ya está.

A Vyse no se le había pasado por alto el tono de la pregunta de Mr. Hill, pero lo obvió lo mejor que pudo.

—Y ahora, ¿qué hacemos?

—En una hora anularé las instrucciones de Caviglia y ordenaré a todos los trabajadores que abandonen la Esfinge y que se trasladen a las pirámides. El capataz Jack ya está informado y se hará cargo de ellos.

—¿En una hora? —preguntó Hill, que parecía que estaba atento a todo.

—Sí, mi querido amigo. Esa hora la necesitamos nosotros para comprobar lo que ambos conocemos —dijo, mientras señalaba una de las pirámides.

Mr. Hill abandonó por un momento esa expresión indefinida en su rostro para mostrar un pequeño signo de desconcierto.

—No se sorprenda —continuó Vyse—. Se supone que hemos venido precisamente por ello.

41 ANTIGUO EGIPTO, PALACIO REAL, MENFIS

—«*Urgente. Reunión del Sacerdocio Secreto de Anubis a las once, en el salón principal de música de la Casa Jeneret. Identificarse ante Sennefer. Firmado, Sehpset*» —leyó en voz alta Nefer, que se encontraba solo en la estancia de la escuela.

Nefer no sabía que era aquello, pero no le pareció una broma de la hija de Sobek. A pesar de la chispeante inteligencia de la chiquilla, esa nota parecía demasiado sofisticada para su estilo y edad. Para empezar, ¿qué era el *Sacerdocio Secreto de Anubis*? Nefer no tenía ningún conocimiento de su existencia. Por supuesto que sabía quiénes eran los sacerdotes del Dios Anubis, pero la palabra «secreto» intercalada en esa expresión indicaba algo oculto. Otra cosa que llamó la atención de Nefer fue que la reunión se celebrase en la *Casa Jeneret*. «Si tuviera que convocar a una sociedad secreta en el interior de este palacio, sin duda sería en esa casa», pensó.

No iba desencaminado. La *Casa Jeneret* era el lugar de más difícil acceso, sin tener en cuenta los aposentos del faraón. Tan solo podían entrar las mujeres de la alta sociedad egipcia y, los pocos hombres que lo podían hacer, pertenecían todos a la corte real, es decir, a familia del faraón. Por otra parte, no tenía ni idea quiénes eran ni Sennefer ni Sehpset. En el año que llevaba en el palacio jamás había escuchado ni siquiera nombrarlos o nombrarlas. Sennefer parecía un nombre de varón, sin embargo, Sehpset le sonaba más a mujer, pero tampoco estaba seguro.

Nefer debía de salir de dudas, así que abandonó la estancia en busca de la hija de Sobek. No había encontrado su pluma, así que supuso que la tendría ella.

Nada más entrar al jardín, la vio sentada en un banco de piedra, haciéndose la distraída. Avanzó hacia ella sin mirarla, intentando que no se diera cuenta de su disimulada aproximación. Cuando estaba a menos de cinco metros, la niña se levantó y echó a correr.

«¡Maldita chiquilla!», pensó Nefer. «Me estaba observando todo el rato. Aún me hará correr para pillarla». Lo tuvo entretenido durante unos minutos, hasta que consiguió atraparla.

—Si no me paro no me alcanzas. Mucho presumir del duro trabajo de los campesinos y ni siquiera puedes conmigo —le dijo, luciendo una sonrisa burlona.

—¿Qué has hecho con mi pluma? —le preguntó Nefer, que, en este momento, no quería entrar en discusiones.

La niña la sacó de un pliegue de su túnica y se la dio.

—Te podría haber quitado la cabeza y no te hubieras dado cuenta. Debo darle las gracias a mi padre. No sé qué ideas se le pasarían por la cabeza al ponerte junto a Nikabebti y Rekhetre, pero para mí ha sido como un regalo de los dioses. Te atontas en su presencia.

Lo normal hubiera sido que Nefer comenzara una seria conversación con ella, como sucedía cuando le arrojaba pullas como aquella, pero en esta ocasión pareció no reaccionar.

—¿Has oído alguna vez en nombre de Sennefer? —le preguntó.

—¡Y quién no! Cada vez que quiero entrar en la *Casa Jeneret* para mis clases de arpa debo identificarme frente a él. Tú también lo habrás visto muchas veces, pero no lo relacionas con ese nombre. Es la persona que está situada en el exterior, justo enfrente de la *Casa Jeneret,* pero sin pisar su interior. Es su vigilante. Siempre me ha parecido curioso que un guardián no esté en la misma puerta del edificio que vigila, sino alejado unos metros de él. Supongo que se tratará de algo simbólico. Ya que los hombres no pueden acceder a su interior, ni siquiera se lo permiten a su propio vigilante.

—Pero sí que hay hombres que entran. Yo los he visto.

—Es cierto, pero muy pocos. ¿Qué tienen que hacer allí dentro? A veces acude el faraón o alguno de sus familiares, pero antes deben pasar frente a Sennefer. Supongo que será otro ritual estúpido de esos que no comprendo.

—¿Y conoces a Sehpset?

Esta vez la respuesta no fue inmediata. La chiquilla se quedó pensativa durante un momento hasta que respondió.

—No existe nadie con ese nombre en todo el palacio. Y no me preguntes si estoy segura o no, porque llevo viniendo todos los días aquí desde que nací y conozco los nombres hasta de los sirvientes y las doncellas.

Nefer confirmó sus sospechas. La hija de Sobek no tenía nada que ver con el papiro enrollado que había encontrado bajo su mesa. Pero eso ya se lo imaginaba. Las respuestas que había recibido confirmaban que la reunión se iba a producir en apenas una hora en la *Casa Jeneret*, pero ahora tenía otro misterio adicional que sumar. La convocatoria partía de una persona que no existía. Esta clase de enigmas volvían loco a Nefer, ya que su curiosidad le desbordaba, pero ahora estaba en un callejón sin salida. No podía entrar en la *Casa Jeneret*, ya que ni era una mujer de la clase alta egipcia ni familia del faraón. No obstante, consideró que no perdía nada por preguntar.

—¿Cómo se puede acceder a la *Casa Jeneret*?

—Ya te lo he dicho, presentándote ante el vigilante —le respondió, mientras cambiaba su gesto—. ¡Oye! ¿No estarás pensando en entrar? ¿Para qué querrías hacer eso? Además, aunque quisieras, no podrías. Te aseguro que no hay ningún otro acceso ni pasadizo secreto porque, en ese caso, te aseguro que lo conocería.

—¿Estás segura de eso? La primera vez que coincidí con tu padre me dijo que salió del palacio por un pasaje secreto que llevaba hasta las orillas del Nilo.

—¡Claro! ¿Cómo crees que lo supo? ¡Se lo dije yo misma! Me encanta averiguar ese tipo de cosas, por eso te aseguro que no existe ninguno que dé acceso a la *Casa Jeneret*. Pero ¿de verdad quieres entrar? —le preguntó, con un gesto de incomprensión.

—No —respondió Nefer, que no quería involucrar a la hija de su amigo en un asunto del que desconocía su alcance—. Tan solo era curiosidad. Se trata de la edificación más misteriosa del palacio y me parece que ya conoces mi natural curiosidad.

—Pues tu natural curiosidad acaba frente a Sennefer. Ya te he dicho que todas las personas que quieren entrar deben presentarse ante él. Si te plantearas la locura de hacerlo, como comprenderás, no te permitiría acceder.

Ahora el pensativo era Nefer.

«O quizá sí», se dijo.

—No sé a qué vienen todas estas extrañas preguntas, pero ya me lo contarás mañana. Mi padre me espera para volver a casa. ¡Y no se te ocurra poner pretextos, que sé que algo tramas! —dijo la chiquilla, mientras se alejaba de un pensativo Nefer, cuya mente estaba dándole vueltas a una maldad.

Cuando se quedó solo en el jardín, sacó el papiro de su túnica y lo volvió a leer.

Le quedó muy claro. Allí estaba escrita la manera de entrar en la *Casa Jeneret*. «O quizá no tan claro», pensó, pero ¿qué podía perder por intentarlo? Era cierto que no era un novato, pero también lo era que llevaba en el palacio tan solo un año. Si el tal Sennefer le denegaba el acceso y reportaba su intento de intrusión, siempre podía aducir su desconocimiento de lo que era la *Casa Jeneret*. «Nunca he dado ningún problema y he sido un joven aplicado y responsable desde que estoy en el palacio. ¿Qué pueden sospechar de mí?», se dijo, para tratar de darse ánimos.

Deambuló por el jardín haciendo tiempo e intentando terminar de convencerse de la locura que iba a acometer. Cada vez se ponía más nervioso, así que se sentó en un banco de piedra a observar la *Casa Jeneret*.

«La hija de Sobek tiene razón. Porque sé que es una de las tres escuelas del palacio, si no parecería otra cosa», pensaba Nefer. Cada vez que le echaba una nueva mirada, mayor era su convencimiento. «No es que lo parezca, es que lo es. Es una fortaleza dentro del palacio. Apenas hay ventanas y las primeras están situadas a más de diez metros de altura. No hay manera de aproximarse sin que el vigilante advierta tu presencia y, una vez dentro, tampoco hay manera de que no te vean. Si tuviera que definirla diría que es una discreta fortaleza impenetrable, sin embargo, a la vista de todo el mundo. Parece algo contradictorio». Ese pensamiento le llevó a otro que le asustó aún más. «Si es difícil entrar, ¿y salir?». Trató de no seguir por ese camino porque ya había tomado la decisión y no se quería arrepentir.

Desde la distancia, pudo observar como entraban y salían personas. Hasta ahora nunca se había fijado en ello, pero era cierto que las que entraban pasaban por delante del vigilante, sin ninguna excepción.

«Es la hora de comenzar el juego», se dijo. Apenas faltaban cinco minutos para la reunión. Para empezar, no sabía si su plan para acceder iba a funcionar, pero, en el hipotético caso que lo hiciera, una vez dentro de la casa, ¿dónde estaba el salón principal de música? Suponía que no iba a resultar nada normal ver a una persona preguntando por ahí porque levantaría inmediatas sospechas. No pudo evitar que le viniera a la mente la frase del preceptor Dyehuty, *«cuando alguna cuestión de la vida os parezca irresoluble, tomar distancia e ir paso a paso. No pretendáis resolverlo todo de una vez. Pensad que los grandes viajes de la humanidad comenzaron con un primer paso»*.

«Vamos a por ese primer paso», se dijo, mientras se levantaba del banco y se dirigía hacia la posición del vigilante.

—¿Qué quiere? —le espetó Sennefer nada más verlo—. Este edificio es de acceso restringido.

—Sehpset me ha convocado —respondió Nefer, intentando aparentar una seguridad que no tenía al nombrar a una persona que no existía.

Sennefer se le quedó mirando durante un instante, como si desconfiara de su palabra. Nefer aguantó la respiración y trató de mantener la compostura.

—¿Me puede mostrar su antebrazo izquierdo? Ya sabe.

Nefer «no sabía» y aquello lo descompuso. Igual los miembros del *Sacerdocio Secreto de Anubis* tenían alguna marca que les identificara, como algún tatuaje o cosa así. Valoró el hecho de abortar su intento de entrada, pero, en apenas un segundo, consideró que ya era demasiado tarde para eso.

Se levantó la manga de su túnica y le mostró su antebrazo al vigilante, que se quedó observándolo. A pesar de su fachada de aparente tranquilidad, Nefer estaba preparado para salir corriendo.

—Ya conoce el procedimiento. No se olvide de tomar su máscara al entrar —le respondió Sennefer, apartándose y franqueándole el acceso.

«¿Qué ha sucedido?», pensó Nefer. En su antebrazo izquierdo tan solo lucía una cicatriz de una herida que se hizo pescando hacía dos años. En cualquier caso, aunque no comprendiera nada, no se podía quedar allí inmóvil. Avanzó simulando paso firme, aunque le temblaran hasta los nudillos. Por supuesto no tenía ni idea a qué procedimiento se refería Sennefer ni qué significaba lo de las máscaras, aunque esto último lo descubrió nada más entrar en la casa. En un discreto rincón, encima de una pequeña mesa, había unas cuantas, todas ellas idénticas. Eran horripilantes ya que simulaban la cabeza de un chacal. En ese momento comprendió el motivo del nombre de aquella sociedad secreta, ya que el chacal era el símbolo del Dios Anubis. Tomó una de ellas sin saber muy bien qué hacer. Decidió que, dado que era un extraño en un extraño lugar, lo mejor era ponérsela. Así nadie podría ver su rostro y, en consecuencia, no sabrían quién era.

«Y ahora, el siguiente paso. ¿Cómo encuentro el salón principal de música?», se preguntó.

Justo en ese momento pasó junto a él otra persona con una máscara idéntica a la suya. Le hizo un pequeño gesto de saludo con su cabeza. «A todo problema le sigue su solución, nunca mejor dicho», pensó Nefer, que se limitó a seguir a aquella persona.

Subieron por unas escaleras hasta el cuarto piso del edificio. Al fondo se divisaba una puerta de grandes proporciones, que parecía muy ornamentada. «Por su imponente aspecto, debe dar acceso a alguna sala importante», pensó Nefer.

La persona a la que seguía llamó a la puerta con sus nudillos. Al momento, se abrió y pudieron ver que otra persona, con idéntica máscara, les daba acceso.

«Esto debe ser el salón principal de música, supongo», se dijo Nefer. La estancia se encontraba en penumbra, tan solo iluminada por cuatro velas situadas en una mesa justo en el centro. «¿Por qué no abren las ventanas y permiten que entre la luz natural? Así no se distingue nada». Justo cuando terminó su pensamiento, dedujo la respuesta. «Claro, si llevamos puestas estas máscaras es para que no seamos reconocidos por extraños, ni siquiera entre nosotros. La penumbra ayuda a ello».

Nefer, como todos los presentes, tomó asiento en una de las sillas. Durante unos minutos no sucedió nada, descontado el hecho de que entraron en el salón tres personas más. Contó a los asistentes a la reunión. Incluyéndose a él, eran diez, a no ser que la penumbra le impidiera ver a alguno más.

De repente, tomó la palabra uno de los presentes.

—En primer lugar, bienvenidos de nuevo.

Nefer se sobresaltó. Era la voz de una mujer. No sabía por qué, pero esperaba escuchar una voz masculina. La mayoría de sacerdotes eran varones, aunque existían excepciones, sobre todo en el culto a determinadas diosas, donde predominaban las mujeres. «No es tan extraño», pensó, para tranquilizarse. Por otra parte, comprendió otra utilidad de la máscara que portaban. El morro puntiagudo del chacal de Anubis hacía de caja de resonancia y se distorsionaban las voces. No había manera de saber quién hablaba, tan solo se podía adivinar su sexo por el tono de la voz.

—Ya llevamos nuestro camino recorrido —continuó aquella voz— y hemos logrado que la influencia del *Sacerdocio Secreto de Anubis* se extienda por todo Egipto. Somos el verdadero poder en la sombra. Estoy orgullosa de todos vosotros.

Todos los presentes asintieron con la cabeza y Nefer los imitó.

—¿Recordáis hace casi dos años, cuando comenzamos a andar? En aquella ocasión, nuestra posición dentro de la sociedad egipcia se vio amenazada. Tuvimos que actuar y, afortunadamente, el plan se completó con un éxito total. A pesar de los recelos de algunos de los presentes, os demostré cuál era el camino a seguir.

Una vez más, todos asintieron con la cabeza.

—Pues ahora estamos en la misma encrucijada que entonces.

De inmediato, un murmullo se dejó oír. Nefer no sabía de lo que estaban hablando.

—Me acuerdo que, en aquella ocasión, nos dijiste que el faraón había fallecido —dijo una voz masculina—. ¿Acaso ha muerto Baka?

—No —respondió la voz femenina—. Sigue vivo, pero su salud se ha visto gravemente deteriorada en los últimos días. Ayer mismo fui alertada por sus médicos. Pensaban que no iba a superar la noche, pero lo hizo. Sigue con nosotros, pero el problema es que no sabemos por cuánto tiempo. Me temo que el fatal desenlace se pueda producir en un momento en el que no estemos del todo preparados, por ejemplo, esta misma noche. No es descartable.

—Preparados ¿para qué? —preguntó, esta vez una voz femenina.

Nefer estaba asustado. No se podía ni imaginar que estuviera asistiendo a semejante reunión.

—¿Para qué va a ser? Para lo mismo que cuando se constituyó el sacerdocio. Por eso he empezado haciendo referencia a esa reunión en concreto, ya que la situación es muy similar.

—¿Estás segura de eso? —otra voz masculina intervino—. Ahora controlamos los principales núcleos de poder del país, tanto militares, como civiles y religiosos. Nuestra posición es notablemente más fuerte que entonces.

—Sí, pero a pesar de todo eso, no tenemos el trabajo hecho —le respondió la mujer que llevaba el peso de la reunión.

—¿A qué trabajo te refieres exactamente? —intervino la misma voz femenina de hace un momento.

—No hace falta que os recuerde quién es la figura en ascenso en Egipto. Ese joven posee gran formación y sobre todo empatiza con el pueblo. Se nota que es una persona querida. Eso es algo que ninguno de los presentes puede negar.

—Desde luego —dijo otro.

—Es cierto que hemos crecido. En nuestra primera reunión éramos seis personas poderosas, pero aisladas y sin una dirección clara. Ahora somos diez que representamos a cientos. Sin duda estamos más preparados, pero debo deciros lo mismo que en aquella reunión. Tengo un plan, pero esta vez quizá necesite recurrir a medidas extremas.

—Cuándo hablas de medidas extremas, ¿te refieres a las mismas de entonces? —preguntó la voz femenina.

—Por supuesto, querida. Me parece que ya lo dejé claro entonces. ¿Hace falta que lo repita? Pues sí, me refiero a que, a veces, matar es vivir.

«¿El faraón Baka se está muriendo? ¿Y estos chalados están pensando en matar a un joven? ¿Qué sentido tiene todo esto?», pensaba Nefer aterrorizado. Aquello era demasiado para él.

—Supongo que también será el último recurso, como sucedió entonces —la voz femenina insistía.

Se produjo un incómodo silencio en el salón.

—No —respondió—. A vosotros no os puedo engañar. En esta ocasión, nuestro estimado joven ha crecido y ya no es el mismo muchacho inexperto y débil de hace dos años. Tampoco lo somos nosotros, pero cometeríamos una irresponsabilidad si no nos ponemos en el peor de los escenarios y lo minusvaloramos. No podemos obviar que el pato se ha convertido en todo un cisne.

—¿Quieres decir que vas a ordenar que lo...? —volvió a preguntar la voz femenina, que parecía la única consternada por lo que estaba escuchando.

—No termines la frase —le interrumpió—. Me parece que todos sabemos a qué me refiero.

A pesar de que la mayoría asintieron con la cabeza, el murmullo de incomodidad volvió a sentirse en el ambiente.

—¿Cuándo? —preguntó otro—. Hemos de saberlo para estar preparados.

—Esta misma noche.

—¿Tan pronto? ¿Es realmente necesario?

—Ya os he dicho que hemos de estar preparados. No sabemos cuándo puede fallecer el faraón. ¿Y si lo hace esta misma noche? La situación se podría descontrolar, algo que no nos conviene sin tener los deberes hechos. Más vale pecar de anticipación que nadar a contracorriente.

Ahora, el silencio se podía cortar en el salón.

—¿Estamos todos de acuerdo? —preguntó la anfitriona de la reunión.

—Adelante —dijo la voz femenina que había estado preguntando. Nefer se sorprendió por ello, ya que parecía la más reticente.

Uno por uno, todos los presentes asintieron con la cabeza, incluido Nefer.

«Acabo de dar mi consentimiento para matar a alguien que ni siquiera conozco en el Palacio Real», pensó. «Supongo que habré sido testigo de lo que mi padre me contó una vez: las luchas palaciegas para la sucesión del faraón fallecido. El desgraciado que va a morir será un joven miembro de la familia real. Seguramente, por la descripción que han hecho, se pueda tratar del príncipe Menkaure, aunque de eso soy un ignorante y no entiendo nada».

Todos abandonaron la estancia, en intervalos de dos minutos cada uno. Nefer supuso que era una medida de precaución lógica. Supuso que, si los diez salían de golpe de la *Casa Jeneret*, igual llamaban la atención.

En cuanto se quedó solo, volvió al mismo banco de piedra que había estado sentado con la hija de Sobek hacía apenas un rato. Le vino a la mente su amigo.

«¿No debería saber una cosa así? Es el sumo sacerdote del segundo templo en importancia de Menfis». Nefer no paraba de darle vueltas a la cabeza. «Uno de los presentes ha dicho que controlaban también el poder religioso. ¿Estará al corriente Sobek de lo que está sucediendo?». Lo descartó de inmediato. Aunque desconocía sus labores diarias como sacerdote más allá de las rutinas, no se lo imaginaba consintiendo que mataran a un príncipe de Egipto por cuestiones sucesorias.

Por otra parte, pensó que nada podía hacer al respecto. Sobek se había marchado con su hija al Templo de Neith y Nefer no podía salir del Palacio Real. Era imposible que se comunicaran hasta mañana.

Aún así, no se quedó tranquilo.

Sabía que iba a ser una noche muy larga.

42 EN LA ACTUALIDAD, DUBLÍN, IRLANDA, 15 DE OCTUBRE

—¿Nos sentamos en el sitio de los malos o de los buenos?

—¿Qué pregunta más tonta me haces, hermanita? ¿En cuál va a ser? ¡En el de los malos!

—Me dio la impresión que tu primer encuentro con mi amigo Ryan Clarke no salió demasiado bien, por eso te lo preguntaba.

Carlota había convencido a su hermana para salir a tomar unas pintas de cerveza al *pub «The Cat & the Horse»* para intentar animarla, después de la extraña conversación que habían mantenido esta mañana. En principio, Rebeca se había mostrado reticente, pero Carlota le amenazó con irse por su cuenta. La cara de espanto que puso Rebeca ante semejante posibilidad le confirmó que le acompañaría.

—Mi encuentro con tu novio Ryan salió mucho mejor de lo que tú misma te crees. A veces parece mentira que seas mi hermana gemela. Además, los malos son más divertidos. ¿Te imaginas cómo puede ser el cielo? Fantasea por un momento con una fiesta ibicenca, todos vestidos de blanco y rodeados de nubes a modo de humo de discoteca. Hasta ahí todo perfecto, pero a los cinco minutos te enteras de que el DJ tan solo pincha lo último del coro de cantos gregorianos del monasterio de Yuste, que debe ser de hace quinientos años por lo menos. Y la cosa no acaba aquí. Cuando ya te has resignado con la música, piensas, «bueno, voy a la barra a meterme cinco o seis chupitos para ver si consigo sacarme a estos monjes de la cabeza». Entonces, te encuentras con un camarero de *treintaytantos* con el pelo largo y sucio de no haberse duchado en tres días y con la cara tan pálida que parece recién resucitado. De entrada, ya te echa para atrás, pero lo peor está por llegar cuando te dice que no sirve chupitos, que tan solo tiene vino aguado como en las Bodas de Caná. ¡Menudo fiestón!

—¡Carlota! ¡Por favor! ¡Irreverente! —exclamó su hermana, completamente abochornada.

—Déjame continuar. Ahora, cambia la imagen de tu mente y sueña con el infierno. Todos de rojo, pero completamente alborotados y con sonido *heavy metal* del bueno. En las barras, en lugar de camareros paliduchos, diablesas y diablos enfundados en látex, listos para comérselos allí mismo sin quitarles ni la piel. ¿Dónde te quedarías? ¿Eh?

Rebeca no pudo evitar sonreír.

—Tienes una imaginación enfermiza y una mente digna de estudio. Si estuviera vivo Sigmund Freud disfrutaría contigo. Desde luego no tienes solución, nunca cambiarás.

—¿Te crees que quiero hacerlo? Además, no me pareces la más indicada para darme consejos después de haberte echado un novio asesino. ¡La mosquita muerta matando abejorros a cañonazos!

—¡Qué no es mi novio! —exclamó Rebeca, lanzándole un posavasos a la cabeza, pero sin poder evitar sonreír. Carlota solía provocar esa reacción.

—Reconócelo, no te cuesta nada. La gente buena está bien para un ratito, pero son como un huevo frito sin sal. El cachondeo de verdad lo tienes asegurado con los malotes. Y no te atrevas a negármelo que compartimos los mismos genes.

—En momentos como este es algo que me llego a plantear.

Ahora fue Carlota la que le arrojó el posavasos. Ambas se echaron a reír.

«Bueno, me ha costado lo mío, pero he conseguido sacarla de ese estado de tristeza enfermiza y reconducirla hacia su estado natural», pensó Carlota. «A ver cuánto me dura».

—No hace falta que estés tan pendiente —le dijo—. Tu asesino favorito estará descuartizando a alguna jovencita en unos de los oscuros callejones de esta zona, porque no lo veo en el *pub*.

—No es su hora —le respondió Rebeca—. A pesar de su aspecto exterior, es una persona de hábitos estrictos. Siempre suele llegar a la misma hora y aún faltan unos minutos.

—¡Lo acabas de reconocer! —exclamó Carlota—. ¡Por fin!

—¿Qué he reconocido exactamente? ¿Qué suele llegar más tarde?

—No, has hablado de su exterior. Eso significa que has visto su interior. ¡Cuéntamelo todo y ya!

—¡Qué pesada eres! Ryan es lo más parecido a un amigo que tengo aquí y no quiero que el sexo estropee nada.

—¿Te estás escuchando? El sexo jamás estropea las cosas, si acaso las cambia. En ocasiones, no te voy a negar que después de un buen revolcón no quiera ver a ese tío o tía nunca más, pero no creo que sea el caso de Ryan y tú. ¡Ese *palomo* es un águila real disfrazada! ¿Te imaginas volando en sus garras? ¡Bufff! Solo de imaginármelo me pongo toda *burra*.

—¡Carlota, por Dios! ¿Te estás escuchando? ¡Ya vuelves con tus desvaríos! —le respondió Rebeca pretendiendo estar escandalizada, pero sin poder evitar una indisimulada sonrisa.

—¿Qué pasa? No estoy diciendo ninguna mentira. A ese tío lo metes en una ducha, lo frotas unos minutos y sin salir de allí te lo meriendas. ¡Pero si es un *pibón* de libro!

—¿Quién es un *pibón* de libro? —escucharon a sus espaldas.

Para variar, ahora fue Carlota la que se puso como un tomate.

—Nada, hablábamos de nuestras pasadas vacaciones en Denia, en la provincia de Alicante, en España —se anticipó Carlota a la respuesta de su hermana, que era perfectamente capaz de contarle la verdad.

—La única vez que estuve en España fue en un pueblo de la provincia de Murcia. No conozco Alicante ni su costa —le respondió Ryan.

—Bueno, no te quedes ahí de pie. Puedes sentarte con nosotras —le dijo Rebeca, que estaba intentando disimular su risa. Su hermana había sido pillada y, aunque parecía que había salido airosa de la situación, algo le decía que Ryan se había dado cuenta de la verdad.

—Antes que nada, quería pedirte disculpas —le dijo Carlota—. Quizá ayer estuve desafortunada preguntándote por tu pasado. Son cosas que comprendo que duelan recordar. Nosotras perdimos a una de nuestras mejores amigas hace poco más de tres meses y es un recuerdo que te persigue como un tormento. Fíjate, ahora mismo hablando contigo, hasta me cuesta no llorar. No me imagino tú con tu esposa.

Rebeca estaba sorprendida. Su hermana no solía hablar de sentimientos más que en plan jocoso. La confesión que acababa de hacer acerca de Almu no era nada habitual en ella. Además, parecía sincera.

—Lo sé —le dijo Ryan—. Rebeca me contó el motivo de su estancia aquí.

Carlota se quedó mirando a su hermana. Ahora la sorpresa había cambiado de bando. Rebeca, a pesar de su fama como personaje público en España por hablar en la radio y salir en un programa de televisión, era muy discreta en su esfera personal. No solía abrirse a desconocidos de esa manera.

—No sabía que conocías la historia —le dijo Carlota, que no se esperaba esa respuesta de Ryan.

—Sí. Siempre duele perder a una amiga muy cercana por culpa de una enfermedad incurable, a pesar de que seas consciente de que, tarde o temprano, acabará sucediendo lo inevitable. En realidad, el caso de mi mujer, aunque distinto en las formas, en el fondo no difiere demasiado del vuestro.

Carlota no sabía cómo continuar la conversación. Estaba claro que Rebeca no había sido completamente sincera con Ryan y este había dejado muy claro ayer que no le apetecía hablar de su pasado, aunque en su coraza de acero que lo protegía parecía que se había abierto una pequeña grieta.

Rebeca se limitaba a observarlos y parecía no tener ningún interés en intervenir en la conversación.

«Y ahora, ¿qué le digo», pensó Carlota. No hizo falta.

—El que debe disculparse soy yo —continuó Ryan—. Tú me acababas de conocer y mi reacción fue brusca y fuera de lugar. Te preocupaste por mi pasado y eso no lo hace mucha gente. A nadie le interesa la historia de un asesino de mujeres, más bien me rehúyen como un apestado. Es comprensible.

—A mí sí que me interesa tu historia —se escuchó decir Carlota, aunque no sabía muy bien por qué había dicho eso. Intentó corregirlo lo mejor que pudo—. Pero sucede una cosa conmigo. Según mi hermana, soy una irreverente que no tiene solución y en el fondo tiene toda la razón. Siempre busco el lado divertido de las cosas, aunque a veces sea difícil encontrarlo. Si caes en el lado oscuro, como *Darth Vader* en *La guerra de las galaxias*, eso puede llevarte a una depresión y a una espiral de difícil salida. Yo también perdí a mi madre hace poco, también a causa de una enfermedad incurable, pero, después de unos días muy malos, comprendí que la vida debe continuar. *The Show Must Go On*, como dicen los artistas o el mismísimo Freddy Mercury en la conocida canción de su antigua banda *Queen*. Hemos de comprender que el pasado es simplemente eso, pasado. El futuro nos aprieta y viene detrás de nosotros. Eso es lo importante para mí. Soy una vitalista convencida y para ello me refugio en el humor, aunque a veces pueda cruzar ciertas líneas rojas. Quizá te resulte difícil creerlo, pero me ayuda a mantenerme centrada.

«¡Caramba con Carlota!», pensó Rebeca. «Esto no me lo esperaba. Hasta parece una humana con sentimientos».

—Bonitas y sabias palabras —le respondió Ryan—, pero como tú dices, no es sencillo. En realidad, nada lo es.

—Nacimos sin un manual de instrucciones acerca de cómo funcionaba la vida. Es cierto que recibimos una educación, pero no te preparan para determinadas situaciones. Ahí tienes que buscarte la vida. Lo que siempre he tenido claro que hemos de ser nosotros mismos los que tomemos el control de nuestros sentimientos y no al revés.

«¿Quién ha poseído a mi hermana?», se preguntó Rebeca, divertida, «Esta no es mi Carlota».

—Mi mujer se llamaba Emilia. Nos casamos jóvenes y no llegamos a tener hijos —dijo de repente Ryan, sin que las hermanas se lo esperaran.

—Aquí en Irlanda, cuando una mujer se casa, pierde su apellido y adopta el del marido, ¿no es así? En España no sucede eso —le dijo Carlota.

«¿A qué viene esa extraña pregunta?», pensó Rebeca extrañada, aunque pudo sentir el peligro antes de que sucediera. Conocía de sobre esa mirada en los ojos de su hermana.

—Así es.

—Entonces, ¿el nombre de tu mujer, una vez casada contigo, era Emilia Clarke?

—Sí, ¿por qué me preguntas eso?

«¡Por Dios!», se asustó Rebeca. «Carlota ha regresado».

—Te pido disculpas por anticipado, pero no lo puedo evitar. Es superior a mis fuerzas. ¿Tu mujer no sería por casualidad *La Madre de Dragones*? También murió de forma violenta.

«¡La mato!», pensó Rebeca, abochornada. «Con lo bien que parecía que iba la conversación, ahora se terminará de nuevo». Era cierto que Carlota no lo podía evitar, ya que era el escorpión en la fábula de la rana. La conocida fábula, como todo el mundo sabe, hablaba de la historia de un escorpión que le pidió a la rana que lo cargara para cruzar el río. La rana le preguntó que cómo sabía que no le picaría y la mataría. El escorpión le respondió que, si hacía eso, ambos se ahogarían. La rana aceptó y a la mitad del río el escorpión le picó. Cuando la rana le preguntó por qué lo había hecho, si ahora iban a morir los dos, el escorpión le respondió que era su naturaleza y que no lo podía evitar. Esa era Carlota ahora mismo.

—¿*La Madre de Dragones*? ¿A qué te refieres? —le preguntó Ryan.

—¿No me digas que no has visto esa serie antigua tan conocida que se llamaba *Juego de tronos*? Luego rodaron una precuela llamada *La casa del dragón*.

—¡Ah, sé a qué te refieres! No he visto ninguna de las dos series, pero he leído la primera trilogía de *Canción de hielo y fuego*, del escritor estadounidense George R.R. Martin.

—Entonces me entenderás. En *Juego de tronos*, una actriz británica que se llamaba como tu esposa interpretaba el papel de Daenerys Targaryen, más conocida por *Khaleesi*, *Madre de Dragones,* entre otros títulos.

Rebeca miró debajo de la mesa para esconderse. No sabía cuál sería la reacción de Ryan ante la estúpida e inoportuna broma de su hermana. No se extrañaría de ver volar algún vaso. Decidió que había llegado el momento de intervenir para evitar males mayores.

—Ryan, disculpa a mi hermana. Una vez más ha cruzado esa línea roja de la que te hablaba.

Para sorpresa de Rebeca, Ryan no parecía enojado.

—No te disculpes, no me ha molestado en absoluto —le respondió, incluso luciendo una pequeña sonrisa—. Es una gran comparación. El carácter de mi esposa también era muy decidido y determinado, como Daenerys Targaryen en las novelas.

—Entonces, ¿no te has enfadado?

—Claro que no. Casi me parece un halago.

Rebeca, mientras intentaba solucionar el inexistente entuerto, momentáneamente había perdido de vista a Carlota. Cuando la miró, tenía el móvil en la mano y estaba escribiendo algo.

«¿Qué hace mi hermana?», pensó. Su instinto le dijo que algo se le estaba escapando.

Miró instintivamente a su alrededor.

Ahora lo comprendió.

Había dos parejas sentadas en la mesa contigua a la de ellos. A pesar de que parecían estar en animada conversación, Rebeca se dio cuenta de que los estaban vigilando de forma muy discreta. Por su proceder, parecían entrenados y profesionales. No se trataba de unos simples curiosos intentando cotillear una conversación ajena.

Volvió a mirar a su hermana, que en ese mismo instante levantó la vista del teléfono. Sus miradas se cruzaron.

«¡Carlota también se ha dado cuenta, además antes que yo!», pensó. «¿Por qué nos vigilan?» «¿Qué ha escrito mi hermana en su móvil?».

Evidentemente no se lo podía preguntar delante de Ryan, que no había advertido nada, pero tuvo una mala sensación.

Aquello no era normal.

43 ANTIGUO EGIPTO, PALACIO REAL, MENFIS

—¿Y tu padre? ¿No viene hoy?

—No está en Menfis. Tenía que hacer fuera de la ciudad una de esas cosas aburridas de su trabajo.

«¡Tenía que ser hoy precisamente!», pensó fastidiado Nefer. Apenas había dormido preocupado por lo que había escuchado en la reunión que asistió ayer en la *Casa Jeneret*. No se lo podía quitar de la cabeza. Aunque parecía que nada había sucedido durante la noche, ya que el Palacio Real había amanecido en absoluta normalidad, quería contárselo a Sobek. Era un tema demasiado extraño como para que no estuviera al tanto, significara lo que significase. Para empezar, ¿quién era la misteriosa anfitriona de la reunión, de nombre Sehpset y que no existía? ¿Y a quién habían decidido matar? Por otra parte, también debía de reconocer que no sabía si Sobek ya conocía toda la trama. Aunque era reacio a reconocerlo, la mención que escuchó en la reunión acerca de que controlaban el poder religioso le había turbado. En Menfis, ese llamado poder religioso se lo repartían tres o cuatro sacerdotes, entre los que estaba el propio Sobek. En cualquier caso, Nefer pensó que su amigo había elegido el peor día para ausentarse de la escuela.

—¿Cuándo volverá? —le preguntó Nefer.

—¿De verdad crees que mi padre me cuenta esas cosas a mí? De vez en cuando se marcha durante varios días. Según me dice cuando regresa a casa, su trabajo también consiste en visitar otras ciudades de Egipto y hablar con otras personas. No eres un novato y ya deberías saber que no puede asistir todos los días a la escuela. Además, ¿a ti qué te importa lo que haga mi padre?

—¡Ni que fuera la primera vez que te pregunto por él! —exclamó Nefer, intentando escabullirse de la incómoda pregunta de su hija—. Ya sabes que somos amigos desde antes de que entrara en el palacio. De hecho, gracias a él lo conseguí.

—De verdad que eres tonto. Ya sé que sois amigos. ¿Y qué te respondo a cada pregunta tuya? Siempre lo mismo. Mi padre considera que las cosas que hace en su trabajo no son de mi incumbencia y con toda probabilidad tenga razón. Lo que sí que me ha llamado la atención es que has hecho la pregunta con un tono diferente a otros días.

«Tiene razón», pensó Nefer. «Y yo siempre me olvido que no estoy hablando con una mocosa, sino con la viva reencarnación en miniatura de Isis, la diosa de la sabiduría y también de la magia».

—No sé qué te pasa esta mañana —continuó hablando—, pero te apuesto lo de siempre a que lo averiguo antes de que acaben las clases.

—¡Hecho! ¡Hoy perderás y no pienso subirte a ese árbol del jardín que tanto te gusta! —exclamó Nefer.

—¿Cuántas veces me has ganado una apuesta en el último año? Que yo recuerde, dos o tres de más de veinte. Así que, por si acaso, ve ejercitándote los brazos y luego no me pongas excusas de que ya soy muy mayor para eso o que peso mucho.

«Vuelve a tener razón», pensó de nuevo Nefer. «Pero esta vez es imposible que lo adivine. Cuando entré en la *Casa Jeneret* ella ya se había marchado del Palacio Real con su padre. No me pudo ver».

—Esta vez es diferente, te voy a ganar. Además, ya es la hora de entrada en la escuela. ¡Vamos! —exclamó Nefer, haciendo ademán de perseguirla. A la chiquilla le faltó tiempo para salir corriendo hacia el interior de la gran sala.

La niña le ganó la carrera, como siempre sucedía. Nefer tampoco se la disputaba, ya que se detenía nada más entrar en la estancia de la escuela. No era cuestión de ir corriendo entre sus compañeros y todavía menos llegar sofocado ante Nikabebti y Rekhetre. Las saludó con una pequeña inclinación de cabeza y se sentó en su silla.

Era hora de empezar la primera clase, pero el preceptor Dyehuty no había hecho acto de presencia. Aquello era extraño, ya que hasta ahora siempre había sido puntual.

«Nadie es perfecto salvo los dioses y Dyehuty no es una excepción», pensó Nefer. «Además, siempre tiene que haber una primera vez para todo».

De repente, notó un golpe en su nuca. Se giró de inmediato, pero no observó nada inusual, salvo que Rekhetre le estaba haciendo gestos. Parecía que le indicaba que mirara al suelo. Le hizo caso. Vio un pequeño trozo de papiro enrollado. «¿Qué quiere decir esto?», pensó Nefer, completamente avergonzado. Por un momento se le pasó por la cabeza que el papiro se lo había tirado la propia Rekhetre, pero ¿para qué iba a hacer eso?

Levantó la vista y lo comprendió todo.

—¡Te voy a matar cuando termine la clase! —le susurró a la hija de Sobek. Se estaba riendo de forma descarada, así que supuso que había sido ella la que le había arrojado el papiro.

—Léelo —le susurró a su vez.

Nefer lo recogió del suelo, ante las sorprendidas pero divertidas miradas de Nikabebti y Rekhetre, que debían conocer de sobra las habituales gamberradas de la chiquilla. Desplegó el papiro y lo puso sobre la mesa. Lo leyó para sí mismo.

«*¿Qué tal te fue ayer en la Casa Jeneret?*».

Nefer se quedó pálido.

«Definitivamente, debe tener alguna clase de poderes que no alcanzo a comprender», pensó, muy asustado. Nefer fue testigo de cómo se marchó con su padre del Palacio Real antes de su incursión. Incluso aunque hubiera vuelto después, estaba seguro de que nadie le había visto entrar. Ya había tomado sus precauciones.

«Espera, espera...», pensó Nefer, espantado. Existía otra posibilidad que no había considerado. «¿Y si ella también era una de las asistentes a la reunión y me reconoció?» En teoría podría ser, ya que recordaba que había un par de personas de una estatura similar a la niña, que era alta para la edad que tenía. «En teoría, pudiera ser una explicación, pero solo en teoría. En la realidad, eso es imposible».

¿Lo era realmente?

La chiquilla parecía conocer todo lo referente al Palacio Real, hasta la existencia de pasajes secretos.

La turbación de Nefer era tan grande que empezó a sudar y sentirse mal, como mareado.

—¿Te encuentras bien? —escuchó a su derecha.

Era la princesa Rekhetre.

Lo que le faltaba.

—Sí, gracias por interesarte por mí. He pasado una mala noche y esta espera al preceptor Dyehuty me está poniendo nervioso.

—A mí también —le respondió Rekhetre—. No sé qué pasa, pero sea lo que sea no es normal.

Al ver que la princesa le daba conversación, Nefer decidió lanzarse.

—¿Sabes si anoche sucedió algo fuera de lo normal en el palacio? Desde mi dormitorio es difícil enterarse de nada.

Si Rekhetre se sorprendió por su pregunta, desde luego no lo pareció.

—No que yo sepa. Anoche no escuché nada y esta mañana trascurría con normalidad hasta ahora. La ausencia del preceptor no es normal. Tú llevas apenas un año aquí, pero yo, que vivo aquí desde que nací, jamás lo he visto retrasarse. Es cierto que alguna vez ha tenido fiebres, pero siempre han mandado a un sustituto.

—Entonces, me parece que no nos queda más que esperar —concluyó Nefer, girándose hacia su mesa.

»¡Bufff!», pensó. «Es la conversación más larga que he mantenido con una princesa».

Pero la distracción le duró muy poco. Su mente volvió al contenido del pergamino que le había arrojado la hija de Sobek. Debía reconocer que estaba asustado.

De repente, sus pensamientos se vieron interrumpidos. Observaron como un sacerdote se acercaba a la tarima. «¿Qué hace un miembro del clero aquí?», pensó Nefer de inmediato. Sabía que había algunos sacerdotes en el palacio, pero nunca había visto uno dentro de la escuela.

El sacerdote tomó la vara de madera de Dyehuty y la golpeo sobre la mesa con el objeto de llamar la atención de todos los alumnos. Realmente no hubiera hecho falta. Su simple presencia ya había sido suficiente para posar todas sus miradas en él.

Tomó la palabra.

—Debo de comunicaros que hoy se suspenden las clases. Ya seréis informados —se limitó a decir, mientras se marchaba sin más explicaciones.

Todos los alumnos de la escuela se quedaron mirando, sin saber qué hacer. Aquello era insólito.

—¿Sabes algo de lo que ha pasado? —le preguntó Rekhetre, para sorpresa de Nefer—. Me ha parecido un tanto extraña la pregunta que me has hecho antes.

—No, no tengo ni idea —le respondió.

«¿Realmente la tengo?», se preguntó. Estaba hecho un lío.

Rekhetre se giró hacia Nikabebti.

—Tú eres sacerdotisa. ¿Qué puede significar que haya hecho este extraño anuncio un sacerdote en lugar de otro preceptor de los que nos dan clases?

Nefer estaba en medio de ambas, por lo que, aunque no era su deseo, estaba involucrado en la conversación. Nikabebti los miró con una extraña expresión.

—Nada bueno; eso os lo puedo asegurar —respondió, mientras se apresuraba a abandonar la estancia.

Rekhetre pareció comprender la respuesta de Nikabebti porque salió de estampida de la escuela, sin ni siquiera despedirse.

Nefer se quedó allí plantado con cara de idiota, mirando al infinito. Hasta que el infinito se hizo finito.

—«¡Eh! ¡Qué estoy aquí! Me parece que me debes algo. Esta vez quiero trepar hasta la rama más alta.

Nefer la tomó por el brazo y la llevó hasta el jardín exterior.

—Te voy a hacer unas preguntas. Por favor, esto no es un juego. Contéstame con sinceridad.

—Vale —se limitó a responder la *renacuaja*.

«¿Volviste ayer al Palacio Real, después de que nos despidiéramos?

—No.

—¿Estuviste en todo momento en el Templo de Neith con tu familia?

—Sí.

—¿Me mentiste y existe alguien que se llame Sehpset en el Palacio Real?

—No.

Nefer estaba más pendiente de las reacciones de la chiquilla a sus preguntas que de sus propias respuestas. Por ello notó algo extraño en la contestación a esta última.

—¿Estás segura de esta última pregunta? Te aseguro que es muy importante que seas completamente sincera conmigo. No me mientas —Nefer estaba muy serio.

—No lo hago. No hay nadie con ese nombre —la niña se mantuvo firme.

—¿Por qué me da la impresión de que me ocultas algo?

Para sorpresa de Nefer, la cara de la hija de Sobek pareció trasformarse. Ya no se parecía a esa alocada niña que conoció el año pasado.

—Acompáñame —le dijo, mientras echaba a andar.

Estaban regresando a la estancia de la escuela, de dónde habían salido hacía unos minutos. Nefer se sorprendió.

—¿Qué hacemos aquí?

—Ahora mismo, este es el lugar más solitario de todo el palacio. Podemos hablar sin que nos vean y sin ser escuchados por nadie.

—¿De qué tenemos que hablar que parece tan secreto?

—Empecemos por el principio. Esta mañana estabas especialmente nervioso. Ya nos conocemos y sé reconocer esas cosas por la expresión de tu cara. Además, lo primero que hiciste es preguntarme por mi padre. Estaba claro que querías contarle algo y parecía urgente. Sea lo que fuere, debió suceder después que abandonáramos el Palacio Real. ¿Qué pretendías hacer justo después de nuestra marcha? ¡Acceder a la *Casa Jeneret*! Tus reacciones de esta mañana me han confirmado que lo conseguiste, aunque no sea capaz de saber cómo lo lograste. Ha sido una deducción elemental. Nada que ver con diosas y cosas así. ¿Te queda clara la primera duda que tenías acerca de mí?

—Sí —se limitó a responder Nefer. Lo había abrumado con su lógica deducción.

—Ahora vayamos a Sehpset. No te mentí a tu pregunta. No existe nadie en todo el Palacio Real cuyo nombre responda a Sehpset.

—¿Pero? —preguntó Nefer, con toda la intención. Lo vio reflejado en el rostro de la chiquilla.

—Sí, lo has deducido. Hay un «pero».

—¿Y eso me lo tenías que decir aquí adentro?

—Te aseguro que cuando escuches el «pero» lo comprenderás. Debíamos estar solos.

Nefer miró a su alrededor. Desde luego no había nadie allí. De repente, se preguntó el motivo por el que debían de estar solos. Tampoco le parecía una pregunta tan difícil de responder, salvo...

«¡Ay!», pensó acobardado. «¿Y si pertenece al *Sacerdocio Secreto de Anubis*? Eso explicaría todo».

La chiquilla no pareció advertir la turbación de Nefer.

—Es cierto que no existe nadie con el nombre de Sehpset, pero sí que hay un tratamiento real con ese nombre.

—¿Qué significa exactamente eso?

—La *Casa Jeneret* es mucho más de lo quiere aparentar, ¿verdad? Si conseguiste entrar supongo que ya lo sabrás. No es tan solo una escuela de música y baile para niñas. En realidad, es uno de los centros del poder oculto del palacio, por eso está construida de esa manera y su acceso es tan complicado. ¿De verdad creías que para dar clases de arpa hace falta tanta seguridad y discreción? Quizá te sorprenda saber que existen otras *Casas Jeneret* diseminadas en otros palacios reales de Egipto. Pero volvamos a lo importante. Piensa una cosa. Ahora mismo, nosotros nos encontramos en la escuela principal del palacio donde asisten príncipes de Egipto, sumos sacerdotes y muchos otros miembros de la familia real. ¿Has visto alguna medida de seguridad? ¿Para qué, si estamos en el interior del Palacio Real de Menfis, que es la edificación amurallada más vigilada y segura de todo Egipto? Aquí no se cuela ni un mosquito.

Nefer no se lo había planteado desde ese punto de vista, pero el razonamiento de aquella chiquilla parecía impecable, aunque le encontró un agujero, nunca mejor dicho.

—Pero existen los pasadizos secretos. Si lo piensas, el Palacio Real tiene sus vulnerabilidades.

—No. Es cierto que existen, pero están discretamente vigilados. Se construyeron por el gran arquitecto Imhotep por instrucciones expresas del faraón Djoser, el primero que habitó este palacio. Digamos que le gustaba poder entrar y salir sin ser visto. Se supone que soy una niña para poder imaginarme para qué querría hacer eso. Hoy en día no tienen uso, salvo que alguna autoridad lo reclame, cosa que sucede muy raramente.

—O alguna mocosa consiga burlar su vigilancia —añadió Nefer.

—Sí, también —sonrió—, pero estoy segura de que muchas veces los soldados se limitan a hacer la vista gorda. Al fin y al cabo, saben quién soy.

—Lo que no comprendo es el motivo por el que me estás contando todo esto de la *Casa Jeneret*. ¿Qué tiene que ver con Sehpset, sea lo que sea esa palabra?

—Todo.

—Explícate.

—La *Casa Jeneret* está muy jerarquizada y es un verdadero núcleo de poder femenino dentro de la sociedad egipcia, aunque sea de forma muy discreta. Ya sabrás que la palabra *Jeneret* significa «casa de las bellezas» pero también «lugar cerrado». Siempre es dirigida por la esposa favorita del faraón, *La Gran Esposa Real*, ya habrás oído hablar de ella. No está bien considerado que hable en estos términos de nuestro actual faraón, Baka, pero todo el mundo sabe que es una persona débil de salud y también de carácter. Siempre se ha dejado dominar por su madre, la reina Hetepheres II, que, a su vez, fue la esposa favorita del faraón Djedefre. Al contrario que su hijo, la reina Hetepheres II tiene un carácter fuerte y dominante. Tanto es así que ordenó que su hijo tomara como esposa a la reina Khentetka, que curiosamente también había sido otra de las esposas del faraón Djedefre.

—¡Menudo lío de familia!

—Es normal en el Egipto actual. Piensa que casi todos los miembros de la familia real viven en el mismo lugar, asisten a la misma escuela, comen y duermen juntos. A veces, ni siquiera llegan a conocer a otras personas en toda su vida. Por eso es habitual que se casen entre ellos.

—Pero eso no puede ser bueno. La endogamia acaba empobreciendo a una familia.

—No sé lo que significa la palabra «endogamia», pero tienes razón en que casarse entre ellos acaba provocando malos resultados, pero así funcionan las cosas. Por eso terminan unas dinastías y comienzan otras. Por ejemplo, ahora reina en Egipto la Cuarta Dinastía, que comenzó con el faraón Snefru y continuó con Khufu, Khafre y ahora Baka. Llegará un día que saltemos a la Quinta Dinastía, cuando la presente decaiga y otra familia se haga con el poder.

—Todo lo que me has contado es muy interesante, pero estás dando muchas vueltas para explicarme qué significa Sehpset.

—Era necesaria la explicación anterior para que lo puedas comprender todo. Como te decía, la *Casa Jeneret* la controla la *Gran Esposa Real*, pero en este caso es una figura decorativa en manos de la madre del faraón, la reina Hetepheres II, que es el verdadero poder. A la persona que ostenta la dirección de la *Casa Jeneret* se le otorga el título honorífico de *Sehpset*, que significa «la adorada» y al resto de mujeres dominantes el título de *Ornato Real*.

—No tenía ni idea de todo eso.

—Claro, porque eso no se enseña en la escuela. Todo lo que rodea a la *Casa Jeneret* es opaco. Ahora me adelanto a tu próxima pregunta, ¿quién ostenta en la actualidad el título de *Sehpset*? ¿Te lo imaginas? ¡Seguro que sí!

—No es la esposa del faraón Baka, ¿verdad?

—¡Premio! No lo es. Su madre, la poderosa reina Hetepheres II, ocupa ese puesto desde hace menos de dos años, cuando accedió al trono su hijo Baka. Antes lo había sido la reina Khamerernebty, esposa favorita del difunto faraón Khafre.

—Entonces, ¿*Sehpset* es Hetepheres II?

—Exacto. Es uno de sus muchos títulos y el más importante de la *Casa Jeneret*.

—¿Qué edad tiene Hetepheres?

—Calculo que entre cuarenta y cuarenta y cinco años.

«¡Concuerda con la edad que debía tener la anfitriona del *Sacerdocio Secreta de Anubis*!», pensó de inmediato Nefer. «Ya conozco la identidad de su cabecilla».

La chiquilla advirtió la extraña expresión en el rostro de Nefer, aunque no supo cómo interpretarla.

—Ni se te ocurra acercarte a ella —le advirtió—. Es una de las personas más poderosas en el Egipto actual. Dicen que es cruel y despiadada. La forma en la que trata al faraón Baka da vergüenza. Aunque sea su madre, no debería olvidar que su hijo es el rey de Egipto, no ella.

«Me parece que el consejo llega algo tarde», continuó pensando Nefer.

—¿Te importa que salgamos al jardín? —preguntó Nefer—. Ver este sitio tan grande y completamente vacío me abruma un poco.

—¿Abrumar significa tener miedo? —le respondió la hija de Sobek, que una vez más buscaba provocarlo.

«En este caso sí, pero no lo voy a reconocer», se dijo Nefer.

—Abrumar significa que te voy a dar unos azotes por no haberme contado toda esta historia antes.

—La culpa es tuya. Haberme hecho las preguntas adecuadas —la niña continuaba retándole—. Yo no te he mentido.

Cuando Nefer estaba a punto de lanzarse sobre ella para comenzar sus habituales carreras hasta llegar al jardín, vieron que una persona entraba en la estancia de la escuela.

—¿Qué hacéis aquí? —preguntó, con un tono que no era nada normal.

—Ahora íbamos a salir —contestó Nefer, que pensó que quizá no estaban autorizados a estar allí en ausencia de clases.

—¿Ocurre algo? —le preguntó la chiquilla, que también había apreciado el nerviosismo de aquella persona.

—¿Qué si ocurre algo? Debéis ser los únicos de todo el Palacio Real que no se han enterado. Acaba de fallecer el faraón —les respondió, mientras desaparecía de su vista.

Ambos cruzaron sus miradas durante un par de segundos.

—¡Tú sabías algo! No te has sorprendido por la noticia —le gritó la chiquilla—. ¿Cómo podías saber algo así con antelación si se acaba de producir?

Nefer se giró hacia la entrada de la escuela para intentar eludir una respuesta directa.

—¡Qué ha dicho el muchacho ese! ¡No lo puedo creer! —exclamó, haciéndose el sorprendido.

De repente, notó como un objeto pesado le golpeaba la cabeza por detrás. Su último pensamiento consciente fue

«¡pero si estamos solos! ¿Quién me ha golpeado?». No le dio tiempo ni siquiera a girarse.

Cayó fulminado al suelo.

44 GUIZA, EGIPTO, 14 DE NOVIEMBRE DE 1836

—¿Qué sabe de la tercera pirámide?

—Poca cosa. Toda la gente que viene a Guiza, tanto simples turistas como arqueólogos profesionales, se centran en la Gran Pirámide, que acapara todas las atenciones del conjunto. Es la más explorada y se puede acceder hasta la cámara funeraria tanto del faraón como de la reina. Algunos, como sucedió conmigo y con Belzoni, también nos interesamos por la segunda y fuimos los primeros occidentales en penetrar en ella. Resulta curioso el excesivo interés en la llamada Gran Pirámide, cuando la segunda es casi idéntica en tamaño. Según las mediciones de Belzoni, apenas se llevan unos pocos metros de altura.

—Estoy de acuerdo con usted, Mr. Hill, pero no ha contestado a mi pregunta. ¿Qué opina de la tercera? Esa sí que parece diferente a las otras dos —continuó preguntando el coronel Howard Vyse.

—Como le decía al principio, poca cosa hay que decir. Ningún occidental que se sepa ha penetrado en su interior. Está rodeada de escombros y sus pequeñas tres pirámides accesorias apenas se distinguen, ya que están sepultadas por la arena del desierto. Sin duda, es la gran olvidada.

—Pero algo ha cambiado recientemente, ¿no? —Vyse continuaba con su indisimulado interrogatorio.

—Sí, lo sabe tan bien como yo.

—¿Y qué opina de ello?

—Le voy a contestar lo mismo que le dije a Belzoni, antes de entrar por primera vez en la segunda pirámide. Si tememos a lo desconocido, con seguridad nos temamos a nosotros mismos. El miedo a lo desconocido siempre será dominado por el deseo humano hacia la exploración, que es precisamente lo que somos nosotros, exploradores de lo desconocido. Personalmente, me considero una persona prudente pero no cobarde. Tengo muy claro que el futuro siempre será de los valientes y que nos queda un apasionante trabajo por delante. No pienso echar un pie atrás.

—¡Caramba, Mr. Hill! —se sorprendió Vyse—. No me daba usted esa impresión.

—¿Por mis formas refinadas? No se deje engañar por las apariencias. Llevo bastantes años en Egipto y muchas uñas rotas de escarbar en la arena, tratando de abrirme paso en las pirámides.

Vyse se dio cuenta de que quizá había ofendido a aquel caballero británico.

—Disculpe mi apreciación. Soy la persona menos indicada para hacer ninguna clase de comentario al respecto, ya que, hasta ahora, tan solo me he dedicado a hacer turismo de lujo por Egipto, sin marcharme las manos. No era mi intención desmerecer sus logros.

—No lo ha hecho, tranquilo. No tiene por qué disculparse.

—Tampoco quiero que tenga la sensación de que le estoy interrogando acerca de la tercera pirámide —continuó Vyse, aunque era exactamente lo que estaba haciendo—. Tan solo quería escuchar su opinión acerca de lo sucedido. Tiene mucha más experiencia que yo sobre el terreno.

Mr. Hill se quedó mirando a su interlocutor.

—Me parece que tenemos sensaciones muy parecidas. Es pronto para hacer ninguna conjetura, pero jamás se había hecho un avance de esta magnitud en la tercera pirámide. Si quiere que lo defina con una frase, quizá estemos ante las puertas del cielo.

«¡Las puertas del cielo!», pensó Vyse. «¿Eso creen en los Estados Pontificios de Gregorio XVI que es esta pirámide? ¿Por qué será?». A pesar de su conquista por los franceses en 1798 y su reciente retorno a la condición de estado independiente en 1814, siempre se ha dicho que los Estados Pontificios de la Iglesia católica han manejado y manejan un volumen de información que ya quisieran para sí muchos otros estados. «Está claro que sabe algo que mantiene oculto. Mi misión será averiguarlo».

—Todavía quedan muchos escombros. Pensaba que se había avanzado más —comentó Vyse, escapando a sus pensamientos.

—No estamos en el lado correcto de la pirámide. Hay que buscar la cara donde presenta la hendidura.

A finales del siglo XII, un hijo de Saladino, el primer sultán de Egipto, se le ocurrió la idea de demoler las pirámides comenzando por la más pequeña de las tres grandes del conjunto de Guiza. Su idea era aprovechar los fabulosos bloques de piedra caliza para otras construcciones. Durante ocho meses persistieron en su labor, pero se vieron obligados a abandonar. Cada bloque pesaba más de dos toneladas y pronto se dieron cuenta de que eran muy difíciles de manejar, hasta el punto de que los accidentes y las caídas de las enormes piedras eran habituales. En este último caso, casi les resultaba más costoso extraer esas enormes moles de la arena del desierto que de la propia pirámide. Lo único que consiguieron fue dañar su exterior, produciéndole a la pirámide una especie de cicatriz vertical.

Vyse y Hill anduvieron hasta la misma base de la cara norte, donde se encontraba la hendidura.

—Se asemeja a una estela que guía hacia el cielo, ¿no le parece?

—La verdad es que no se me había ocurrido mirarla desde ese punto de vista —confesó Vyse, que se anotaba mentalmente las constantes referencias al cielo que hacía Mr. Hill. No las comprendía, pero seguro que había un motivo oculto detrás de ellas.

—Hágalo e igual empieza a comprender la naturaleza mágica de esta pirámide.

«Vaya bobadas místicas que me está diciendo Mr. Hill. Somos egiptólogos y no sacerdotes, al menos yo», pensó Vyse.

—Pues yo no veo nada, ni en el plano terrenal ni en el plano divino —dijo, con un evidente tono sarcástico.

—Caviglia dijo que la encontró a dos metros por encima de la hendidura. Me temo que tendremos que trepar un poco para eso.

No iba a ser una tarea sencilla. Aunque la arena del desierto cubría la base de la pirámide, lo que, en teoría, los aproximaba a su objetivo, en realidad no era una ayuda sino un inconveniente. Los pies se hundían en ella, dificultando el avance, al margen de lo incómodo que resultaba por su elevada temperatura.

—¿Cómo lo pudo descubrir Caviglia? ¿No hubiera sido más lógico quitar toda esta arena que cubre la base de la pirámide? Las operaciones serían más sencillas —dijo Vyse, con su mente militar.

—No fue Caviglia el que hizo el descubrimiento en persona. Él se encontraba centrado en las momias que tanto le gustan en la zona de la Esfinge. Fue uno de sus ayudantes.

—Ese dato no lo sabía —confesó Vyse—. ¿Por qué no hemos traído con nosotros a esa persona? Nos hubiera servido de ayuda.

—Ahora es imposible. Ya no trabaja en la excavación porque fue despedido.

—¡Qué me dice! ¿Quién se atrevió a despedir a la persona que, aunque fuera por casualidad, hizo el mayor avance en la historia de la tercera pirámide?

Mr. Hill, por primera vez, se permitió una sonrisa.

—Usted. Fue Giachino.

—¡Vaya! —exclamó Vyse—. Me parece que empecé con el pie izquierdo en esta excavación. Esa fue mi primera decisión nada más llegar a Guiza.

—De todas maneras, dudo mucho que nos hubiera servido de gran ayuda. Seguro que se tropezó con ello por pura casualidad.

—Ahora ya no hay solución —dijo Vyse, resignado—. Además, ya debemos estar muy cerca.

—Sí —confirmó Hill.

—No veo nada.

—Ya conoce el temido viento *jamsin*. Es capaz de depositar metros de arena en apenas un día y ya ha pasado más de un mes desde el descubrimiento. Sé que ha quedado en la explanada de la Gran Pirámide con todos los trabajadores en apenas media hora. Esto se puede demorar bastante.

—No lo creo. El *jamsin* es viento del sur y nos encontramos en la cara norte de la pirámide. Además, sería verdadera mala suerte, ya que no suele soplar en esta época del año. Es más un viento de primavera y ahora estamos en otoño.

—¡Mire! —exclamó Hill—. Aquel pequeño hueco no tiene forma natural. Parece artificial.

Estaba a apenas un metro de ellos. Hicieron un último esfuerzo para llegar a ese lugar, encajado entre varias piedras. A pesar de que llegaron muy cansados y el cuerpo les pedía una pausa, su mente no se lo permitió.

—Desde luego parece una entrada, aunque, por las explicaciones que me dio el coronel Campbell, esperaba algo más. Está completamente obstruida. No se ha avanzado ni un solo metro hacia el interior de la pirámide.

—Eso sí que fue decisión de Mr. Caviglia.

—¡Ese imbécil! —exclamó Vyse—. Se tropieza con la entrada de la única de las grandes pirámides de Guiza que permanece intacta y no hace nada.

—Se equivoca. Creo que su reacción fue la correcta. Se marchó a El Cairo e informó al coronel Campbell del hallazgo. Pese a su difícil carácter, hay que reconocer que es un brillante arqueólogo y se debió de dar cuenta de inmediato de la magnitud del hallazgo. Él no disponía de los medios necesarios para acometer esta labor y lo sabía. Creo que se comportó de una forma muy caballerosa renunciando a su contrato con el pachá. Conocía de sobra el interés del coronel Campbell y también sabía que no escatimaría en medios para conseguir un billete a lo desconocido. Mr. Caviglia tan solo compró uno de primera fila, para poder permanecer en Guiza con los medios técnicos y humanos necesarios. Ya he conocido a unos cuantos arqueólogos y todos parecen cortados por el mismo patrón. Les ciega la gloria. Imagínese al *signore* Belzoni. Entramos en la segunda pirámide y, a la primera cámara que accedemos, le pone su nombre. A mí jamás se me hubiese ocurrido semejante arrogancia. Estamos hablando de construcciones sagradas erigidas por los dioses tal y como los concebían los egipcios, o por Dios tal y como lo entendemos nosotros.

Vyse se permitió una pequeña sonrisa mientras aprovechaba para recuperarse del esfuerzo.

—En primer lugar, tengo la sensación de que Caviglia no renunció al contrato de forma voluntaria. Reconozco que no tengo nada que soporte esta afirmación más que mi intuición, pero siempre ha sido mi fiel guía en toda mi vida. En segundo lugar, ¿en serio cree que un brillante arqueólogo, como usted lo acaba de definir, se tropieza con un descubrimiento de este alcance y no hace nada? Disponía en Guiza de más de cincuenta trabajadores. ¿Qué hubiéramos hecho nosotros y eso que no somos brillantes arqueólogos? ¡Mandar a los cincuenta a excavar aquí! En cuanto a lo de las construcciones erigidas por los dioses, me choca ese comentario viniendo de usted.

—¿Por qué le llama la atención?

—Pensaba que le movía el afán de descubrir los grandes misterios que nos oculta la historia. Al menos eso es lo que me había parecido entenderle.

—Una cosa no es incompatible con la otra.

Mientras hablaban, se habían puesto a excavar en arena con sus propias manos.

—Dígame una cosa, Mr. Hill. ¿Qué espera encontrar en el interior de esta pirámide?

—Aunque se lo explicara, me temo que no lo entendería —le respondió Hill.

—Pruebe —Vyse intentaba sonsacarle el motivo del interés de la Iglesia católica en una pirámide egipcia.

—Las antiguas creencias religiosas egipcias eran politeístas. Eso es innegable cuando ya se han identificado más de setecientos dioses diferentes a los que adoraban. Sin embargo, en el interior de esta pirámide hay algo más.

Vyse lo miró con cara de incomprensión. «Sí, con suerte y no ha sido profanada con anterioridad, el cuerpo de un faraón». No tenía ni la más remota idea a qué se podía referir Hill. De repente, pegó un pequeño brinco.

—¡Aquí es! —exclamó.

—¿Está seguro?

—No, pero lo estaremos en apenas un minuto. He notado un relieve en una de las piedras horizontales.

Ambos se pusieron a quitar la arena en lo que parecía un dintel de una puerta.

—¡Mire! —exclamó Hill—. Es escritura jeroglífica.

Vyse parecía ido.

—¿Me ha escuchado? —siguió Hill—. Belzoni y yo hallamos signos similares en la cámara de la segunda pirámide, pero no estaban esculpidos en la piedra como este. Se trataba de trazos de color rojo aplicados sobre una de las paredes.

Vyse seguía absorto, sin reaccionar.

—¡Coronel! —le gritó Hill, que pareció retornar de sus pensamientos.

—Escuche, Mr. Hill. En lo que hemos podido explorar en las dos pirámides de Guiza, ¿le suena haber visto algún grabado jeroglífico en la piedra en sus paredes o en cualquier otro sitio?

—No, tan solo lo que le acabo de decir. Las dos pirámides exploradas no presentan ningún tipo de ornamentos.

—Esos trazos rojos que me acaba de comentar con seguridad sean meras copias árabes de lo que vieron cuando saquearon las pirámides. Esto que estamos observando es otra cosa, algo completamente insólito —dijo Vyse, con una calma impropia del momento.

Hill permaneció en silencio, esperando la continuación de la explicación.

—Lo que estamos viendo es un cartucho. Se llama así porque los jeroglíficos están contenidos dentro de una especie de cuerda. Tan solo empleaban esta técnica con los faraones. Los antiguos egipcios creían que así protegían de los males al faraón, cuyo nombre aparece escrito en su interior. Estaban convencidos de que así alcanzarían la vida eterna. Como los faraones disponían de multitud de títulos, cada uno de ellos podía disponer de diferentes cartuchos, lo que, en ocasiones, si no se tienen los conocimientos adecuados de egiptología, puede llevar a la confusión.

—¿Me está insinuando que duda acerca del contenido de este cartucho en concreto?

—No. Este está muy claro.

—¿Y qué pone en su interior?

—Lo obvio. Es lo que vamos a encontrar en el interior de esta pirámide. La transliteración de este jeroglífico sería algo así como «mn-k3w-R», es decir, Menkaure.

—¡Eso son fantásticas noticias! ¿Por qué me da la impresión de que no parece tan emocionado como yo?

—Porque hay algo extraño en todo esto. No hace falta que le explique con detalle que las pirámides son auténticos laberintos de pasillos, cámaras, puertas verdaderas y otras falsas que no conducen a ningún sitio y demás inventos para disuadir a los posibles ladrones de tumbas. Y estoy seguro de que no hemos descubierto ni una quinta parte de lo que nos ocultan. Ahora, de repente, en la tercera pirámide nos encontramos lo que parece una puerta, además anunciando el nombre del faraón en su dintel. ¿Para qué? Cuando se construyó, todos los egipcios sabían que era la pirámide de Menkaure. ¿Qué falta les hacía anunciar su morador, además esculpiendo sobre la puerta de entrada su propio cartucho? Es como un aviso a los saqueadores de tumbas indicándoles el camino a seguir para su adecuada profanación. Es completamente incongruente y me niego a creer en lo que no es fruto de la razón —explicó Vyse, que parecía muy serio.

—¿Me está intentando decir que no es la puerta de entrada a la pirámide porque su razón le impide creerlo? Le aseguro que hay ciertas cosas que escapan a la razón y no por ello dejan de ser ciertas.

—Quizá sea como usted dice, aunque yo no conozco ninguna. Tampoco creo en los milagros. En cualquier caso, me reafirmo en mi opinión. Este hallazgo no es lo que parece.

—Entonces, ¿qué cree que es?

—Me temo que eso es lo que tendremos que averiguar, pero será en otro momento. Ahora debo regresar a la explanada de las pirámides para cambiar las órdenes a los trabajadores.

Mr. Hill acompañó al coronel hasta la puerta de entrada a la Gran Pirámide. Llegaban con más de diez minutos de retraso y ya estaban congregados todos los trabajadores.

—¡Escuchadme bien! —gritó Vyse—. Todas las órdenes que hayáis podido recibir de Mr. Caviglia quedan anuladas con efecto inmediato, fueran cual fuesen. A partir de ahora, tan solo las daré yo.

Se pudo escuchar un murmullo entre los trabajadores. Al fin y al cabo, llevaban mucho tiempo con Caviglia al mando absoluto y aquello era una novedad para ellos.

—Sé que os puede resultar extraño, pero Mr. Caviglia, cuando regrese a Guiza dentro de dos días, seguirá dirigiendo las excavaciones, pero supervisado por mí —les dijo Vyse, que también había notado la inquietud entre los trabajadores—. Dejaréis de excavar en busca de momias en la zona de la Esfinge. Destinad el día de hoy a cubrir con lonas las zonas expuestas. A partir de mañana mismo se os subirá vuestra asignación económica en función del trabajo que realicéis y el capataz Jack os supervisará. Nuestra prioridad ahora serán las pirámides.

El murmullo había cesado en cuanto escucharon el aumento de sueldo. Caviglia solía pagarles mal.

—Mañana mismo, Jack os informará a cada uno de vosotros a cuál de las dos pirámides os tenéis que dirigir y los trabajos que tendréis que hacer. ¿Os ha quedado claro?

Todos asintieron con la cabeza y se marcharon a cumplir las nuevas instrucciones.

Cuando se quedaron solos Hill y Vyse, el primero le mostró su sorpresa.

—¡Ha dicho que van a trabajar en las dos pirámides! Creía que nuestro mutuo interés era la tercera.

—Y lo sigue siendo, no se preocupe por eso, Mr. Hill. Lo que sucede es que tengo que reflexionar acerca de lo que hemos visto y consultar algunos libros antes de lanzarnos a lo desconocido. Las pirámides llevan aquí más de cuatro mil años. Creo que no se van a marchar de repente. La tercera podrá esperar unos días más.

«Ella quizá sí, pero ¿y nosotros?», pensó Mr. Hill, que estaba preocupado por la repentina falta de interés del coronel en el gran hallazgo.

—Espero que no sea por mucho tiempo —insistió Hill.

—Ni yo. Pero esta es una expedición arqueológica que deseo dirigir con criterios científicos y no divinos.

A Vyse le quedó claro que Mr. Hill no estaba de acuerdo con su opinión. «Supongo que sus jefes estarán esperando resultados cuanto antes, pero ese es su problema, no el mío», pensó el coronel.

Se dispuso a marcharse a su tienda, en la zona cuatro del campamento. Como cada vez que entraba, saludaba al soldado que le daba acceso. En esa zona vigilada tan solo se alojaban Caviglia, Sloane, Campbell y él mismo. En consecuencia, estaría solo hasta la llegada de Caviglia, quizá acompañado por Sloane. Pero eso sería pasado mañana. Ahora disponía de dos días enteros de tranquilidad para poder aclarar su mente.

Se dirigió a una de sus maletas y extrajo dos libros ajados. Eran tratados de egiptología moderna. A pesar de que el interés del mundo occidental se centraba en las grandes pirámides de la meseta de Guiza, en Egipto había otras cien descubiertas hasta la fecha, de diferentes tamaños, formas y colores. No todas habían sido exploradas, pero algunas de ellas sí. Se puso a buscar algún antecedente de lo que habían visto en la tercera pirámide. Después de varias horas, como se temía, no encontró ninguno.

«Este asunto se vuelve cada vez más extraño», pensó.

Había sido un día muy intenso. Entre el viaje, los nervios por la tercera pirámide y su cabeza, que no paraba de darle vueltas al misterio, el cansancio acumulado se hizo notar.

«Hoy me salto la cena», pensó Vyse. «Aunque sea pronto, me parece que me voy a acostar».

Se cambió de ropa, se aseó y se metió en la cama.

De repente, notó algo extraño. «¿Qué hay aquí adentro?», pensó de inmediato. Cuando quiso reaccionar, notó un intenso dolor en la parte superior de su pierna. Abrió la sábana de lino a toda prisa y lo pudo ver.

Un enorme escorpión.

«¿Cómo se ha podido meter en mi cama? Tenía entendido que se escondían en el suelo, debajo de las piedras y camuflados en la arena», pensó, aunque ahora ya nada de eso importaba. La picadura de un escorpión del desierto de ese tamaño era mortal en las áreas rurales de Egipto, como era Guiza. La potencia de la toxina de su veneno podía llegar a ser similar al de una serpiente cobra. Vyse conocía de sobra qué iba a pasar a continuación, de hecho, ya notaba los primeros síntomas, mareo y náuseas. Sabía que después llegaría la hipertensión y una fuerte taquicardia para acabar con la muerte, todo ello en los próximos minutos.

De nada servía gritar ni pedir ayuda. Tan solo pronunció una última frase.

—Hace un rato me creía el hombre más afortunado del mundo ante la posibilidad de entrar en la tercera pirámide. Apenas unas horas después, resulta que me muero y descubro que, en realidad, **no soy nadie**.

45 ANTIGUO EGIPTO, MENFIS

—¿Dónde estoy?

Su pregunta causó un inesperado eco. Nefer se incorporó lentamente. Desde luego el sitio era desconocido para él. Parecía como una especie de gran cueva excavada en la roca. No sabía que existiera este lugar en el Palacio Real. De todas maneras, aún estaba mareado por el golpe en la cabeza y su visión no terminaba de ser clara.

Nadie había respondido a su pregunta, aunque le parecía divisar a lo lejos lo que parecían personas. Pudo observar como se aproximaban hacia él, aunque seguía sin reconocerlas.

«¿Quién puede tener interés en secuestrarme?», se preguntó Nefer. Para su espanto, la respuesta le vino de inmediato a la cabeza. Si el *Sacerdocio Secreto de Anubis* había conocido que asistió a su última reunión en la *Casa Jeneret*, estaba claro que ellos eran los principales candidatos. Pero su mente se negaba a creer esa posibilidad. Eso suponía que la hija de Sobek debía estar involucrada en esa siniestra sociedad, ya que el golpe que recibió en la cabeza tan solo pudo venir de ella. No podía olvidar que estaban solos en la escuela.

«Me temo que me he visto involucrado, sin pretenderlo, en una batalla por el trono de Egipto», pensó Nefer. «¡Pero si tan solo soy un campesino que no entiende casi nada de estas cosas!».

Seguía sin recuperar la visión por completo, pero sí que era capaz de escuchar, por eso advirtió la presencia de alguna persona cerca de él.

—Lo siento de verdad, Nefer, pero era necesario.

Era la voz de la hija de Sobek.

—¿Por qué has hecho esto? Pensaba que éramos amigos.

—Y quiero que lo sigamos siendo. Ya te he pedido perdón por el golpe en la cabeza, pero no podíamos permitir que anduvieras por ahí. Eres una buena persona, pero un poco tonto.

—¿«Podíamos permitir»? Hablas en plural. ¿A quién representas?

La hija de Sobek se rio.

—¿Crees que soy miembro del *Sacerdocio Secreto de Anubis*?

—Lo acabas de confesar —le respondió Nefer, enfadado—. Que yo sepa, jamás te había nombrado ese grupo de chalados. ¿Cómo una mocosa como tú puede conocer su existencia?

—Me preguntabas antes el motivo por el que hablaba en plural. Está claro que no has recuperado la vista del todo. No estoy sola.

—Hola —escuchó una voz.

Para espanto de Nefer, una palabra bastó para que la reconociera.

—Usted es Sehpset, es decir, la reina Hetepheres II y cabecilla del *Sacerdocio Secreto de Anubis*.

—Así es.

—Supongo que, o bien me descubrieron ayer o lo han hecho esta mañana, con la ayuda de la chiquilla.

—No, ha sido más bien al revés.

Nefer no comprendió esa respuesta. Intentó fijar la vista. Resultaba incómodo mantener una conversación con sombras. De repente, le pareció advertir que había otras personas asistiendo a la conversación, aunque en silencio.

—¿Quién sois? ¿Otros miembros del sacerdocio ese? ¡Qué sepáis que no me asustáis!

Escuchó una risa detrás de él. Para su espanto, también la reconoció.

—¿Sobek? ¿Qué haces aquí? Tu hija me había dicho que habías partido de viaje y que no estabas en Menfis.

—Eso era lo que le dije que te contara, sí, pero no es cierto. No abandoné la ciudad. El motivo por el que no acudí a la escuela es más que obvio, ¿no te parece?

—¿La muerte del faraón? —Nefer no salía de su asombro. Aunque en la reunión de ayer había escuchado que el

Sacerdocio Secreto de Anubis controlaba el poder religioso, no se imaginaba a Sobek en ese tipo de confabulaciones palaciegas. Intentó convencerse de que era una sorpresa oír la voz de su supuesto amigo, pero debía de ser sincero consigo mismo y no era así. Desde que escuchó la voz de su hija, ya se imaginó que Sobek estaría involucrado también.

—Sí, por eso exactamente —le contestó.

—¿Cómo puedes haber caído tan bajo? Te consideraba una persona íntegra.

Mientras mantenía la conversación, intentaba recuperar el sentido de la vista fijándose cada vez con más intensidad en las sombras que le rodeaban. Al menos, pudo distinguir que había otra persona más. Por sus formas, parecía otra mujer.

—Siempre he sido una persona íntegra y tampoco he dejado de serlo. Este incidente ha sido necesario.

—¿«Incidente»? ¿Ahora llamáis así a golpear a alguien a traición por la espalda y secuestrarlo?

—Créeme, era necesario. Además, no seas exagerado. Te recuperarás por completo en unos minutos y estás tumbado en una cama sin ningún tipo de ataduras.

—Aún os tendré que dar las gracias —contestó con sorna Nefer—. Aunque no esté atado físicamente, el hecho de no ser capaz de distinguiros hace que esté atado visualmente. En la práctica es lo mismo. No me puedo mover de aquí.

—En breve lo harás y también comprenderás el motivo de nuestras acciones. Siempre hemos pensado en el bien del pueblo de Egipto.

—¿Cómo puedes decir eso? Quizá no lo sepas o quizá sí, pero ayer oí en la *Casa Jeneret* todo lo referente a tu sacerdocio secreto. Lo que escuché consiguió espantarme, la verdad. Eso de ordenar asesinar a príncipes de Egipto no sé cómo puede hacerse pensando en el bien del pueblo.

—No te voy a negar que tienes razón, pero lo pasado, pasado está. Ahora hay que mirar al futuro. Eso es lo único que importa.

Ahora Nefer se dirigió a la reina Hetepheres II.

—¿Y usted? ¿No tiene ni la más remota vergüenza? ¿No debería estar velando a su hijo recién fallecido, el faraón Baka?

—Sí, desde luego que debería —se limitó a responderle.

Nefer se llevó otra gran sorpresa. Ahora que estaba recuperando sus sentidos poco a poco, cayó en la cuenta que la reina Hetepheres II también era la mujer que lo había recibido el primer día que llegó al Palacio Real. Recordaba que Sobek se había sorprendido y preocupado cuando se lo contó.

Cada minuto que pasaba entendía menos la situación, pero, también era cierto que estaba recuperando la vista de forma acelerada. Ahora era capaz de reconocer a las dos figuras que estaban junto a él. Eran Sobek y su hija. Había otras dos en segundo plano. Dos mujeres. Una tenía claro que era Hetepheres II, pero a la segunda aún no la distinguía con la suficiente claridad.

—Me gusta conocer con quién hablo. Ahora me dirijo a la sombra de mujer que no ha abierto la boca. ¿Quién es usted?

—Soy la reina Khamerernebty I.

Nefer casi se cae de la cama al escuchar aquel nombre. Sabía perfectamente quién era, lo que desconocía era qué papel podía jugar en toda aquella macabra confabulación. Aparentemente, no tenía ningún sentido. Se suponía que ambas reinas eran rivales en la corte del faraón. Hetepheres representaba los intereses sucesorios de su hijo Baka y ahora de su prole. Sin embargo, Khamerernebty fue la esposa favorita del faraón Khafre y se supone que debía representar a los intereses de su hijo primogénito, el príncipe Menkaure. ¿Qué podían tener ambas mujeres en común? Además, ayer escuchó cómo el *Sacerdocio Secreto de Anubis* había decidido asesinar precisamente a Menkaure. Por lo que parecía, el plan había tenido éxito. Entonces, ¿qué hacía allí su madre en actitud de aparente normalidad? Si lo pensaba bien, ambas habían perdido ayer a sus hijos y estaban tan tranquilas, conversando con él cómo si nada hubiera sucedido.

«¡Cómo si nada hubiera sucedido!», pensó Nefer de inmediato. «¡Esa puede ser una posible explicación!

—¿Es cierto que el faraón Baka ha fallecido? ¿No será todo un engaño y estará vivo? —preguntó de sopetón.

—No —le respondió Sobek—. Es cierto que falleció anoche en su lecho por causas naturales.

—Entonces, ¿alguien me quiere explicar qué sentido tiene todo esto?

Durante un pequeño instante, reinó el silencio. Nefer aprovechó para seguir esforzándose en recuperar la visión. Cada vez estaba más cerca.

—Es una larga historia, pero mereces saberla —le respondió Sobek.

Ahora, para sorpresa de Nefer, que ya veía con más claridad, pudo observar que la reina Hetepheres II tenía los brazos y las piernas encadenadas.

—¿Qué significa esto? —preguntó, alarmado.

—Forma parte de la explicación —le respondió de nuevo Sobek—. Si me lo permites, comprenderás toda la situación de inmediato.

—Adelante —dijo Nefer, que intentaba buscar esa explicación, pero su mente no alcanzaba a unir todas las piezas que tenía frente a él.

—En realidad, ya había comenzado. Te he dicho que el motivo por el que no he asistido a la escuela esta mañana no era debido a un viaje.

—¿Y qué? —Nefer seguía sin encontrarle sentido, ni siquiera a ese detalle.

—Que el verdadero motivo de mi ausencia de esta mañana ha sido por pura precaución. Es cierto que no me fui de Menfis, pero la noche de ayer no la pasé en mi casa.

Nefer lo seguía mirando con cara de idiota, pero permaneció callado a la espera de más información. Sobek continuó.

—Sabíamos que la salud del faraón era muy delicada y que su muerte le podía llegar en las próximas horas. También conocíamos qué sucedería a continuación, así que nos tocó actuar con presteza.

—Asesinando a Menkaure —no pudo evitar decir Nefer.

—No, justo al revés, protegiéndolo. Nosotros no formamos parte del *Sacerdocio Secreto de Anubis*, pero conocíamos sus planes. Hace algún tiempo que los descubrimos y nos infiltramos en su sociedad. Eso nos ha permitido adelantarnos a su macabra confabulación y conseguir evitarla. Por eso estás viendo a la reina Hetepheres II con cadenas.

Aquella revelación sorprendió de nuevo a Nefer. Su cerebro parecía el mundo al revés.

—Te está diciendo la verdad —ahora intervino la reina Khamerernebty, viendo las dudas de Nefer—. La subida al trono del príncipe Baka nos hizo sospechar que debía existir algún tipo de sociedad secreta con muchas influencias y ramificaciones en la sociedad egipcia. El sucesor natural del faraón Khafre siempre debió ser mi hijo Menkaure, como su propio padre había manifestado en vida. Sin embargo, las cosas no sucedieron así y lo peor de todo es que, en aquel momento, íbamos a ciegas y no sabíamos el porqué.

Nefer recordaba haber comentado con su padre ese tema. A ellos también les extrañó que el sucesor de Khafre fuera su sobrino Baka en lugar de su hijo preferido, el príncipe Menkaure.

—Entonces, ¿Menkaure sigue vivo?

—Sí —le contestó Sobek.

—Supongo que lo tendréis oculto en algún lugar remoto, para que nadie pueda acabar con su vida.

—Algo así —respondió la madre de Menkaure, Khamerernebty.

—Ahora me explico ciertas cuestiones, por ejemplo, el motivo por el que está encadenada la reina Hetepheres II. Su sociedad secreta habrá dejado de serlo y los soldados del Palacio Real la habrán arrestado por alta traición e intento de asesinato de un príncipe. Sin embargo, hay otras cuestiones que no tengo nada claras.

—Responderé con sinceridad a todas tus preguntas —dijo Khamerernebty.

—La primera, ¿qué pinta Sobek en todo este asunto? No es que pretenda hacerle de menos, pero es un sacerdote del Templo de Neith. Porque lo estoy viendo con mis propios ojos, sino jamás me imaginaría que un sacerdote como él tomara parte en este tipo de cuestiones sucesorias al trono. Ya sé que los sacerdotes no son ajenos a ellas, pero ¿de esta manera tan descarada? Y ya para terminar, la cuestión de Sobek aún podría tener cierta explicación, pero. ¿y la mía? ¿Qué pinto yo en todo esto? **No soy nadie**.

La reina Khamerernebty, en lugar de parecer incomodada por las preguntas de Nefer, lucía una extraña sonrisa de satisfacción en su cara.

—Has dicho cosas muy interesantes que demuestran tu inteligencia —comenzó a responderle—. Entre todas ellas, me quedo con un detalle. Has dicho de Sobek, y cito literalmente tus palabras, *«porque lo estoy viendo, sino jamás me imaginaría que un sacerdote como él tomara parte en este tipo de cuestiones sucesorias al trono».* A veces, los sentidos nos pueden jugar malas pasadas, ¿verdad?

Nefer parecía aturdido. Su mente intentaba comprender las palabras de la reina.

—¿Quiere decir que los sentidos me han podido engañar?

—Después de todo lo que estás viendo, ¿no me digas que no te lo has planteado? — le respondió Khamerernebty con una pregunta. Estaba claro que seguía divertida con la situación. No era para menos.

De repente, un fogonazo de realidad inundó la mente de Nefer.

Giró su cabeza y se quedó mirando a Sobek con una expresión difícil de describir.

—¡Tú no eres sacerdote de Neith! —exclamó.

—En ocasiones vivo en el templo, eso es cierto, pero tienes razón. No soy sacerdote —le respondió.

—¡Me has engañado! ¡Tú no eres Sobek! ¡Esa persona jamás ha existido! Por eso nadie parecía reconocer tu nombre. Eres en realidad el p...

Aquel joven no dejó terminar sus palabras.

—¡Y tú tampoco eres Nefer y ni has existido como tal!

La sorpresa ante aquella incomprensible e inesperada exclamación fue absoluta. Nefer se giró hacia la supuesta hija de Sobek buscando alguna respuesta a aquel galimatías. En este momento de tensión, le pareció la persona en la que más podía confiar.

—Aunque no lo parezca, esta es una reunión familiar —le dijo la chiquilla, con una tranquilidad impropia de la situación y de su edad—. Yo no te engañé y mi padre es la persona que conocías por el nombre de Sobek, pero es cierto que me vi obligada a ocultarte mi verdadera identidad. Lo siento, pero era necesario. En realidad, soy...

Ahora fue la reina Khamerernebty la que interrumpió a la pequeña, intentando poner un toque de cordura a aquella discusión con una frase aún más enigmática.

—**En realidad, ahora mismo, no somos nadie**.

46 EN LA ACTUALIDAD, DUBLÍN, IRLANDA, 15 DE OCTUBRE

—Disculpa una vez más mi atrevimiento, Ryan, pero hay una cuestión que no alcanzo a comprender. Eres un buen tío y te aseguro que para eso tengo buen ojo. ¿Cómo una persona como tú puede asesinar a su esposa? Eso es algo abominable que no consigo comprender. Tú no pareces esa clase de persona —preguntó Carlota.

Rebeca se dio cuenta de que su hermana quería distraer a toda costa a Ryan para que no se fijara en las cuatro personas de la mesa contigua. Al fin y al cabo, había sido militar de élite y también podría haber recibido formación en vigilancia y seguimiento de objetivos.

—Es una historia muy larga, como te dije la primera vez que nos vimos.

—¿Te apetece hablar de ello? Piénsalo, igual te viene bien, pero no en el rollo ese de que compartir una mala experiencia te ayudará a superarla. Eso es una *milonga* que se inventaron los psicólogos para cobrarte cien euros por sesión. Yo lo digo en el sentido de que podamos conocerte de verdad, y eso sí que puede hacer que te sientas mejor. Ya que he visto que te gusta la lectura. Bertolt Brecht, el dramaturgo y poeta alemán, dijo una vez que *«a la buena gente se la conoce en que resulta mejor cuando se la conoce»*. Me parecen unas palabras que encierran pura sabiduría destilada.

Ryan la miraba con una expresión extraña, pero no abrió la boca. Carlota continuó.

—De todas maneras, si no es así, lo dejamos. Siempre queda el recurso de que os entretenga con cualquiera de mis intrascendentes pero graciosas anécdotas, que tengo unas cuantas. Por cierto, algunas de ellas son con mi hermana, para su completo bochorno. Ahí donde la ves, que parece que se haya dedicado toda la vida a cocinar tartas de fresa, detrás de esa fachada se esconde una verdadera pantera.

A pesar de que Rebeca comprendía lo que estaba haciendo Carlota, la hubiera estrangulado ahora mismo.

—¿Cómo se supone que deben de ser los asesinos? —le preguntó Ryan—. ¿Acaso tú lo sabes?

—Algo sé de ello, créeme, por eso me extraña mucho que tú pertenezcas a ese grupo.

—¿Tan segura te crees? Estamos cansados de ver por la televisión y en las redes sociales que gente aparentemente corriente comete actos que nadie se explica. ¿Por qué no puedo ser yo uno de ellos?

—Podrías serlo, desde luego, pero, no sé por qué, me instinto me dice que hay una historia detrás de tus palabras que no concuerda con la palabra «asesinato».

—¿Acaso eres una bruja o algo así? —preguntó Ryan, que ahora parecía sorprendido.

—Sin el «algo así». Te confirmo que es una bruja —intervino Rebeca, intentando aportar algo de frescura a una conversación demasiado seria—. Debajo de su mesita de noche esconde la bola de cristal.

Ryan se quedó mirando a Carlota, como esperando que le confirmara lo de la bola de cristal.

—No le hagas caso a mi hermana. Me tiene celos porque soy más inteligente que ella. Nunca lo ha soportado. Existen muchos tipos de inteligencia, pero siempre han dicho de mí que soy muy perceptiva. Dicen que es la cualidad o defecto, según se mire, que mejor me define. Es como si mi mente fuera un potente ordenador que procesa todo lo que sucede a mi alrededor a más velocidad que los demás. ¿Entiendes? Más velocidad de proceso y más datos analizados conducen a respuestas más precisas.

—Lo estás arreglando —le respondió Ryan—. ¿Eres humana por lo menos?

—A medias —se anticipó Rebeca.

—¡Oye! —protestó Carlota—. Mi cerebro *positrónico*, como en las novelas de robots de Isaac Asimov, no es capaz de procesar las ironías.

—No era una ironía.

—¡Ya vale! —exclamó Carlota, pretendiendo estar enfadada, aunque no lo estaba—. Cuando una persona explica sus trucos, pasa como los magos, que pierden su encanto, pero veo que no me dejáis otra alternativa. Para empezar, tan solo con escucharte hablar de tu esposa me es suficiente. La tratas con cariño, pero sobre todo con respeto, algo que no haría un asesino. Además, cuando te he hecho la primera pregunta has mirado hacia la izquierda y no hacia la derecha.

—¿Me tomas el pelo? ¿Y eso qué tiene qué ver? —preguntó Ryan, que empezaba a pensar que tenía delante a una chalada. Tampoco es que fuera muy desencaminado, pero era una chalada muy especial.

—Esto que te voy a contar quizá no sea ciencia pura, sino que tenga más que ver con la programación neurolingüística, pero me ha demostrado en la vida que se trata de algo muy útil. Cuando le haces una pregunta a alguien y te responde mirando a su izquierda, está construyendo, está imaginando, está creando algo inexistente. No está accediendo a la parte derecha del cerebro, que es donde se almacenan los verdaderos recuerdos tal y como sucedieron. Es posible que esa creación o invención se pueda basar en algún detonante que fuese cierto, pero el resultado final son hechos que no sucedieron exactamente así. Es decir, que, si haces una pregunta a alguien y mira a su izquierda, es muy probable que te esté mintiendo. Tú lo has hecho. Has mirado a tu izquierda. No sé qué historia habrá detrás de la muerte de tu esposa, pero no eres un asesino.

Rebeca tuvo que reconocer que estaba impresionada. Ella había llegado a la misma conclusión que su hermana, aunque por otros medios menos sofisticados. De todas maneras, en todo ese razonamiento existía un grave problema que podía desmontar esa teoría. Ryan no mentía porque Rebeca lo hubiera percibido. Era capaz de distinguir lo verdadero de lo falso. Esa era la habilidad que tenía y jamás le había fallado. Ahora se encontraba en una encrucijada, pero como Ryan siempre se había negado a dar ninguna explicación sobre su pasado, no se atrevía a juzgarle. Aunque también pensara que no era un asesino, no podía descartarlo de una manera concluyente. Esa era la eterna duda que le atormentaba.

—Eso es una solemne estupidez —respondió Ryan—. Basta con tener esa información y mirar hacia el lado que quieras cuando contestes. Anda, hazme cualquier pregunta y a ver qué conclusión sacas.

—¿Asesinaste a tu esposa? —le espetó Carlota.

—Sí —contestó Ryan, mirando a su derecha.

—Acabas de mentir.

—¡Pero si he mirado a mi derecha! Según la teoría que nos acabas de explicar, estoy diciendo la verdad.

—No se trata de la dirección descarada hacia donde mires. Lo tuyo ha sido muy burdo. Lo importante son los primeros microsegundos, esa pequeña reacción espontánea que no podemos evitar aunque queramos, no la posterior fingida. Quizá no seas consciente, pero has mirado a la izquierda durante un pequeño instante. Hay que estar muy entrenado para saber distinguir ese pequeño matiz.

—¿Entrenado? ¿Y quién demonios entrena esa clase de tonterías?

A Carlota le pareció que ese no era el camino que debía seguir la conversación, así que de nuevo la recondujo.

—¿Qué sucedió en realidad? ¿Te vas a atrever a contar de una vez la verdad o prefieres ocultarte detrás de ese absurdo telón mugriento?

Por primera vez, Rebeca vio que Ryan estaba dudando. Eso era un gran avance ya que con ella jamás lo había hecho. «Al final, la *petarda* de mi hermana conseguirá en un día lo que yo no he podido en tres meses», pensó.

—Toda la culpa fue de Menkaure —se limitó a decir Ryan, mientras cubría su rostro con las manos.

Rebeca se sobresaltó de tal manera al escuchar la respuesta de Ryan que casi se le cae la pinta de cerveza de sus manos al suelo. Quería preguntarle, pero, para su sorpresa, su hermana se le adelantó.

—¿De Menkaure? —repitió Carlota.

—Sí, de ese desgraciado.

«Carlota no es historiadora. Es normal que no sepa quién es Menkaure», pensó Rebeca, pero consideró que, en estos momentos, no debía decir nada. Era más importante escuchar la explicación de Ryan.

—¿En qué sección del ejército irlandés nos dijiste que trabajabas? —continuó preguntando Carlota.

—En la marina, en concreto en el NSDS, que significa *Naval Service Diving Section.*

—Eso quiere decir que se trata de una unidad subacuática, ¿no? Eres un buzo militar profesional.

—Era.

—Eso me da igual —dijo Carlota, con una expresión de evidente inquietud—. ¿Me disculpáis un momento? Voy a salir a la calle a fumarme un cigarro. Ahora mismo vuelvo.

«¡Pero si Carlota no ha fumado en su vida!», pensó Rebeca. Todas las alarmas empezaron a sonar en su cabeza. Miró a su alrededor y observó que la mesa de las cuatro personas que las vigilaban estaba vacía. «¡No puedo despistarme ni un momento!», se reprochó.

—¡Espera, Carlota! Te acompaño y luego nos marchamos a casa. Ya es tarde —le dijo Rebeca, justo cuando su hermana estaba tomando entre sus manos la cuenta de las consumiciones de encima de la mesa para pagarlas.

—Yo también salgo con vosotras —se unió Ryan—. Creo que por hoy ya he bebido lo suficiente.

Rebeca había comprendido de inmediato que algo no iba bien, aunque no sabía exactamente qué.

—Como queráis —respondió Carlota, con un gesto de indiferencia. Ya se había levantado de la mesa.

Salieron los tres juntos del *pub* y Carlota se echó la mano a su bolso, abriéndolo, como buscando un cigarro.

De repente, una furgoneta negra apareció a toda velocidad en dirección hacia ellas. Se detuvo justo enfrente. Abrió su puerta lateral corredera y salieron cuatro personas de su interior.

«¡Llevan pasamontañas!», pensó Rebeca, que parecía la única que estaba alerta.

—¡Cuidado! ¡Nos intentan atracar! —gritó a pleno pulmón, asustada.

Los cuatro desconocidos se avanzaron sobre ellos. Rebeca pudo mirar por el rabillo del ojo como uno de ellos atacaba a Ryan y este se estaba defendiendo. También observó a su hermana. Le habían pillado desprevenida mirando en el interior de su bolso y le habían atrapado sin apenas oposición. Parecía que la querían subir a la furgoneta negra. «Esto no es un atraco, es un secuestro», pensó de inmediato, aterrorizada.

—¡No! —volvió a gritar, pero ahora ese rugido ya no era de preocupación, sino que salía del interior de las entrañas de la pantera que llevaba dentro.

Intentó impedir que se llevaran a su hermana, pero cuando se desembarazó de sus dos atacantes, ya la habían subido a la furgoneta y arrancaron a toda velocidad, desapareciendo rápidamente por el callejón, tal y como habían aparecido.

Rebeca estaba algo aturdida. Todo había sucedido en apenas unos segundos. Miró a su alrededor y pudo ver a Ryan, que cojeaba ostensiblemente. Estaba claro que había conseguido repeler a su agresor, pero había recibido unos cuantos golpes, ya que también sangraba de forma abundante por la nariz.

—¡Hay que llamar a la *Garda*! —exclamó Ryan, mientras sacaba del bolsillo su móvil y empezaba a teclear el número de emergencias.

—¡Ni se te ocurra! —le gritó Rebeca, mientras le quitaba el teléfono de sus manos con un violento zarpazo.

—¡La *Garda* es el nombre de la policía irlandesa! ¿A quién te crees que iba a llamar? —le preguntó un desconcertado Ryan.

—Sé perfectamente quiénes son la *Garda*. Por eso te he quitado el móvil.

—¿Acaso te has vuelto loca? —le preguntó Ryan, que parecía histérico por lo que acababa de suceder, pero aún le exasperaba más ver la aparente tranquilidad de Rebeca.

—¿No sabes a qué se dedica mi hermana? Nada de policía en este asunto y menos con Menkaure de por medio.

—¿Menkaure? ¿Qué sabes tú de eso?

—Me temo que todo.

Ryan parecía desconcertado, pero aún así no entendía la reacción de Rebeca.

—¡Por Dios, Rebeca! ¿Me tengo que preocupar también por tu incomprensible comportamiento?

—No has formulado la pregunta adecuada. Debería ser, ¿nos tendríamos que preocupar por la extrañísima reacción de mi hermana al escuchar el nombre de Menkaure y caer en la cuenta de que eres buzo? Que yo conozca la respuesta y haga las deducciones adecuadas es normal, ya que soy historiadora, pero ¿Carlota? Ella no lo es y no debería saber nada de todo ese asunto.

Ryan se echaba las manos a la cabeza.

—Y eso, ¿qué narices importa ahora? Lo fundamental es que tu hermana ha sido secuestrada. Además, los cuatro eran profesionales, casi me atrevería a decir que militares. Sé distinguir ese modo de luchar.

—No me dices nada que no sepa ya.

—Y aún así, ¿no te preocupas por tu hermana? ¿Acaso no te importa? —Ryan no salía de su asombro.

—Ahora mismo, lo único que me importa es Menkaure, que es la clave de todo. **Nosotros no somos nadie**.

Fin
El misterio de nadie
(Ángeles libro 1)

Continúa en
El faraón perdido
(Ángeles libro 2)

CLUB VIP

Si has leído alguna de mis novelas, creo que ya me conoces un poco. **Siempre va a haber sorpresas y gordas.** Si quieres estar informado de ellas y no perderte ninguna, te recomiendo apuntarte a mi club.

Es gratuito y tan solo tiene ventajas: regalos de novelas y lectores de ebooks, descuentos especiales, tener acceso exclusivo a mis nuevas novelas, leer sus primeros capítulos antes de ser publicados, etc.

Lo puedes hacer a través de mi web y no comparto tu email con nadie:

www.vicenteraga.com/club

REDES SOCIALES

Sígueme para estar al tanto de mis novedades

Facebook
www.facebook.com/vicente.raga.author

Instagram
www.instagram.com/vicente.raga.author

Twitter
www.twitter.com/vicent_raga

BookBub
www.bookbub.com/authors/vicente—raga

Goodreads
www.goodreads.com/vicenteraga

Web del autor
www.vicenteraga.com

RESEÑAS

Para los autores independientes es muy importante que escribas una reseña de nuestras novelas. Tienen más importancia de lo que te puedes imaginar.

Para ti es tan solo un momento, pero con ellas apoyas la cultura.

SI TE HA GUSTADO LA NOVELA, POR FAVOR, ESCRIBE UNA RESEÑA

Si, por el contrario, no te ha gustado o quieres ponerte en contacto conmigo, puedes mandarme tu comentario a:

www.vicenteraga.com/contacto

NUEVA SERIE DE NOVELAS «ÁNGELES»

Disponibles en Amazon y librerías tradicionales

El misterio de nadie (Ángeles libro 1)

El faraón perdido (Ángeles libro 2)

Las puertas del cielo (Ángeles libro 3)

Para vivir hay que morir (Ángeles libro 4)

SERIE DE NOVELAS «LAS DOCE PUERTAS» Y BILOGÍA «MIRA A TU ALREDEDOR»

Todas las novelas pueden ser adquiridas en los siguientes idiomas y formatos

ESPAÑOL
Formato eBook
Formato papel tapa blanda
Formato tapa dura (edición para coleccionistas)
Audiolibro

ENGLISH
eBook
Paperback
Hardcover (Collector's Edition)
Audiobook (coming soon)

*Todas disponibles en **Amazon***

Las doce puertas (Libro 1)
The Twelve Doors (Book 1)

Nada es lo que parece (Libro 2)
Nothing Is What It Seems (Book 2)

Todo está muy oscuro (Libro 3)
Everything Is So Dark (Book 3)

Lo que crees es mentira (Libro 4)
All You Beleive Is a Lie (Book 4)

La sonrisa incierta (Libro 5)
The Uncertain Smile (Book 5)

Rebeca debe morir (Libro 6)
Rebecca Must Die (Book 6)

Espera lo inesperado (Libro 7)
Expect the Unexpected (Book 7)

El enigma final (Libro 8)
The Final Mystery (Book 8)

BILOGÍA / DUOLOGY
«MIRA A TU ALREDEDOR»
"LOOK AROUND YOU"

Mira a tu alrededor (Libro 9)
Look Around You (Book 9)

La reina del mar (Libro 10)
The Queen of the Sea (Book 10)

TRILOGÍA EN UN SOLO VOLUMEN DE VICENTE RAGA «JAQUE A NAPOLEÓN» "CHECKMATE NAPOLEÓN"

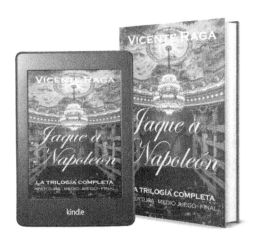

Jaque a Napoleón, la trilogía: apertura, medio juego y final

ESPAÑOL
Formato eBook
Formato papel tapa blanda
Audiolibro (próximamente)

ENGLISH
eBook
Paperback
Audiobook (coming soon)

Made in United States
North Haven, CT
22 July 2023

39386450R00211